D0316896

CAROL SHIELDS

BONTÉ

Roman

Traduit de l'anglais
par Céline Schwaller

CALMANN-LÉVY

Titre original :
UNLESS

Première publication :
Random House, Canada, 2002

ISBN 2-7021-3276-6

Pour Ezra et Jay

« Si nous avions une vision, une perception fine de toute vie humaine ordinaire, cela équivaudrait à entendre l'herbe pousser et battre le cœur de l'écureuil, et nous mourrions d'entendre ce rugissement qui résonne de l'autre côté du silence. »

George ELIOT

Je voudrais remercier un certain nombre de personnes qui d'une façon ou d'une autre m'ont encouragée à écrire Bonté *: Sharon Allan, Marjorie Anderson, feue Joan Austen-Leigh, Joan Barfoot, Clare Boylan, Marg Edmond Brown, Joan Clark, Anne Collins, Cynthia Coop, Patrick Crowe, Maggie Dwyer, Darlene Hammell, Blanche Howard, Isabel Huggan, Carl Lenthe, Madeline Li, Elinor Lipman, Anna et Sylvie Matas, Margaret Shaw-Mackinnon, Don McCarthy, Peter Parker, Bella Pomer, Christopher Potter, Linda Rogers, Carol Sabiston, Floyd St. Clair, Eleanor Watchel, Cindi Warner, Mindy Werner, la Fondation John Simon Guggenheim, et, comme toujours, ma famille : John, Audrey, Anne, Catherine, Meg, Sarah, et particulièrement, Don.*

Voici

Il se trouve que je traverse en ce moment une période de grande tristesse et de malheur. Toute ma vie, j'ai entendu des gens expliquer qu'ils étaient en proie à une souffrance aiguë, à une faillite de l'esprit et du corps, mais je n'ai jamais compris ce qu'ils voulaient dire. Perdre. Avoir perdu. Je croyais que ces ténèbres leur rendaient visite seulement quelques minutes ou quelques heures, et qu'entre deux crises ces gens affligés étaient occupés, comme nous tous, par la monotonie utile du bonheur. Mais le bonheur n'est pas ce que je pensais. Le bonheur est un talisman de cristal que l'on transporte dans sa tête. Le simple fait de ne pas le lâcher nécessite toute notre ingéniosité, et une fois qu'il est brisé, il faut adopter un autre genre de vie.

Dans ma nouvelle vie (celle de l'été 2000), je tente de « m'estimer heureuse de ce que j'ai ». Tous les gens que je connais me conseillent d'adopter cette stratégie répugnante, comme s'ils croyaient vraiment qu'une perte dramatique pouvait être compensée par une nouvelle façon d'apprécier tout ce que l'on a reçu. J'ai un mari, Tom, aimant et fidèle, doté en outre d'un physique agréable, plutôt grand, mince, avec un joli début de calvitie. Nous vivons dans une maison dont l'hypothèque est payée, une maison située dans les collines ondoyantes d'une région prospère de l'Ontario, à seulement une heure de route au nord de Toronto. Deux de nos trois filles, Natalie, quinze ans, et Christine, seize ans, habitent avec nous. Elles sont intelligentes, gaies, jolies et affectueuses, bien qu'elles partagent elles aussi ce grand malheur, comme Tom.

Et j'ai mes livres.

« Tu as tes livres ! » disent nos amis. Un chœur de murmures : *Mais tu as tes livres, Reta.* Personne n'est assez grossier pour suggérer que mon chagrin deviendra finalement de la matière pour mes livres, mais ils le pensent sans doute.

Et c'est vrai. Il y a bel et bien une sensation de confort curieuse et un rien désagréable, à l'âge de quarante-trois ans (quarante-quatre en septembre), dans le fait de contempler ce que je suis parvenue à écrire et à publier pendant cette période invraisemblablement puérile et ensoleillée datant d'avant que je ne comprenne la signification du chagrin. « Mes livres » : c'est un bien mince cataplasme à appliquer sur mon être endommagé, mais c'est mieux, m'a-t-on persuadée, que pas de réconfort du tout.

Nous sommes au mois de juin, en cette première année du nouveau siècle, et voici ce que j'ai écrit jusqu'ici dans ma vie. Je ne compte pas mes vieux sonnets d'écolière datant des années 1970 (*Avec tes pantoufles de satin, Avril, tu glisses dans le temps / Tu lisses les jours de printemps, ta dam ta dam*) ni ma douzaine de critiques littéraires serviles du début des années 1980. J'affiche cette liste non sur mon écran mais sur ma conscience, un outil informatique bien plus sûr et facile d'accès :

1. Une traduction et une introduction au recueil de poésie de Danielle Westerman, paru en anglais

sous le titre *Isolation* en avril 1981, un mois avant la naissance de notre fille Norah; l'accouchement avait eu lieu à la maison, bien entendu, avec l'assistance d'une sage-femme : tout juste si l'on n'entendait pas les accords des guitares en fond sonore, sauf que nous n'avions pas festoyé autant du placenta comme le faisaient certains de nos amis à l'époque. Je dois ma maîtrise du français à ma mère québécoise, et à ma rencontre avec Danielle à l'Université de Toronto, où elle enseignait la civilisation française quand j'étais étudiante. C'était un piètre professeur, hésitante et intimidée, je pense, par les étudiants bronzés et vigoureux, assis dans sa classe, lesquels prenaient religieusement des notes pour tenter d'étendre l'idée étriquée qu'ils se faisaient de la civilisation depuis leurs banlieues. Elle était déjà l'auteur reconnu d'une prose cinétique musclée, à la fois séduisante et dangereuse. Sa technique consistait à prendre le lecteur par surprise. Au milieu d'un paragraphe assez plat et décousu, abusé par de chaudes plages de réflexion, on tombait sur un morceau de cartilage dur.

J'ai quelques scrupules à prétendre qu'*Isolation* est mon propre livre, mais le docteur Westerman, avec un de ses gestes expéditifs de la main, insistait sur le fait que la traduction, surtout poétique, était un acte créatif. Écrire et traduire sont deux activités connexes, disait-elle, pas opposées, et sans aucune hiérarchie. Bien sûr, elle *était obligée* de dire cela. Mon introduction à *Isolation* était assurément créative, puisque je n'avais aucune idée de ce dont je parlais.

Je l'ai exhumée récemment et, en la lisant, j'ai senti forer en moi le Ver Palpable de la Honte, comme dit mon amie Lynn Kelly. De la prétention, voilà ce que je vois à présent. La partie de mon essai qui explique comment l'art transmute le désespoir de la vie en « simple fragilité », et la tentative de la poésie pour « combler le fossé entre le quelque chose et le rien » : qu'ai-je donc bien pu vouloir dire ? Trop de Derrida, c'était peut-être le problème. J'étais à fond là-dedans au début des années 1980.

2. Est ensuite venu *The Brightness of Stars* (L'Éclat des Étoiles), une nouvelle parue dans *Une Anthologie des Jeunes Voix de l'Ontario* (Pink Onion Press, 1985). Difficile de croire qu'en 1985 j'avais qualité de « jeune voix », mais, en fait, je n'avais que vingt-neuf ans. J'étais la mère de Norah, quatre ans, de sa sœur Christine, deux ans, et sur le point d'accoucher de Natalie, à l'hôpital cette fois-ci. Trois filles, et même pas encore trente ans. « Comment as-tu trouvé le temps ? » me répétaient les gens et, dans cette question, je remarquais souvent une nuance de reproche : négligeais-je mes adorables mômes pour ma carrière d'écrivain ? Eh bien, non. Je n'ai jamais pensé en termes de carrière. J'écrivais en dilettante. C'était mon macramé, mon tricot. Peu de temps après, cependant, j'ai effectivement commencé à prendre cela au sérieux et je me suis inscrite dans un atelier d'écriture local pour femmes, lequel se réunissait tous les quinze jours, pendant deux heures ; nous buvions du café et passions un bon moment, appréciant profondément la compagnie des unes et des autres, ce qui a débouché sur :

3. *Icon* (Icône), une nouvelle assez jamesienne, en 1986. Gwen Reidman, qui était la seule à avoir été publiée dans le groupe, était notre chef. Le Collectif Glenmar (un acronyme de nos prénoms, pas très original) était le nom que nous nous étions donné. Un jour, Gwen a déclaré, en portant un muffin à sa bouche, qu'elle était touchée par « l'austérité » de ma nouvelle, laquelle était basée, mais seulement de loin, sur ma réaction à l'exposition d'icônes russes présentée à la Galerie d'Art de l'Ontario. D'après

elle, mon histoire fictive était un exemple d'art à la fois « pour et contre l'art », et elle nous a rappelé ensuite le célèbre *On First Looking Into Chapman's Homer* de John Keats, ainsi que toute l'esthétique de l'art engendrant l'art, de l'art adulant l'art, à laquelle je ne crois plus, d'ailleurs. Soit on y croit, soit on n'y croit pas. Toutes les sept, Gwen, Lorna, Emma Allen, Nan, Marcella, Annette et moi (je m'appelle Reta Winters ; on prononce Ri-ta) avons publié nos textes dans un volume intitulé *Incursions and Interruptions* (Incursions et Interruptions), déboursant chacune cinquante dollars pour la publication. Les cinq cents exemplaires ont été vendus rapidement dans les librairies du coin, principalement à notre famille et à nos amis. Nous avons découvert que publier ne coûtait pas cher. Quelle surprise ! Nous nous sommes baptisées les Stepping Stone Press (autrement dit, les Presses du Tremplin), un nom qui exprimait notre léger embarras face à l'idée de devoir nous publier nous-mêmes, mais également l'espoir d'accéder à une publication authentique dans un avenir très proche. Sauf Gwen qui, bien sûr, en était déjà là. Et Emma, qui commençait à écrire des chroniques pour le *Globe and Mail.*

4. *Alive* (Random House, 1987), une traduction de *Pour Vivre**, le premier volume des mémoires de Danielle Westerman. Je donne peut-être l'impression de revendiquer la traduction comme un acte d'originalité, mais, comme je l'ai déjà dit, c'est Danielle qui, de sa manière douce, en plissant le front sous ses cheveux désordonnés, m'a poussée à croire que l'action laborieuse consistant à transformer un français élégant en un anglais lisible et

* Les mots en italique suivis d'un astérisque sont en français dans le texte *(N.d.T.)*

stable était une performance esthétique. Le livre a été bien accueilli par les critiques et s'est même assez bien vendu, un ouvrage épais mais accessible, livré sans honte et sans une seule note de bas de page. La traduction, pour sa part, s'est fait éreinter dans le *Toronto Star*, jugée « maladroite » par un certain Stanley Harold Howard, mais Danielle Westerman a dit dans son français imagé que c'était sans importance, car l'homme était *un maquereau**.

5. Ensuite, j'ai écrit un opuscule que l'on m'avait commandé, pour une collection publiée par une maison d'édition dénommée « *L'Encyclopédie de l'art** ». Ces éditions publiaient de minuscules plaquettes au format de poche, chacune dédiée à un sujet artistique unique, qui couvraient tout le domaine de Braque à Villon en passant par Calder, Klee et Mondrian. Installé à New York, l'éditeur, qui appelait me semblait-il, depuis une cabine téléphonique, ne se doutait pas de mon ignorance et, étant tombé sur ma nouvelle intitulée *Icon*, me croyait experte en la matière. Il me demandait trois mille mots pour un volume (une brochure, en réalité) qui devait s'intituler *Russian Icons* (Icônes russes), publié finalement en 1989. Il m'a fallu une année entière pour l'écrire, étant très occupée entre Tom et les trois filles, la maison, le jardin, les repas, la lessive, et mon travail d'introspection. Ils ont publié mon « texte » (un mot tellement froid et figé !) illustré par une série de planches colorées, en anglais et en français (c'est également moi qui ai écrit la partie en français) et m'ont payé quatre cents dollars. J'ai tout appris sur les écoles de Souzdal et de Vladimir, et sur ce qui s'était passé à Novgorod (beaucoup de choses), ainsi que sur la façon dont les représentations des saints faisaient trembler de peur les gens du Moyen Âge. À ma connaissance, le livre n'a jamais été réédité,

mais je peux le lire aujourd'hui sans honte. Il est quasiment impossible d'être doucereux quand on écrit sur des peintures naïves qui n'obéissent à aucune règle de perspective et qui ont été exécutées sur des planches de bois ordinaire.

6. Ensuite, j'ai perdu un an, ce que je ne comprends pas, puisque les trois filles avaient commencé l'école, même si Natalie n'allait à la maternelle que le matin. Je pense que j'étais trop occupée à réfléchir à ce que représentait le fait d'être écrivain, à jouer les écrivains, à me torturer avec l'idée que l'ego de Tom pouvait être menacé et que j'étais dans l'ombre de Danielle (sans parler de Derrida), à vouloir mon propre espace de travail, à essayer d'assumer mes trente-cinq ans et à me sentir plus vieille que je ne me suis jamais sentie depuis. Mon âge m'obsédait en permanence, s'étalait en majuscules géantes dans ma tête, bloquant l'accès à tout ce que m'offrait la vie. Le nombre trente-cinq ne restait jamais assis les bras croisés. Le nombre trente-cinq n'avait aucune sérénité. Il fredonnait sans cesse des mélodies sèches et malsaines semblables à un bruit de Cellophane froissé. « Je suis serein », avait dit John Quincy Adams sur son lit de mort. Comme c'était admirable, enviable, et inimaginable ; je l'adorais pour cela.

L'angoisse que j'éprouvais était sans fondement ; l'ego de Tom n'était pas menacé par mes maigres publications. En fait, il faisait partie de ces hommes pour lesquels on s'inquiétait dans les années 1970 et 1980, car on pensait qu'ils risquaient de se ratatiner en comprenant leur propre insignifiance. L'ordinaire était ce à quoi il aspirait : être un homme ordinaire intégré dans une famille qu'il aimait. Nous avons fait poser une lucarne dans le débarras, acheté un bureau d'occasion, installé un fax et un ordinateur, et je me suis assise dans mon fauteuil ergonomique tout droit sorti d'un catalogue pour traduire l'immense ouvrage de Danielle Westerman intitulé *Les Femmes et le Pouvoir**, le tome deux de ses mémoires, dont la version anglaise a été publiée en 1992. En anglais, le titre est devenu *Women Waiting* (Femmes dans l'expectative), ce qui ne prend de sens que si vous avez lu le livre. (Les femmes possèdent le pouvoir, mais c'est un pouvoir qui demande encore à être saisi, déclenché, libéré, etc.) Cette fois, personne n'a trouvé à redire à ma traduction. « Pétillante et très fluide », a dit le *Globe*, et le *New York Times* est allé plus loin en la qualifiant de « prouesse ».

« Tu es ma vraie sœur », m'a dit Danielle Westerman à l'époque de la publication. *Ma vraie sœur**. Je l'ai serrée dans mes bras. À plus de quatre-vingts ans, sa soif de contacts physiques n'a pas diminué, même si aujourd'hui il n'y a plus guère que son médecin qui la touche, ou moi, avec mon accolade hebdomadaire, ou encore la manucure. Le docteur Danielle Westerman est la seule personne que je connaisse qui se fait faire les ongles deux fois par semaine, le mardi et le samedi (un simple rafraîchissement), de beaux ongles longs assortis à ses grands yeux interrogateurs.

7. J'avais le vertige. Tout à coup, des offres de traduction arrivaient dans ma boîte aux lettres, mais je persistais à penser que je pouvais peut-être écrire des nouvelles, même si, entre Emma qui avait trouvé du travail en Terre-Neuve, Annette qui divorçait et Gwen qui était partie aux États-Unis, notre groupe Glenmar dépérissait. Le problème, c'est que je détestais mes nouvelles. Je voulais écrire sur des choses entendues par hasard ou entr'aperçues, mais cette sorte d'évanescence me cantonnait au mode de la fantaisie, et même si je croyais que le caractère fan-

taisiste était une fibre de la personnalité humaine, j'étais gênée par ce que je saisissais sur mon nouvel ordinateur Apple, assise sous l'éclat transparent de la lucarne. Pernicieux, précieux, mes moments de prise de conscience. *Ahah ! Et là, elle a compris* ; j'étais si séduisante avec mon « Ellen était assise devant la table, et elle savait que ce soir, ce serait différent ». Une petite bestiole bourdonnait à l'intérieur de mon oreille : Qui se soucie d'Ellen, de ses sets de table tissés et de ses espoirs pour l'avenir ?

Moi, en tout cas, je m'en moquais.

Parce que j'avais trois enfants, tout le monde disait que j'aurais dû écrire de la littérature enfantine, mais je n'arrivais pas à trouver le ton. La littérature pour enfants me cassait les oreilles : des canards qui parlent et des crapauds qui gloussent ! Je voulais une tâche plus sévère et plus retenue, c'est pourquoi j'en suis venue à écrire *Shakespeare and Flowers* (Shakespeare et les Fleurs), San Francisco, Cyclone Press, 1994. Le contrat avait été négocié avant que j'aie écrit un seul mot. J'ai reçu une petite avance qui devait me permettre de démarrer, en attendant le solde, promis à la publication. Je pensais que cela serait une entreprise académique, mais j'ai fini par produire un petit livre « à offrir ». On pouvait envoyer ce livre à n'importe qui possédant un minimum de culture, ou qu'on ne connaissait pas très bien. *Shakespeare and Flowers* était en vente dans le genre de magasins qui proposent des cartes de vœux et des ours en peluche. Je m'étais contentée de passer en revue les œuvres de Shakespeare et de relever des références à, disons, l'églantine (*Songe d'une nuit d'été*) ou la mûre (*Troilus et Cressida*), puis de pondre une petite description de la fleur, de m'entretenir (deux fois) au téléphone avec un illustrateur de Berkeley, et d'y ajouter des tas de citations shakespeariennes. Un petit livre exquis, sur beau papier lisse, 12,95 dollars. Avec ses soixante-huit pages, on peut le glisser dans une enveloppe. Deux cent mille exemplaires, et il se vend encore, bien que les royalties soient scandaleusement basses. Ils voudraient que j'écrive quelque chose sur Shakespeare et les animaux, et je le ferai peut-être.

8. *Eros : Essays* (Éros : Essais), de Danielle Westerman, traduction de Reta Winters, traduit à la hâte (tout devait se faire dans l'urgence à cette époque-là, et aujourd'hui encore) et publié en 1995. Énorme succès, après une avance minime. Nous avons mis le chien au chenil et, avec Tom et les filles, nous avons utilisé le premier chèque de la traduction pour partir un mois en France, dans le sud de la Bourgogne, dans un village appelé La Roche-Vineuse, où Danielle avait grandi, à mi-chemin entre Cluny et Mâcon, avec des toits en tuiles rouges éparpillés au milieu de vignobles vallonnés, où flottait un air éblouissant de lumière. La maison que nous avions louée était construite autour d'une cour pavée pleine de vieux rosiers et de massifs d'hortensias. « De quand date cette maison ? » avions-nous demandé aux voisins, qui nous avaient invités à boire l'apéritif. « Elle est très vieille » fut la seule réponse que nous avions obtenue. Les murs en pierres mesuraient soixante centimètres d'épaisseur. Les trois filles prenaient des cours de tennis à *l'école d'été**. Tom partait chercher des trilobites, heureux sous le soleil de France, et je restais assise dans un fauteuil en osier, dans la cour remplie de fleurs, en short, bain de soleil et pieds nus, un chapeau de paille sur la tête, à lire des romans jour après jour en me disant : je veux écrire un roman. Sur quelque chose qui se produit. Sur des personnages qui évoluent

dans un « là-bas ». C'était ce que j'avais vraiment envie de faire.

Avec le recul, j'ai du mal à croire à une telle naïveté. Je ne pensais pas au fait que nos filles grandiraient, quitteraient la maison et se détacheraient de nous. Norah avait été un bon bébé docile, puis elle était devenue une bonne petite fille obéissante. À présent, à dix-neuf ans, elle déborde tellement de bonté qu'elle est assise au coin d'une rue de Toronto (laquelle possède sa propre histoire littéraire, que Norah ignore sans doute). Elle est assise sous le lampadaire où le poète Ed Lewinsky s'est pendu en 1955 et où Margarita Tolles est sortie en trombe de la station de métro dans le soleil de son pays d'adoption en décidant d'écrire une pièce de théâtre géniale. Norah est assise en tailleur avec une sébile sur les genoux et ne demande rien à personne. Elle distribue les neuf dixièmes de ce qu'elle collecte à la fin de la journée à d'autres gens. Elle porte un écriteau en carton sur la poitrine ; un seul mot y est inscrit au marqueur noir : BONTÉ.

J'ignore la véritable signification de ce mot, bien que les mots soient mon métier. En vieil anglais, le mot *wearth* (je l'ai découvert l'autre jour sur Internet) signifie « proscrit » ; l'autre mot anglais, son jumeau, son contraire, est *worth* (la valeur). Nous savons ce qu'il signifie et savons nous en méfier. C'est le mot *wearth*, proscrit, que Norah s'est approprié. Voilà la place qu'elle revendique, un monde entier construit sur l'immobilité. Une attitude facile, dit la mère affligée et accusatrice, facile à trouver et à tenir, avec suffisamment de pratique. Pour se faire une idée plus précise, on serait tenté d'ajouter quelque âpre substance, un soupçon de piment, de l'ironie, de la rébellion, des tatouages, un piercing dans la langue et des cheveux violets hérissés, mais non.

Norah incarne l'invisibilité et la bonté, ou du moins est-elle sur cette voie : c'est ce qu'elle a dit lors de notre dernière conversation, qui remonte à huit semaines, au 11 avril. Elle portait ce jour-là un jean déchiré et un châle écossais grossier qui était sûrement un plaid de voiture. Ses longs cheveux clairs étaient emmêlés. Elle refusait de nous regarder en face, mais elle a cligné des yeux en signe de reconnaissance – j'en suis certaine – quand je lui ai tendu un paquet de sandwiches au fromage et que Tom a lâché un rouleau de billets de vingt dollars sur ses genoux. Ensuite, elle s'est mise à parler ; c'était bien sa voix, mais dénuée d'émotion. Elle ne pouvait pas rentrer à la maison. Elle était sur la voie de la bonté. À ce moment-là, moi, sa mère, j'étais encore plus perdue qu'elle ne l'était elle-même ; je l'ai senti. Elle était inébranlable. On ne pouvait pas la dissuader. Elle ne pouvait pas « être » avec nous.

Comment cette partie du récit est-elle arrivée ? Nous savons qu'elle n'est pas sortie de l'intrigue ordinaire de l'histoire d'une vie. Une fille belle et intelligente issue d'une famille aimante grandit à Orangetown, dans l'Ontario, sa mère est écrivain, son père médecin, et soudain elle s'égare. Il n'y a rien de naturel dans son efflorescence de bonté. Celle-ci est abrupte et brutale. Elle nous tue. Ce qui nous tuera vraiment, pourtant, c'est le jour où nous ne la trouverons *pas* assise sur le morceau de trottoir qu'elle a choisi.

Mais je ne savais rien de tout cela quand je rêvais d'écrire un roman dans ce jardin de Bourgogne. Je pensais comprendre quelque chose à l'architecture du roman : l'ascension grisante qui mène à une situation périlleuse, les circonvolutions des détails superficiels, la courbe calculée qui conduit à l'inévitable mais permettant quelques moments de faiblesse, puis la fin, une corruption du principe de cause à effet et la réunion de tous les personnages dans un cercle dramatique bien cadré de consolation et d'extase, savamment mis en lumière, l'espace d'un instant, à l'avant-dernière page, juste l'espace d'une infime particule de temps.

J'avais une idée pour mon roman, une piste, rien de plus. Deux personnages attirants s'étaient imposés d'eux-mêmes, une femme et un homme, Alicia et Roman, habitant à Wychwood, une ville de la taille de Toronto ; ils tempêtent et s'ébattent, s'accrochant à l'île solitaire qu'est devenue leur vie ; ils aspirent à l'amour mais se battent égoïstement pour leur survie. Roman est fier de son tempérament colérique. Alicia se croit réfléchie, mais son travail comme assistante de rédaction pour un magazine de mode l'occupe trop pour lui permettre de réfléchir.

9. Et j'avais un titre, *My Thyme Is Up*. C'était un jeu de mots[1], bien sûr, tiré d'une vieille plaisanterie de famille, et j'avais envie d'écrire un roman farfelu. Un roman léger. Un roman pour l'été, un livre à lire assis dans un fauteuil en osier Ikea tandis que le soleil tombe sur les pages avec la légèreté et la régularité d'un souffle humain. Naturellement, le roman se terminerait bien. Je n'ai jamais douté de ma capacité à écrire ce roman, et je l'ai écrit, en 1997, d'un trait, seule, durant trois sombres mois d'hiver, pendant que les filles passaient la journée à l'école.

10. *The Middle Years* (Les Années intermédiaires), la traduction en anglais du tome trois des mémoires

1. Jeu de mots intraduisible en français sur *thyme* (le thym) et *time* (le temps). *My thyme is up* pourrait se traduire par « mon thym a poussé », mais *My time is up* est une expression toute faite signifiant « c'est fini ». *(N.d.T.)*

de Westerman, sort cet automne. Ce troisième volume explore les nombreuses liaisons amoureuses de Westerman avec des hommes et des femmes, et rien dans ce livre ne sera choquant ni même surprenant pour ses lecteurs. Ce qui est nouveau, c'est la souplesse et la force de ses phrases. Depuis toujours une artiste marquée par la concision et l'altruisme, elle a atteint dans son vieil âge une fluidité et un épanouissement stylistiques merveilleux. Ma traduction est loin de rendre compte de ce qu'elle a accompli. Le livre est austère ; il est également sentimental ; ces deux aspects s'équilibrent l'un l'autre et se portent mutuellement secours, de façon assez étrange. Je peux seulement présumer que ces innombrables comprimés de calcium avec lesquels Danielle s'étrangle chaque matin, la vitamine E et les gélules d'huile d'émeu, ont fini par doper son style, de sorte que ce qui atterrit sur la page est plus grand, plus enthousiaste, plus désintéressé que tout ce qu'elle a écrit auparavant, le tout se ramifiant en courtes et rapides digressions qui prétendent n'être que des apartés insouciants, des petits moments de faiblesse soumise face à sa propre expérience, nous invitant, nous, lecteurs, à croire qu'elle s'abandonne complètement.

Ou alors, c'est que la sénilité a eu des effets bénéfiques sur elle, d'où une expression d'une souplesse grandiose sur ses vieux jours. Cette idée m'a plus d'une fois traversé l'esprit.

Une autre idée a fait son chemin dans ma tête, aussi soyeuse qu'une brise contre un treillis. Il manque quelque chose, dans ces mémoires, c'est du moins ce que me suggère ma vision solipsiste. Danielle Westerman souffre : elle ressent les douleurs de la solitude existentielle, l'absence de sexe, la trahison de son corps de femme. Elle n'a pas de partenaire, personne pour qui elle passe avant toute autre chose dans l'ordre du monde, personne sur qui se reposer, comme je me repose sur Tom. Elle n'a pas d'enfant, ni aucun autre parent vivant en l'occurrence, et c'est peut-être cela qui donne à ces mémoires un côté puéril. Elles glissent comme du bon lait mousseux tourbillonnant dans un verre.

11. Je ne devrais pas faire allusion au Livre numéro onze, puisqu'il n'est pas un *fait accompli**, mais je vais en parler quand même. Je vais écrire un second roman, une suite à *My Thyme Is Up.* C'est aujourd'hui que j'entends commencer. Ma première phrase est déjà saisie sur l'ordinateur : « Alicia n'était pas aussi heureuse qu'elle le méritait. »

Je n'ai aucune idée de ce qu'il se passera dans ce livre. Pour le moment, c'est une pure abstraction, quelque chose qui est sorti de terre comme le museau arrondi d'un crocus sur une pelouse givrée. Je suis tombée sur cette idée avec ma maladresse habituelle et, à présent, le besoin de l'écrire refuse de me quitter. Ce sera un livre sur les enfants perdus, sur la bonté, le fait de rentrer chez soi, d'être heureux, en essayant de relativiser les effets du poison distillé par la page imprimée. Je meurs d'envie de savoir comment l'histoire va tourner.

Presque

La première moitié de l'an 2000 s'est écoulée. Vers le début du mois d'août, le vieil ami de Tom, Colin Glass, qui habite à Toronto, est venu dîner. Au café, il a tenté de m'expliquer la théorie de la relativité.

C'est moi qui l'ai invité à se lancer sur le sujet. La relativité est un élément de connaissance que j'ai toujours rêvé de comprendre, un élément important, mais les personnes qui l'expliquent tendent à aller trop vite, ou alors elles sautent une étape que leur public, pensent-elles, a déjà intégrée. Apparemment, il y a eu une époque où seule une personne au monde comprenait la relativité (Einstein), puis deux, puis trois ou quatre, et à présent la plupart des lycéens qui étudient la physique ont au moins une idée sur la question, c'est en tout cas ce que l'on m'a dit. À quel point cela peut-il être difficile ? D'après Colin, cette théorie est passée d'une folle spéculation à un fait confirmé, ce qui la rend d'autant plus importante à comprendre. J'ai essayé, mais j'ai l'impression de n'en saisir qu'une infime partie. La vitesse de la lumière est donc constante. C'est tout ?

D'ordinaire, j'adore ces longues soirées d'août, la lumière ambrée qui éclabousse les murs blancs de la salle à manger juste avant que les teintes distinctes du crépuscule ne prennent la relève. Les feuilles en forme de médaillon qui agitent leurs ombres spectrales arrondies. Toute la journée, j'avais écouté les bruants à gorge blanche dans les bois derrière la maison. Leur chant ressemble à l'hymne national canadien, du moins pour les premières mesures. L'été se mourait, mais par fragments. Nous aurions mangé dehors s'il n'y avait pas eu de guêpes. Un bon repas en compagnie d'un bon ami, que peut-on désirer d'autre ? Mais je ne cessais de penser à Norah, assise sur son bout de trottoir, brandissant son morceau de carton où était écrit le mot BONTÉ, et j'ai perdu le fil de ce que disait Colin.

$E = mc^2$. L'énergie est égale à la masse multipliée par la vitesse de la lumière au carré. La netteté de l'équation a aussitôt éveillé mes soupçons. Comment la masse – cette table de salle à manger en chêne massif, par exemple –, peut-elle avoir un rapport quelconque avec la vitesse de la lumière ? Ce sont deux choses différentes. Colin, qui est physicien, a écouté patiemment mes objections. Il a ôté la serviette en lin de ses genoux pour la tendre sur le haut de sa tasse à café. Puis il a pris une cerise dans la coupe de fruits et l'a placée sur la serviette, y créant une petite fossette. Il a légèrement incliné la tasse, de façon à ce que la cerise décrive un cercle sur la serviette tendue. Il parlait d'énergie et de masse, mais j'avais déjà manqué un élément essentiel de l'argumentation. Je craignais juste un peu que son café ne vienne clapoter contre la serviette et ne la tache, et je me disais qu'au cours de ces dernières années j'avais rarement pris la peine de mettre des serviettes en tissu. Personne, excepté peut-être Danielle Westerman, ne met plus de véritables serviettes ; on a compris que les femmes modernes qui travaillent ont mieux à faire de leur temps que blanchir du linge.

À présent, j'avais complètement oublié ce que la cerise (plus de quatre dollars la livre) représentait, et ce que la petite fossette était censée être. Colin parlait sans interruption, et Tom, qui est médecin généraliste et possède de vastes connaissances scientifiques, semblait le suivre ; du moins hochait-il la tête de façon appropriée. Ma belle-mère, Loïs, s'était poliment excusée et était rentrée chez elle, dans la maison d'à côté ; elle ne manquait jamais les informations de vingt-deux heures ; selon elle, le fait qu'elle regarde les informations de vingt-deux heures aidait sans doute le Canada à avancer. Christine et Natalie s'étaient depuis longtemps éclipsées de la table, et j'entendais le bourdonnement et les éclats de voix de la télé dans le bureau.

Pet, notre golden retriever, avait posé sa masse poilue sous la table, et je sentais son corps de chien ronfler tout entier contre mon pied. Parfois, dans ses rêves, il grogne, et d'autres fois, il glousse de joie. Je me suis retrouvée en train de penser à Marietta, la femme de Colin, qui avait fait ses valises quelques mois plus tôt pour aller s'installer à Calgary avec un autre homme. Elle prétendait que Colin était trop absorbé par ses recherches et son métier d'enseignant pour être un véritable partenaire. Une belle femme avec un cou semblable à la tige d'une plante ; elle avait laissé entendre que la passion s'était effondrée au sein de leur couple. Elle était partie brutalement, froidement ; Colin avait reçu un choc ; il ne soupçonnait pas du tout, nous avait-il dit peu après, qu'elle avait été malheureuse pendant toutes ces années mais, après avoir lu ses journaux intimes trouvés dans un tiroir de bureau, il avait été bouleversé en comprenant qu'un malentendu gigantesque les séparait.

Pourquoi une femme laisserait-elle derrière elle des journaux intimes ? Pour punir, pour blesser, bien sûr. Colin, la plupart du temps un homme bienséant qui avait bon cœur, s'adressait à elle sur le ton sec de la remontrance, comme si elle avait été une étudiante et non sa femme. « Ne me dis pas que c'est du fromage industriel », lui avait-il lancé une fois alors que nous dînions chez eux. Une autre fois : « Ce café est imbuvable. » C'était un homme comme ça : il aimait les plaisirs de la vie, qu'il estimait lui être dus, et il ne pouvait retenir de petits cris d'indignation lorsque ces plaisirs venaient à manquer. On pouvait dire qu'il y avait une certaine innocence dans ses espérances, presque de la naïveté, en cette soirée d'août particulière. On aurait dit qu'il était tout seul dans une immense salle voûtée retentissante, pendant que Tom et moi étions de service devant la porte, où nous parvenaient les échos, un rare aperçu de sa remarquable intelligence perverse et désinvolte. Même les petites poches qu'il avait sous les yeux paraissaient flegmatiques. Ce n'était pas quelqu'un de creux, mais il nous soupçonnait peut-être de l'être. J'ai dû me retenir pour ne pas l'interrompre par une plaisanterie. Je fais souvent cela, j'en ai peur : je demande une explication, puis je dérive au fil de mes propres pensées.

Comment pouvait-il à présent être assis à notre table, si calme, en train de jouer avec des cerises et des tasses à café, de rouler le bord de son set de table en paille, et de nous écraser sous cette masse d'informations ? C'était presque minuit ; il avait une heure de route devant lui. En quoi la théorie de la relativité pouvait-elle influencer sa vie quotidienne ? Colin, avec ses petites lunettes et sa moustache taillée, était à l'aise avec les grandes idées telles que la relativité. En tant que théorie, la relativité fonctionnait, elle cimentait toute sorte de « concepts » par sa précision et son élégance. Pensez à de la colle appliquée généreusement, a-t-il expliqué avec obligeance en parlant de la relativité ; pensez au pouvoir de deviner juste. Une perspective aussi révolutionnaire avait été visionnaire au début, mais elle avait ensuite été établie et renforcée, et de plus, Colin insistait maintenant là-dessus, elle était utile. Face aux incertitudes de la vie, le poids de la relativité pouvait être assumé puis mis de côté, comme une part de la conscience.

Après avoir terminé de façon maladroite, il s'est renfoncé dans son siège, ses deux longs bras tendus. « Voilà ! » semblait-il dire, ou « c'est tout ce que je peux faire pour simplifier et expliquer une idée aussi géniale ». Il a jeté un coup d'œil à sa montre, puis s'est à nouveau calé dans son siège, épuisé, content de lui. Il portait une chemise en coton bien repassée à rayures bleues et jaunes, nettement rentrée à la taille dans son jean noir. Il n'accordait aucun intérêt aux vêtements. Sa chemise devait dater du temps où il s'était marié, choisie pour lui et repassée pour lui par Marietta en personne puis mise sur un cintre, l'été dernier peut-être.

La théorie de la relativité ne ramènerait pas d'un claquement de doigts la femme de Colin dans la vieille bâtisse en pierre d'Oriole Parkway. Elle ne ferait pas revenir ma fille Norah à la maison, ne lui ferait pas quitter l'angle de Bathurst et Bloor, ni le foyer où elle dormait la nuit. Tom et moi l'avons suivie, un jour ; nous devions savoir comment elle se débrouillait, si elle était en sécurité. Il allait bientôt faire froid. Comment supporte-t-elle cela ? Le béton glacé. La crasse. Les cheveux emmêlés.

« Est-ce que tu dirais, ai-je demandé à Colin (je n'avais pas parlé depuis plusieurs minutes), que la théorie de la relativité a réduit le poids de la bonté et de la dépravation dans le monde ? »

Il m'a dévisagée.

« La relativité n'a aucune position morale. Absolument aucune. » (« Ce café est imbuvable. »)

Je me suis tournée vers Tom, en quête de soutien, mais il fixait le plafond de ses yeux doux, un sourire aux lèvres. Je connaissais ce sourire.

« Mais est-ce qu'il n'est pas possible, ai-je demandé à Colin, de penser que la bonté, ou la vertu, si tu préfères, pourrait être une onde ou une particule d'énergie ?

– Non. Non, ce n'est pas possible. »

Je me suis alors levée brusquement pour débarrasser la table. J'étais soudain épuisée.

Pourtant, je suis reconnaissante pour l'amitié et la ferveur intellectuelle d'un homme aussi peu prétentieux que Colin Glass, qui, malgré sa souffrance et sa honte, tenait sincèrement à ce que je comprenne un concept clé du XXe siècle. Ou voulait-il simplement se divertir pendant une heure ? Voilà ce que je dois apprendre : l'art du divertissement. Il n'avait pas dit un seul mot à propos de Marietta de toute la soirée. Tom et moi en avons déduit qu'il était en train de reconstruire sa vie sans elle. Mais une fille, c'est différent. Une fille de dix-neuf ans ne peut pas s'effacer comme ça.

Jadis

Il était clair que je me chargerais personnellement de la promotion, si l'on peut dire, du troisième volume des mémoires de Danielle Westerman. À quatre-vingt-cinq ans, elle était trop vieille, et trop distinguée, pour affronter une journée d'interviews à Toronto, même si elle habitait là-bas. En tant que traductrice, je pouvais facilement faire face aux questions de la presse. Un emploi du temps très léger avait été organisé par l'éditeur, car le docteur Westerman possédait déjà une vaste nébuleuse de lecteurs fidèles.

Début septembre, j'ai traversé Orangetown, passant dans sa rue principale calme et démodée pour pénétrer à nouveau dans la campagne. La ville de Toronto, monumentale et solitaire, rougeoyait devant moi. Sa périphérie est en dents de scie, bien que ses sorties numérotées prétendent à un ordre quelconque. La circulation était fluide. Je suis passée lentement au carrefour de Bloor et Bathurst pour apercevoir Norah. Elle était là, comme toujours, à l'angle nord-est, assise par terre près de l'entrée du métro avec son bol et son écriteau en carton, alors qu'il n'était pas encore neuf heures. Avait-elle pris un petit déjeuner ? Avait-elle des poux dans les cheveux ? Pensait-elle à quelque chose, ou son esprit n'était-il qu'un grand vide ?

J'ai garé la voiture puis j'ai marché jusqu'à l'endroit où elle se trouvait.

« Bonjour, Norah chérie », ai-je dit en posant un sac en plastique plein de nourriture : pain et fromage, fruits et crudités. Et, dans une enveloppe, une photo récente de Pet, avec son museau droit et fier, et son collier de fourrure. De toutes les filles, Norah était la plus attachée à Pet, et à présent je tentais de la corrompre éhontément. C'était une journée froide, et voir son immobilité indéchiffrable me glaçait le cœur, mais j'étais heureuse de remarquer qu'elle portait des moufles chaudes. Heureuse ? Moi, heureuse ? Le moindre petit signe me réjouit le cœur, ces temps-ci. Aujourd'hui, elle m'a presque regardée, et m'a adressé un signe de tête. Une autre vague de joie m'a inondée. Je m'autorise une telle visite éclair une seule fois par semaine, puisqu'elle a clairement fait comprendre qu'elle ne voulait pas nous voir.

C'est comme la regarder à travers une vitre. Toute la semaine, je puise sans retenue dans ce bref moment de voyeurisme, m'efforçant en même temps de l'effacer avec des images de Norah sur son vélo ; Norah assise à la table de la cuisine révisant pour ses examens ; Norah en train d'attraper son ciré vert ; Norah essayant des nouvelles chaussures pour l'école ; Norah en train de dormir, en sécurité.

Ensuite, je suis allée me faire épiler et teindre les sourcils chez Sylvia, un institut qui se définit sous le nom de « thermes spirituels », une appellation signifiant apparemment que pendant que Madame Sylvia me tapotait vigoureusement les sourcils à l'aide d'un petit pinceau, elle me murmurait et me chantonnait des choses à l'oreille. Il était à présent neuf heures et demie, et j'étais allongée sur une table étroite dans une minuscule pièce blanche.

« Vous êtes à l'âge où vous devez protéger la peau fine du contour de vos yeux, m'a-t-elle avertie. Le visage d'une femme se relâche, c'est inévitable, mais les yeux durent éternellement, et lui apportent de l'éclat. Quand vous aurez quatre-vingts ans, quatre-vingt-dix ans, vos yeux charmeront toujours. »

Elle ne sait rien de ma vie. Je ne suis jamais venue ici auparavant, et je n'ai jamais pensé à me faire teindre les sourcils. J'ai des sourcils parfaitement convenables, d'une jolie forme régulière, mais en me regardant dans un miroir il y a environ une semaine, j'ai remarqué que les petits poils du côté extérieur viraient au gris. J'avais également un peu de gris sur les tempes, mais rien de surprenant pour une femme dont le quarante-quatrième anniversaire approche, pour une femme qui n'a même jamais pensé qu'elle avait des tempes, ces parties du corps ô combien respectables.

« Vous ne seriez pas Gémeaux, par hasard ? » m'a demandé Madame Sylvia sur le ton de la confidence. Le pinceau a fait un bruit humide. Elle s'est interrompue, m'a dévisagée attentivement, puis a repris son geste, un petit coup de pinceau adroit.

« Non, ai-je répondu, honteuse de reconnaître l'existence du monde de l'astrologie. Mon anniversaire est en septembre. La semaine prochaine, en fait.

– Je le vois, oui. (Elle avait les intonations d'une vieille sorcière.) Je le vois toujours. »

Que pouvait-elle voir ?

« Vingt-quatre dollars, a-t-elle annoncé. Permettez-moi de vous donner ma carte. Pour la prochaine fois. »

Présomptueux, mais, oui, il y aurait une prochaine fois. Je me suis livrée à un rapide calcul. Mon visage tiendrait le coup quelques semaines, mais en novembre je serais probablement de retour dans la cellule blanche insonorisée de Madame Sylvia. Je pourrais très bien devenir une cliente régulière. Sourcils, cils, soins complets du visage, massage du cou. J'ai mené une vie réfléchie, faite de pensées, une vie d'écrivain, de traductrice, mais tout cela est sur le point de changer. La peau délicate du contour de mes yeux exige de l'attention. Tom l'a-t-il remarqué ? Je ne le pense pas. Christine et Natalie ne me regardent pas vraiment de cette façon ; elles voient seulement cette tache aux couleurs d'aquarelle qui signifie « mère », ce qui est d'ailleurs à peu près la façon dont je me vois.

« Une femme garde son charme à vie, a déclaré Madame Sylvia, mais vous devez faire attention. »

Non, me suis-je dit une heure plus tard, non. Je suis désolée, mais je n'ai pas l'intention d'user de mon charme régulièrement. N'importe qui peut être charmant. C'est vraiment un truc facile, le charme pur et simple, rien qu'une illusion qu'il est si aisé de créer : il suffit de transformer son visage en rayons de soleil et de les répandre sur son entourage. Le mouvement calculé du poignet, le menton relevé, le pouce et l'index se touchant de façon à former une petite boucle féminine, ce truc consistant à faire comme si l'on était assise sur une petite chaise de verre, ce concentré d'éclat, *l'esprit**; saupoudré par petites touches un peu partout, flottant dans l'air comme un parfum bon marché. Les embruns de l'ingénue, comme dit Emma Allen.

Je connais si intimement cette facilité : la façon granuleuse, sucrée, persistante avec laquelle le charme pénètre dans une bouche saine pour aller se frotter contre les molaires, où il reste collé en boulettes molles, accélérant les ulcères buccaux ou tout ce qui peut passer pour une projection métaphorique du dégoût de soi. De toutes les vertus sociales, le charme est, en fin de compte, la moins satisfaisante. Et comparé à la bonté, la véritable bonté, ou à l'abnégation imperturbable que montre ma fille Norah, le charme n'est rien qu'un mouchoir en papier froissé, souillé par une utilisation antérieure.

La sincérité ? Non. La sincérité n'existe plus. La sincérité a perdu tout son éclat. C'est une chose vraiment magnifique, mais trop belle pour les journalistes, cette génération post-Holocauste, ces fidèles lecteurs de *Mad Magazine*, qui ne reconnaîtraient pas un lingot d'innocence délibérée si on le leur présentait dans du papier cadeau.

De même, je ne serai plus jamais polie sans raison, en toutes circonstances. J'ai surmonté cela il y a deux ans, quand j'ai fait la tournée de promotion de mon livre. Je semble avoir perdu, comme un chapelet de galets tombant de ma main, le genre d'endurance qu'exige la courtoisie professionnelle : retenir sa respiration, laisser son visage s'engourdir, écouter les questions du journaliste, comprendre de façon optimale, expirer, évaluer les sentiments de ceux qui comptent sur vous (agent, assistant d'édition, éditeur, cette gentille Sheila du service de presse et, bien sûr, Danielle Westerman), et rejouer inlassablement la même pièce, en bon athlète entraîné que vous êtes. À chaque nouveau livre, il faut avoir une forme physique exemplaire, puis il faut passer à la tâche suivante. *Mme Winters, qui vient de traduire* The Middle Years, *les mémoires de Danielle Westerman, survivante de l'Holocauste, est une femme pleine de grâce et de charme, qui coiffe ses épais cheveux bruns en chignon. Reposant sa tasse de café, elle ôte d'un mouvement d'épaules son imperméable beige et...*

J'ai désormais atteint l'âge mûr, et j'ai une fille de

dix-neuf ans qui vit dans la rue. Je n'éprouve plus le besoin d'être appréciée pour mon charme ; cette évanescence protectrice, ce halo couleur lilas. Je n'en ai peut-être jamais eu besoin. Je ne ponctuerai pas – plus maintenant – mes fins de phrases par de petites touches d'approbation, et la prochaine fois qu'un journaliste m'épinglera avec une question personnelle, allant à la pêche aux informations (Dites-moi, Mme Winters, comment faites-vous pour maintenir l'équilibre entre votre vie de famille et votre vie professionnelle ?), je le dévisagerai intensément de mon regard récemment mis au point. Comment je fais pour équilibrer ma vie ? Je hausse mes sourcils teints. Qu'est-ce que c'est que ce genre de question ? Ne préféreriez-vous pas, Mme Winters, poursuivre votre propre travail d'écriture au lieu de traduire l'œuvre du docteur Westerman ? Je vous en prie, pas cette sempiternelle question ! Comment avez-vous rencontré votre mari ? Que pense-t-il de vos écrits ?

Dorénavant, je m'adresserai directement au journaliste, et je dirai avec fermeté : « Cette interview est terminée. » Il n'y a rien à perdre. Les gens grossiers et peu commodes ont plus de chances d'être pris au sérieux. Les vieux grincheux sont absolument adorés. Je l'ai remarqué. Tout comme ce fascinant et mystérieux respect qu'ils suscitent.

Et quand je lirai dans le journal de demain que « Mme Winters accusait bien ses quarante-trois ans » et que « Mme Winters, avec ses dents en avant caractéristiques, rechignait à parler de son emploi du temps », j'aurai envie de téléphoner à l'éditeur pour me plaindre amèrement. Ceci, de la part d'un petit homme peu séduisant, avec des lèvres quasiment absentes sous un nez osseux autoritaire, transpirant d'ambition mesquine, la tête inclinée comme un objet sculpté dans de la cire jaune !

Il m'a interviewée dans un bar italien du centre de Toronto. Un homme avec une tête ronde, voûté, glacial, la trentaine ou la quarantaine (c'était difficile à dire), lent à sourire, dévoré par un besoin pathétique d'attention humaine, avec la conviction d'être supérieur. Des peluches sur ses épaules qui ne demandaient qu'à être enlevées. En revanche, je portais une douce veste en cachemire couleur jade doublée de soie, ce qui représentait pour moi une rare extravagance, mais je pouvais être sûre que cet homme ignorerait ce vêtement avec ses boutons de cristal et son col Mao, pour se concentrer plutôt sur mon imperméable beige, terne, et pas très net au niveau des manches. Dans l'article, il ferait certainement allusion à mon chignon élaboré en le qualifiant de sévère. Il m'a fallu des années pour apprendre à faire un petit chignon lustré ; je suis capable de tirer mes cheveux en arrière et de les fixer en chignon chaque matin en deux minutes et demie, et je considère ma coiffure comme l'un des accomplissements majeurs de ma vie. Je ne plaisante pas.

Sheila, du service de presse, m'avait rapidement dressé le topo avant l'interview, et je sentais ce paquet d'informations se balancer au-dessus de moi ; que fallait-il en faire ? Ce (plus ou moins) jeune homme était le nouveau critique littéraire de *Booktimes*. Il était réputé pour avoir une pieuse opinion de la littérature du Grand Nord, et pour défendre le nouvel essor des diverses voix canadiennes qui exprimaient haut et fort une angoisse postcoloniale lourde de reproches. Ce flot de romans actuels sur des gens de classe moyenne vivant dans des villes diluait la voix nationale authentique qui s'élevait du paysage même et...

Oh, la ferme, la ferme.

Des petites taches de mousse de cappuccino constellaient les coins de sa bouche peu distinguée. Et une dernière question, Mme Winters...

Bien sûr, il ne m'appelait pas Reta, même si nous n'avions peut-être qu'un an ou deux de différence. Le « Mme » lui donnait du pouvoir sur moi : ce petit *m* vexant qui faisait penser à des distractions impliquant des cordes à linge et des moules à gâteaux. C'était un petit roquet qui s'en prenait aux chevilles de Mme Winters ; il s'ébrouait en me demandant de me justifier, voulait m'entendre expliquer le feu de joie crachotant, agonisant et plaintif de ma vie, que je n'envisageais même pas de partager. Il semblait oublier qu'il m'interviewait sur le dernier livre de Danielle Westerman.

J'ai cru comprendre que vous travailliez sur un second roman, a-t-il dit.

Eh bien, oui.

Il faut du cran.

Hmm - hmm.

En fait... en fait, eh bien, il avait lui-même un roman sur le feu.

Vraiment ! Quelle surprise !

À la fin de l'heure, il n'a pas demandé l'addition. C'est moi qui l'ai demandée.

« Je vais payer avec ma Visa », ai-je dit, rompant une plage de silence ténue. J'ai annoncé cela avec toute la majesté que je pouvais rassembler devant une table en vinyle, comme une *grande dame**, ajoutant vingt ans à mon âge, et j'ai senti les voyelles remuer dans mon cou superbement mis en valeur par le col de ma veste en cachemire. Une telle dignité ; j'ai été surprise par la sonorité de ma propre voix, et je suis peut-être parvenue à afficher un sourire peiné, montrant, sans aucun doute, ces fameuses dents proéminentes. Il a éteint le magnétophone au mot « Visa ».

Il avait deux jeunes enfants, a-t-il expliqué. Bon sang, quelle responsabilité, même s'il aimait ces petits salopiots. L'un des deux était vraiment doué ; enfin, ils l'étaient tous les deux à leur façon. Mais quel boulot, d'élever des gamins ! Jamais assez de temps pour lire les livres dont il devait faire la critique, des livres dans toute la maison avec des marque-pages, des livres qu'il ne finirait jamais. On lui en demandait tellement, et bien sûr, comme tous les journalistes, il était sous-payé.

Oh, la ferme !

Ils voulaient aussi qu'il fasse une chronique le week-end.

Hmm - hmm ?

Et la semaine dernière, c'est en fait lui qui avait révélé l'histoire MacBunna.

Vraiment ? Macumba ? Marimba ?

Félicitations, a dit Mme Reta Winters d'Orangetown.

Merci.

Il faut que j'y aille, ai-je déclaré. Le parcmètre. Un déjeuner. Une longue route pour rentrer chez moi.

J'ai cru comprendre qu'avec votre famille vous viviez dans une adorable vieille maison près d'Orangetown...

Et puis, sournoisement : Je me suis laissé dire qu'une de vos filles vivait désormais à Toronto...

J'étais en terrain connu. Il y a quelque chose dans le fait d'avoir une famille établie, un arrangement marital de longue date, trois filles adolescentes et une maison à la campagne, quelque chose d'imperméable qui attise la curiosité des autres pour qu'ils puissent, comme dit Tom, fouiller dans votre passé en toute conscience.

Mais non, cet homme assis de l'autre côté de la table ne se repaîtra pas de ma chair, ni ses collègues (bien qu'on devine qu'il n'a pas de collègues; qu'il n'a aucune chance d'avoir des collègues). Il n'a aucune place pour des amis ou des collaborateurs, bien qu'il ait des gosses et une femme; il a parlé d'elle à trois reprises à présent. Nicola. Elle a sa vie professionnelle, elle aussi, me dit-il, comme s'il s'agissait d'un fait contesté.

Je ne résiste pas.

« Et Nicola... elle est aussi journaliste ?

– Journaliste ?

– Comme vous, je veux dire. »

Ses mains sursautent, et pendant un instant je me dis qu'il va rallumer le magnétophone. Mais non, il fouille dans sa poche, dont il sort à présent deux pièces qu'il pose sur la table. Le pourboire. Les pièces demeurent là, moites d'avoir été au contact de sa main. Deux petites pièces. Je me concentre sur elles avec, je l'espère, un regard froid, sévère.

Mais il ne me regarde pas. Il regarde à l'autre bout de la salle où un homme aux cheveux argentés s'assoit gracieusement à une table.

« Je n'en suis pas sûr, mais je crois que c'est Gore Vidal, murmure mon interviewer d'une voix avide. Il est ici pour le festival des écrivains, vous savez. »

Je me lève et je sors, comme guidée par un quintette de cuivres.

La charmante Mme Winters enfile son confortable imperméable beige...

En quoi

C'est la fin de l'après-midi, début octobre, le ciel s'assombrit, et les lumières de la vieille bibliothèque d'Orangetown sont déjà allumées. L'odeur des parquets cirés est particulièrement puissante à cette heure ; ce doit être le système de chauffage qui l'avive.

Aujourd'hui, comme toujours, les bibliothécaires, Tessa Sands et Cheryl Patterton, sont serviables. Je suis passée prendre le livre de Dennis Ford-Helpern intitulé *The Goodness Gap* (Le Fossé de la Bonté). J'ai bien conscience, d'ailleurs, de l'absurdité consistant à croire que l'on peut apprendre la bonté par l'intermédiaire des livres. Les gens studieux, qui sont souvent des gens maladroits, persistent à penser qu'ils peuvent maîtriser n'importe quelle subtilité pour autant que celle-ci ait été formulée dans une prose détaillée acceptable.

J'aurais facilement pu acheter le livre de Ford-Helpern la semaine dernière, quand j'étais à Toronto. Mais non, si je veux être sincère quant à mon projet d'accéder à la véritable bonté dans la vie, et par là même trouver un moyen de renouer le contact avec Norah, cela signifie que je dois m'occuper de problèmes grands et petits, ou alors apporter avec moi ma part de bonté limitée et diffuse dans des endroits eux-mêmes imprégnés d'une certaine bonté, comme la bibliothèque municipale. Pour l'instant, j'essaie d'être une bonne citoyenne qui soutient sa bibliothèque locale, laquelle est dramatiquement sous-utilisée par la communauté et menacée de fermeture.

À part un gardien à temps partiel, ces deux bibliothécaires, Tessa et Cheryl, sont les seules employées de la bibliothèque d'Orangetown ; tous les autres se sont fait licencier il y a un an, quand le conseil municipal a annoncé des réductions de budget.

Tessa et Cheryl connaissent notre famille depuis des années. Je suis membre du conseil de la bibliothèque depuis toujours, et Tessa se souvient de Norah quand elle avait quatre ans, lorsqu'elle venait assister à l'heure de lecture du samedi matin : elle pouvait rester assise parfaitement immobile, portant alors juste un badge à son nom, pas un écriteau marqué BONTÉ. À cet âge-là, elle était capable de frissonner de façon exquise en écoutant les aventures de Barbe Bleue, et elle était prête à verser des larmes sur le sort des douze princesses qui dansaient, une histoire que Tessa remodèle toujours pour son jeune public. Les heureux dénouements sont sa spécialité.

Tessa, la cinquantaine – mariée à un guitariste classique, mère d'un adolescent –, est imposante, guindée et pédagogue, et elle le devient un peu plus chaque année. Elle a plusieurs mentons qui ballottent et remuent quand elle parle, chacun d'eux ayant une milliseconde de décalage avec le mouvement de sa bouche étonnamment petite. Avant de se décider à passer son diplôme de bibliothécaire, elle était biologiste. Elle s'exprime d'une voix claire et articulée.

Cheryl, divorcée, bientôt la quarantaine, se penche vers moi aujourd'hui, les deux coudes sur le bureau, le menton posé dans ses mains; voûtée, elle a un air railleur, et étonnamment chic. Aujourd'hui, elle arbore un *bindi* autocollant au milieu du front. Il m'est difficile d'éviter de fixer cette petite tache de couleur, placée là en l'honneur – enfin, je le suppose – de l'homme qu'elle fréquente actuellement, un dentiste ayant fait ses études à Bombay et qui a ouvert un cabinet dans le centre commercial d'Orangetown. C'est un jeune homme timide à lunettes dont l'épouse, indienne, ne supportait pas la vie des petites villes de l'Ontario et était retournée chez ses parents au bout de six mois.

Ce sont de grandes amies, Tessa et Cheryl – des collègues –, et elles ont le bon sens d'être fières d'avoir su créer un lien entre leurs deux générations. Un snobisme d'un genre particulier les auréole, un genre de fusion entre une féminité à l'ancienne et une autre plus moderne : elles l'ont véritablement réussie. Celle-ci ressemble presque à de l'amour. Chacune est sincèrement fière de l'autre, et elles aiment exprimer tout haut cette fierté mutuelle. *Elle sait exactement où trouver les choses. En fait, c'est la meilleure qui soit quand il est question de surfer sur Internet.* Ce qu'elles partagent, c'est leur dominion sur ce bâtiment de granit, dont les pierres brunes suggèrent la couleur de la terre au-dessous, cette bonne terre agricole riche si sagement mise de côté pour le bien public. Une autre coupe sévère dans le budget, pourtant, et cet endroit deviendra un salon de thé – barre oblique – boutique de cadeaux.

Tessa et Cheryl sont unies par leur passion des livres, des livres comme ceux de Ford-Helpern, qu'elles sont assez heureuses de pouvoir proposer, mais surtout des romans, des romans qui décrivent l'impossibilité d'écrire sur les hommes et les femmes ordinaires. D'instinct, elles déversent ce flot de livres sur ceux qui ont perdu le contact avec « le monde réel ». Je suis leur projet prioritaire, ces temps-ci.

« Voilà le nouvel Atwood, me dit Tessa aujourd'hui en tapotant la couverture du livre. Il est arrivé hier, et j'ai placé votre nom en tête de la liste d'attente.

– Il a été nominé pour le Booker Prize, vous savez.

– Merci, dis-je d'un ton impeccable, à toutes les deux. »

Elles ont un sourire rayonnant. Et attendent autre chose.

« Comment va Norah ? Des nouvelles ? Est-ce qu'elle rentre bientôt à la maison ? »

Non, elle ne rentre pas bientôt à la maison. Ceci est parfaitement clair.

« Je ne sais pas trop quand elle va rentrer. Il ne s'est pas passé grand-chose. »

En fait, Tom et moi n'utilisons plus la bibliothèque autant que par le passé. Tom commande ses livres (la plupart sur les trilobites) sur amazon.com, et j'ai tendance à acheter ce dont j'ai besoin à Toronto.

« Comment elle va ? demande Cheryl.

– Raisonnablement bien. Pour ce qu'on en sait. »

Ah ! Elles échangent des regards. Tessa, qui a un peu les mêmes manières rudes et rustiques que notre chien Pet, tend maladroitement les bras au-dessus du comptoir pour me serrer contre elle.

« Elle va retrouver la raison. » Elle me fixe d'un regard aigu plein de force et de détermination, ce regard signifiant « tenez bon » qui me serre la gorge.

C'est Tessa qui nous a prévenus de l'endroit où se trouvait Norah en avril dernier. Nous étions sans nouvelles d'elle depuis plus d'une semaine. Tom pensait que Norah s'était querellée avec son ami, mais je n'étais pas dupe. Quand nous tentions de téléphoner, nos appels restaient sans réponse. Sa dernière visite à la maison, fin mars, avait été profondément troublante. Je m'étais dit à plusieurs reprises que je devais contacter l'université, mais l'idée semblait ridicule ; des parents qui vérifient les résultats d'une fille de cet âge... Nous étions inquiets, malades d'inquiétude. Dépression printanière. L'idée du suicide. Récemment encore, une femme musulmane s'était immolée à Toronto. J'avais lu quelque chose là-dessus dans le journal. Ensuite, Tessa était allée en ville pour rendre visite à sa mère âgée, et elle avait aperçu Norah en sortant du métro. Norah, assise sur le trottoir, en train de mendier.

« Norah ? » avait dit Tessa.

Norah avait levé les yeux. Bien sûr, elle avait aussitôt reconnu Tessa mais n'avait rien répondu. Elle avait raffermi sa prise sur son carré de carton et l'avait brandi sous le nez de la bibliothécaire. Il devait faire frais, se souvient Tessa, car Norah portait de vieux gants de jardinage, bien trop grands pour ses petites mains.

« Norah, avait-elle repris doucement, tes parents savent que tu es là ? »

Norah avait secoué la tête.

Passé l'angle de la rue, Tessa avait ouvert son sac à main et pris son portable pour m'appeler à Orangetown. Heureusement, Tom se trouvait à la maison. Nous avions sauté dans la voiture pour aller à Toronto. Durant tout le trajet, la douleur m'avait déchiré la poitrine. L'air que nous respirions s'agitait comme une grand-voile.

Je suis censée être Reta Winters, une femme rayonnante, mais un incident s'est produit dans un moment d'inattention. Reta a fait tomber sa balle dans la cour de l'école, elle a perdu ce beau coquillage arrondi qu'elle rapportait à la maison depuis la plage. Et ces deux femmes – Tessa et Cheryl – savent qui je suis ; me voilà debout devant elles à jongler avec mes images en cascade d'avant et après, tout mon parfum vital envolé parce que ma fille aînée est partie vivre une vie de vertu. Sa renonciation l'a même poussée à choisir un coin de Toronto où les recettes sont maigres. J'ai dû expliquer la situation à mes autres filles, que leur sœur Norah était en quête de bonté. Je me souviens que j'ai esquissé le tableau rapidement, en utilisant les mots les plus simples et les plus courts que j'aie pu trouver, comme si un résumé pouvait atténuer la douleur et l'étrangeté. *Oui, une vie de bonté, voilà ce qu'elle a choisi.*

J'étais attendue à la bibliothèque ; je téléphone toujours avant. Elles ont dix livres empilés sur le comptoir, *The Goodness Gap* au-dessus, puis le Atwood, puis une biographie et deux minces romans à suspense pour ma belle-mère, Loïs, ainsi qu'un exemplaire des *Vagues* pour Christine, qui vient de découvrir Virginia Woolf. Ces livres ont été choisis avec soin. Juste le bon degré de narration pour moi, rien de trop sombre ni de trop new age ; des romans littéraires, mais pas dans un genre postmoderne ; pas de romans « poétiques », de grâce ; pas de révoltante littérature de pacotille. Une toile de fond exotique est toujours. Mais rien sur les riches ou les gens qui vont déjeuner, c'est-à-dire les gens qui savent « où » aller déjeuner, ces hommes d'affaires branchés qui « veulent se faire une vie », comme s'ils n'en avaient pas déjà une. Rien de trop dans le vent. Pas de saga familiale, pas de lien viril avec la nature. Pas de chevaux. Pas de poésie ni de nouvelles, pas pour le moment ; cela ne marche pas.

Cheryl fait glisser la petite tour de livres lentement vers moi, comme s'il s'agissait d'un trésor rassemblé sur le pont d'une goélette. Leurs jaquettes neuves brillantes luisent sous les couvertures en plastique de la bibliothèque, reflétant des barres de lumière chaudes venant du plafond. Je fouille dans mon sac pour prendre ma carte de bibliothèque, reconnaissante.

Comme d'habitude, aujourd'hui la salle de lecture est occupée par de rares femmes au foyer, des personnes âgées, quelques étudiants, parmi lesquels j'en reconnais plusieurs, et un ou deux inconnus. Ces gens se déplacent parmi les rayons ou sont assis en silence devant les vieilles tables en chêne, où ils tournent les pages d'ouvrages de référence. Ils sont plongés dans la lecture de journaux, lèvent les yeux quand la porte s'ouvre et se referme, regardent autour d'eux pour observer cette activité silencieuse, puis retournent à leur lecture. On se croirait dans un club privé, en voyant tout le monde si détendu, si poli, et si respectueux des règles.

Personne ne me dévisage vraiment, mais ils savent qui je suis. Je suis Reta Winters, la femme du médecin (cet homme admirable !), mère de trois filles, l'écrivain. Je vis à huit kilomètres de la ville, dans ce qui était jadis la campagne mais qui devient de plus en plus une partie d'Orangetown, presque une banlieue, si une ville de cinq mille habitants peut avoir une banlieue. Dans notre grande et vieille maison, pourrait-on dire, nous menons la vie que nous avons choisie il y a longtemps : riche, trépidante, mais avec des intervalles paisibles, des îlots de meubles, des livres, de la musique, des coussins moelleux où s'enfoncer, de la nourriture dans le réfrigérateur, ainsi que dans le congélateur. Je travaille comme écrivain et traductrice (du français en anglais). Et je suis la mère de Norah Winters : un cas bien malheureux. Ils se rappellent l'avoir vue en ville, une fille hors du commun avec de jolis traits, grande, comme Tom, qui faisait parfois du vélo dans Main Street, ou s'asseyait avec ses amies devant le lycée. Ses longs cheveux blonds, ses jambes élancées et musclées témoignaient de l'agilité sauvage des jeunes. Son sourire coupait son corps entier tel un croissant. Elle est partie à l'Université de Toronto, où elle avait un petit ami, et puis elle a disparu pendant quelques jours au printemps dernier, avant de réapparaître à l'angle d'une rue de Toronto. Le monde a tourné.

Ils m'adressent un signe de tête, ou me saluent en chuchotant : « Bonjour. » Des saluts auxquels je réponds en hochant la tête avec amabilité, comme si je reniflais un petit bouquet de fleurs. Je me sens ragaillardie par ces témoignages réguliers et répétés de sympathie, et cela me rappelle ce que je semble attendre, ce que nous attendons tous : ce moment de grâce ou de surprise qui nous a quittés mais qui reviendra sans aucun doute. Il revient toujours. Je le crois, plus ou moins.

Dans une demi-heure (je serai partie d'ici là), Cheryl fera retentir la petite cloche et passera de table en table pour annoncer de sa tendre voix de petite fille que la bibliothèque fermera ses portes dans cinq minutes. Elle dira ceci sur un ton d'excuse; elle est sincèrement désolée d'interrompre le fil des pensées de ses usagers et regrette de troubler leur concentration, ainsi que le silence promis par la bibliothèque à chacun de ses visiteurs et qui s'est accumulé pendant ce long après-midi ensommeillé. Il n'y a plus assez d'argent pour maintenir la bibliothèque ouverte les soirs de semaine. Ce n'est pas la faute de Cheryl, mais elle est navrée de la situation et espère qu'ils comprendront.

Je jette un coup d'œil circulaire à mes concitoyens au moment où je range les livres dans mon sac, et j'éprouve un élan d'amour pour le côté arbitraire de notre position dans l'espace, le fait que nous soyons réunis ici tous ensemble dans ce compartiment particulier de temps, partageant un lieu public, en accord les uns avec les autres dans notre besoin de retraite et de mots imprimés. Voilà Mme Greenaway, avec son nez étroit incroyablement fin, son sourire permanent, une femme intelligente qui ne sait pas où placer cette originalité qui lui est propre. M. Atkinson, professeur à la retraite, sa cravate noyée dans le gras de son cou, *l'Encyclopaedia Britannica* ouverte sur la table devant lui, à la page d'une carte quelconque. Il y a un homme barbu dont je ne connais pas le nom mais qui semble griffonner un roman ou un mémoire dans une série de carnets à spirale. Il y a Hal Scott (Pied Agile), qui sert l'essence à la station-service et joue au hockey, ou du moins le faisait-il avant d'être mêlé à un trafic de drogue l'année dernière. Il lit le *MacLean's*, sans doute la page des sports.

C'est une scène familière et pourtant unique. Cette configuration précise ne se présentera qu'une seule fois – nous, ici, ce moment gravé dans un recoin de la mémoire –, une pensée qui m'émeut jusqu'à l'émerveillement.

De tels sentiments me viennent facilement ces derniers temps, et j'ai suffisamment d'expérience pour me méfier de ces petits tournants ironiques, ces bijoux en toc. Les violons se mettent à jouer quelque part derrière mes yeux. J'éprouve un sentiment de légèreté, comme si j'étais portée par un raz de marée de sensations, poussée vers l'avant. Précieuse et précaire, une montée de désir subtile et flexible se manifeste. Suivie par une sensation de gorge serrée, d'yeux mouillés, une crainte respectueuse pour la beauté de la vie qui passe. Etc. Oh, mon Dieu. C'est fou, ces égarements, ces visions, le fait de rentrer dans un espace suspendu en porte à faux, et de m'autoriser à basculer du scepticisme vers la croyance. Des petits jumeaux en combinaison molletonnée. Des gens enlacés à l'aéroport. Pet, avec sa fourrure dorée, ses yeux bruns, en train de renifler affectueusement les recoins de la maison, conscient que quelque chose ne va pas, qu'il manque quelque chose. Bou-ou.

« C'est une femme si pleurnicheuse. » Un jour j'ai entendu un homme faire cette remarque méprisante à propos de sa sœur ; il aurait pu parler de moi dans mon état actuel. Mais ce n'est que moi, Reta Winters, luttant contre ce qui est devenu une loyauté respectueuse envers ma tristesse habituelle. Qu'elle soit stupide ou rusée. C'est seulement temporaire, un sentiment distordu de réjouissance, *une déformation** (dit Danielle Westerman), mais c'est également vrai, d'une façon ou d'une autre. Car nous voilà, ensemble dans cette salle de la bibliothèque municipale avec ses vieux parquets usés, contenus dans un petit tic-tac de temps.

Et chacun d'entre nous a une vie à laquelle nous allons bientôt retourner. Des dîners nous attendent ; quelle pensée étrange et réconfortante ! Des menus ou des plats élaborés venant de chez *Kraft Dinner*, ou une salade grecque sortie d'une boîte de chez *Safeway*. J'ai deux poulets en train de rôtir dans le four en ce moment même, assez pour avoir des restes demain ; un ragoût de pommes de terre qu'il suffit de réchauffer, et tout ce qu'il faut pour composer une salade. Oh ! là, là, cette femme est vraiment bonne, et tellement organisée, aussi.

Ça suffit !

Oui, je dois rentrer à la maison. Une longue journée, oui. Il pleut, il pleut. La météo. Au revoir. Mon parapluie, juste ciel, j'ai failli l'oublier. Oui, plein de choses à faire. Garée juste devant. Pas vraiment besoin. Reste le chien à promener. Oui, je n'y manquerai pas, je n'y manquerai pas. Merci encore, merci à vous deux. Vous devez être contentes de voir la fin d'une longue journée.

Je veux, je veux, je veux.

Je ne prononce pas réellement ces derniers mots ; je trébuche seulement sur leurs moignons ridicules, leurs petites syllabes déclaratives mortes, tandis que je boutonne mon manteau et que je rentre chez moi.

Néanmoins

Nous vivons sur une colline escarpée. Le paysage est vallonné, dans l'ensemble, de sorte que notre perchoir rocheux est une anomalie géologique, choisie sans doute parce qu'elle offrait de solides fondations ainsi qu'un panorama. La maison a cent ans ; c'est une simple ferme de l'Ontario en brique, souvent agrandie par ses multiples occupants précédents, et par nous. Elle dégage désormais une impression d'authenticité durable, résistant aux températures brûlantes et glaciales du climat de l'Ontario.

Les gens me demandent souvent – j'ignore pourquoi – combien de pièces nous avons et, chaque fois que cela se produit, je reste confondue. C'est quelque chose que je devrais savoir, mais je ne le sais pas. Ça dépend de ce que l'on entend par pièce. Un vestibule est-il une pièce ? Le nôtre a un tapis indien coloré, un banc, une gravure au mur, un certain nombre de portemanteaux. Sur la gauche, la vaste entrée carrée abrite un poêle à bois suédois, que nous avons installé pendant l'hiver glacial de 1986 et qui fournit le genre de bonne chaleur sèche et rayonnante que requiert notre climat. Dans cette « entrée », il y a de la place pour plusieurs fauteuils confortables, une table de téléphone, un plancher en chêne couvert d'un kilim doux et passé, dans le coin se trouve un gros bureau massif que Tom utilise pour sa correspondance personnelle ; et pourtant, ce n'est pas vraiment une pièce. Une entrée n'est pas une pièce ; n'importe quel agent immobilier vous le dira. La salle à manger, sur la droite, possède une petite véranda adjacente, qui a plus la taille d'un placard que d'une pièce : un canapé en rotin, une table minuscule, quelques plantes suspendues, une grosse ottomane molle, une sensation d'opalescence et de pureté. Le salon, à gauche, a une fenêtre en saillie si profonde que c'est presque une pièce à elle toute seule. Tout y est vert et blanc ou dans des tons bleu vert, clair et, du moins à mes yeux, lumineux. Il y a une loggia protégée par un treillis devant le bureau et une autre au-dessus, ce que l'on appelait jadis une chambre extérieure. La pièce où je travaille est l'ancien débarras situé au grenier, lequel n'est pas officiellement une pièce non plus, bien que la nouvelle faîtière et les étagères astucieusement suspendues lui donnent l'air d'en être une. J'appelle cet espace mon bureau, ou alors mon placard ; ou, le plus souvent, le débarras. Ma vie d'écrivain et de traductrice est le prologue de mon histoire ; la suite est ce que je vis dans cette maison sur la colline avec Tom, nos filles, et notre golden retriever âgé de sept ans, Pet.

Chacune de nos trois filles possède une chambre à elle. Natalie occupe la chambre sud et Christine ce que nous appelons la chambre framboise, pas à cause de la couleur des murs mais parce que sa fenêtre donne sur notre vigoureux massif de framboisiers. Norah, l'aînée, a sa chambre au bout de l'entrée (elle n'est pas à la maison en ce moment, elle ne l'est pas depuis des mois, en fait). Une odeur exquise flotte dans cette chambre, s'exhalant de la couette imprimée de tulipes ou des chauds rideaux de lin blanc accrochés aux fenêtres. Tom et moi occupons la chambre nord, dont on pourrait dire qu'il s'agit de deux pièces à cause de la petite antichambre en L qui s'ouvre au bout, où Tom conserve sa précieuse collection de trilobites dans une vitrine fermée à clé. Quand les filles étaient bébés, elles dormaient dans un berceau, pour être près de nous la nuit. Ce berceau se trouve maintenant à la cave, où il occupe le coin d'une autre pièce, qui n'en est pas vraiment une, un endroit à moitié terminé avec des cloisons en pin noueux un peu encrassées par la suie et un sol en ciment peint, construit probablement à la fin des années cinquante par la famille McGinn.

La maison McGinn ; c'est comme cela que les gens du coin appellent encore notre maison, bien qu'il y ait eu trois ou quatre occupants entre eux et nous, des locataires à court terme qui n'ont laissé quasiment aucune trace d'eux et qui, en fait, avaient laissé la propriété partir à moitié en ruine.

Les McGinn ont été la première famille installée ici à ne pas être une famille de fermiers. M. McGinn tenait un magasin de meubles d'occasion en ville, pas très rentable, au dire de tout le monde. C'est à son époque que les terres de la ferme ont été vendues, ne nous laissant que quatre arpents en grande partie boisés par des érables, des sycomores et quelques très vieux chênes, ainsi qu'un petit verger de pommiers. J'ai lu récemment qu'un chêne anglais met trois cents ans à grandir, vit trois cents ans de plus, puis met encore trois cents ans à mourir. Cette idée m'a causé un choc, ou du moins m'a donné une secousse sentimentale pas tout à fait élaborée sous forme de pensée : l'émerveillement devant le fait que les tissus vivants du chêne puissent être si patients et si respectueux de ce rythme triadique programmé, réagissant aux minuscules distorsions de leurs gigantesques cellules. Le moment où le cœur d'un chêne décide de dépérir et de s'arrêter est-il important ?

Je pense souvent aux McGinn. Je ne les ai jamais rencontrés, mais leur présence persiste néanmoins. Ils ont laissé des traces. J'ai interrogé Loïs sur cette famille, mais elle ne les connaissait pas bien, n'étant pas très portée sur les relations de bon voisinage. Elle croyait fermement au fait de ne « pas s'imposer », et à cette époque-là Tom était un tout petit garçon, trop jeune pour jouer avec les enfants McGinn. En ce temps-là, les deux maisons étaient bien séparées par de vieux lilas d'allure spectrale et les branches souples d'une spirée sauvage.

Quand nous avons emménagé, la cave à moitié terminée abritait à un bout un bar avec un comptoir en ardoise sombre, et nous en avons déduit qu'ils l'avaient laissé là parce qu'il était trop lourd, qu'il ne valait pas l'effort de le déplacer. Dans le tiroir profond s'ouvrant derrière le bar, nous avons trouvé une unique et énorme graine de cacao, cirée, belle, et exhalant un parfum exotique de poussière huileuse. Nous l'avons gardée pendant des années, bien qu'elle semble avoir aujourd'hui disparu. Il y avait également une vieille boîte en carton de *Dance Dust.* Si l'on saupoudrait un peu de cette poudre par terre, elle rendait le sol glissant, juste ce qu'il fallait pour danser un fox-trot endiablé. D'après nous, les McGinn, mère et père, devaient organiser des soirées, inviter d'autres couples à venir danser au rythme des disques posés sur le Victrola bien remonté, un objet qu'ils ont également abandonné. Des gens ont sans doute été heureux dans cette maison.

Cette famille avait plusieurs enfants – des adolescents – et je me demande parfois si ces enfants ont été affectés par le tumulte politique du début des années soixante, s'ils se sont fourrés dans le pétrin et ont causé des soucis à leurs parents. Ils doivent être à la veille du troisième âge à présent, ces enfants ; ils gardent un œil sur leur santé qui s'étiole, leurs mariages vieillissants et les exploits de leurs petits-enfants, et il me semble tout à fait probable que leurs pensées retournent de temps en temps à la maison où ils ont grandi. Ils se souviennent sans doute de l'immense armoire à fusils construite dans l'entrée du haut (avec un assemblage à languettes), qui ne nous a jamais été d'aucune utilité. Lorsqu'ils se rassemblent pour des réunions de famille, peut-être évoquent-ils le minuscule réduit situé sous la loggia, dans lequel on entre par une porte masquée dans le mur et qui, pour mes enfants, était devenu une cabane secrète.

Quelqu'un de la famille McGinn avait laissé une enveloppe cachetée derrière un radiateur de la salle de bains, un de ces vieux trucs démodés à eau chaude avec des tas de côtes et des arêtes ornementales. J'ai découvert cette enveloppe en peignant la pièce. En passant derrière le radiateur avec mon pinceau, j'ai touché quelque chose qui ressemblait à du papier. J'ai posé mon pinceau et je suis allée chercher un cintre métallique que je pourrais passer entre les sillons du radiateur. L'enveloppe, intacte et encore scellée après tout ce temps, à peine salie par la poussière, était adressée à « Mme Lyle McGinn ». De l'encre bleue, passée. L'enveloppe semblait neuve entre mes doigts, même après être restée cachée pendant tous ces hivers sans date, tandis que la chaudière cliquetait à chaque arrêt et à chaque démarrage, envoyait de la chaleur dans les tuyaux et la cuisait indéfiniment. Devais-je l'ouvrir ? Je me suis posé la question. Oui, bien sûr que j'allais l'ouvrir. Je feins simplement d'avoir des scrupules pour ce genre de chose. Le simple fait de toucher l'enveloppe a fait naître en moi une douce mélancolie religieuse. Oui, bien sûr que j'allais l'ouvrir.

L'idée m'est venue qu'il pouvait s'agir d'une lettre de suicide. Ou d'un bulletin scolaire plein de remontrances. Ou encore d'une confession quelconque. *Je suis désolé de te dire que je suis tombé amoureux de...* Nos voisins de derrière, quand nous avions emménagé, avaient fait allusion à une tragédie dans la famille McGinn, un événement quelconque qui avait précipité leur déménagement, des années de bonheur submergées par le chagrin. (Ma belle-mère, qui n'aimait pas Mme McGinn, n'avait aucune précision à apporter.) Je n'avais pas prêté attention à ces rumeurs, mais je m'étais dit aussi qu'une famille qui abandonnait une telle maison devait avoir connu de sérieux problèmes.

Ce que j'ai découvert à l'intérieur de l'enveloppe ancienne était une invitation simple et assez bon marché pour une soirée en l'honneur de la naissance d'un enfant, qui devait avoir lieu le 13 mars 1961. (Je devais avoir quatre ans.) Des fleurs roses et bleues pendaient au bout de leurs courtes tiges depuis un berceau rustique suspendu à une branche d'arbre. *Merci d'apporter un petit jouet ou un vêtement,* disait l'invitation dans une écriture ronde et élancée, la même que celle sur l'enveloppe, *n'excédant pas 3 $. Merci d'apporter également une « petite bricole » pour Georgia, la maman.*

Qu'était-il arrivé à la future maman Georgia, pour qui on avait organisé cette fête ? Qu'était-il arrivé à son bébé quand il était né, et la soirée avait-elle été un succès ? Ces questions s'ouvraient devant moi comme autant de pièces le long d'un couloir obscur, chaque pièce possédant des portes qui donnaient sur d'autres pièces. Je me suis souvenue que Danielle Westerman m'avait un jour demandé en quoi consistait au juste ce genre de soirée ; Française expatriée, âgée de quatre-vingt-cinq ans, elle avait du mal à en saisir le principe. Mais je suis allée à des dizaines d'événements de ce genre, et je n'ai pas du tout de peine à me représenter une salle de séjour du début des années soixante, résonnant de rires de femmes haut perchés qui ne semblent jamais s'arrêter, même s'ils sont toujours suivis du fou rire, plus sonore, d'une femme célèbre pour son rire contagieux dont ses amis font l'éloge. Avec sa robe fourreau aux motifs audacieux qu'elle a confectionnée elle-même (j'imagine des motifs géométriques, noirs sur fond rouge), c'est le genre de personne qui égaie n'importe quelle réunion et qui est toujours la bienvenue. Mme McGinn, en revanche, a un rire minuscule à peine audible, et met souvent la main devant sa bouche.

Était-ce M. McGinn qui possédait la collection d'armes rangées dans cette armoire spécialement conçue, et un coup malheureux était-il parti tout seul ? Était-ce lui qui avait tenté d'isoler le grenier et fait un vrai gâchis ? Comment Mme McGinn (je n'ai jamais découvert son prénom, et Loïs ne m'a été d'aucun secours, mais j'imagine que ce devait être Lillian, ou Dorothy, ou Ruth, un nom comme ça) passait-elle ses journées, et était-ce elle qui avait décidé de faire installer l'évier de la cuisine en acier vert avec une cuvette en émail assortie ? Aujourd'hui, l'évier a acquis le statut d'antiquité, et il tient trop d'une curiosité pour que nous nous en séparions, et, du reste, il fonctionne encore parfaitement. J'imagine Lillian/Dorothy/Ruth devant cet évier, en train de couper des haricots beurre en morceaux d'un centimètre et demi et de les couvrir avec de l'eau, et de soupirer en regardant la pendule. Presque l'heure du souper. L'horloge – en plastique de l'après-guerre – est en forme de théière ou de grenouille. Cette femme a à peu près la même taille et le même âge que moi, une corpulence moyenne, encore mince, mais s'élargissant aux hanches. Environ quarante-cinq ans, avec une moue dessinée au rouge à lèvres. Une certaine essence l'a quittée. Une évaporation corporelle qui ne lui a rien laissé sinon des questions dures qui s'adressent directement à son cœur, et personne ne soupçonnerait jamais qu'elle pourrait être capable d'accéder à l'éther du désir, de l'envie, du souhait.

J'adore cette maison. Tom et moi – nous sommes ensemble depuis vingt-six ans, ce qui équivaut à un mariage – avons emménagé ici en 1980, juste à côté de la maison au pignon rouge dans laquelle il avait grandi et où sa mère habite toujours, une veuve de soixante-dix ans, assez maigre aujourd'hui, et de plus en plus silencieuse. Tom, comme son père avant lui, possède un cabinet médical à Orangetown, à dix petites minutes d'ici, mais il consacre au moins un tiers de son temps à ses recherches sur les trilobites, son passe-temps, son violon d'Ingres, vous dirait-il avec une espèce de clin d'œil pour vous faire comprendre que les trilobites sont son véritable métier.

Ce que les gens trouvent troublant, c'est que j'ai pris son nom. J'ai grandi sous le nom de Reta Summers, et à dix-huit ans, alors que j'avais des cheveux bruns longs jusqu'à la taille et que je suivais des études de français, j'ai rencontré un étudiant en médecine dénommé Tom Winters, si bien que nous nous trouvions confrontés à une « situation délicate » étant donné que nos noms signifiaient respectivement *étés* et *hivers.* Soit nous devenions une plaisanterie récurrente, soit il fallait que l'un de nous deux change de saison. À l'époque, cette histoire de nom semblait un énorme problème, et c'est seulement depuis peu que je suis capable de débiter une petite explication amusante sur ce dilemme et la façon dont nous l'avons réglé. Je suis allée au tribunal et j'ai signé des documents ; c'est tout, mais à l'époque on aurait pu croire que j'avais sacrifié des parties de mon corps. (J'ai grandi, après tout, en écoutant Helen Reddy chanter « *I Am a Woman* », autrement dit « Je suis une femme ».) Nous sommes, tous les deux, des *soixante-huitards** dans l'âme, et j'imagine que nous le resterons toute notre vie. À vrai dire, j'avais seulement douze ans en 1968, mais j'avais été frappée par le potentiel de la rébellion, la façon dont on pouvait s'en servir pour ou contre quelque chose, et par le fait que nous devions vivre dans une période historique donnée, mais que nous devions aussi résister, comme des radicaux, réduits à de simples créatures de notre temps.

Notre maison est pleine de recoins grossiers qui me semblent sur le point d'accéder à leur véritable beauté. Je pense souvent à la façon dont Vicente Verdú, l'écrivain espagnol, disait des maisons qu'elles existent entre réalité et désir, ce que nous voulons et ce que nous avons déjà. Cette vieille maison n'est sans doute pas aussi jolie que je le crois. Mes yeux sont voilés. Je voyais autrefois les diverses pièces avec leurs couleurs et leurs espaces, mais j'en suis désormais incapable. J'ai surestimé ses criques et ses ports de bois convolutés, me convainquant du caractère spacieux de cette architecture et en même temps de son côté *cozy*, quand j'aurais vraiment dû, il y a longtemps, demander l'avis d'un professionnel de la décoration. Le mot *cozy* est intraduisible en français ; j'ai souvent eu cette discussion avec Danielle Westerman, non pas que *cozy* soit un mot qui revienne fréquemment dans ses essais sévères. Il n'y a pas de mot français pour traduire *reckless* non plus, ce qui est curieux quand on pense que les Français sont, de façon stéréotypée tout au moins, un peuple téméraire.

Il est fort peu probable que Mme McGinn soit allée à cette soirée de 1961 organisée pour son amie Georgia. L'enveloppe était encore scellée, après tout, quand je l'ai découverte. Aucun membre de la famille n'aurait pu délibérément lui cacher ce billet. Il s'est simplement perdu comme les petites choses ont tendance à le faire dans une maison agitée. Il a été séparé du reste du courrier, contre toute logique transporté dans cette pièce où il a été perdu et, curieusement, préservé.

Elle comptait si peu, cette soirée conviviale entre femmes de 1961. John Fitzgerald Kennedy était président des États-Unis. Le pays craquait sous le poids de la conscience et de la culpabilité. Il y avait des marches organisées dans les rues ; des gens intelligents et responsables voulaient aller passer des mois en prison. Dans le monde entier, les forces politiques éclipsaient un événement aussi neutre, trivial et insignifiant qu'une fête de ce genre dans une petite ville canadienne ; une invitation perdue ne pesait rien sur la balance des problèmes de l'humanité.

Mais si Mme McGinn était un certain genre de femme, alors peut-être avait-elle une bonne amie dévouée qui lui avait téléphoné pour lui rappeler l'événement. Mars est un mois ennuyeux dans cette partie du monde, avec sa neige noircie et ses périodes de fonte aléatoires. Le timide féminisme du début des années soixante ne s'était pas encore enflammé pour les femmes comme Lillian (?)

McGinn. Le féminisme en était au stade de la chrysalide, et Lillian était à cheval sur deux générations et sur deux saisons. Sans doute portait-elle encore une gaine et utilisait-elle un diaphragme pour prévenir de futures grossesses. La maison était pleine de courants d'air et les enfants étaient mal élevés. Une soirée serait la bienvenue. Mme McGinn, debout devant l'évier vert en train de couper ses haricots, se sentait peut-être excitée à l'idée d'être invitée à une fête de ce genre et de savoir qu'on lui avait envoyé une invitation, même si celle-ci s'était égarée d'une façon ou d'une autre. Elle devait remercier intérieurement la personne qui l'avait appelée et se sentir soulagée des pensées qui la tourmentaient. Elle expédierait rapidement le dîner familial et tenterait de laver le plus gros de la vaisselle, ou du moins la ferait tremper dans l'évier. Ou peut-être, juste pour cette fois, une fille adolescente, accablée par son propre malheur et ses soucis à propos de l'interrogation de biologie du lendemain, viendrait lui proposer son aide. « Laisse-moi faire », dirait-elle à sa mère qui (pour elle) n'a pas de visage. « Va à ta soirée. » La fille, qui dans ma tête ressemble à Natalie, feint le désintérêt mais est en même temps troublée par sa propre curiosité concernant la vie communautaire des femmes adultes. Et peut-être, si elle est un tant soit peu sensible, sent-elle la vague de détresse invisible qui ondule dans la maison ; sa mère a un problème, un élément sans réponse.

C'est une fille qui n'entend rien à l'entretien d'une maison. Ses draps, dans la chambre du haut (la chambre que Natalie occupe depuis toutes ces années, passant directement du berceau au lit pour enfant), sont changés régulièrement, livrés propres et frais, mais elle n'a jamais réfléchi à la notion d'entretien domestique, et le contraire aurait été étonnant.

« Laisse-moi ranger la cuisine », avait peut-être ordonné à sa mère la fille de Mme McGinn en mars 1961, d'un ton exaspéré exactement semblable à celui de Christine, voulant tâter les racines d'une gentillesse troublante qu'elle sent mais ne peut encore affirmer. « Je vais m'occuper de la vaisselle. »

Une maison exige de l'entretien. Encore récemment, l'entreprise *Merry Maids* venait nettoyer notre maison deux fois par mois, mais à présent je fais de moins en moins souvent appel à elle. La camionnette qui arrive dans notre allée, les muscles, la légèreté et le matériel mugissant des femmes m'épuisent. C'est en grande partie moi qui m'occupe de la maison. J'enlève la poussière et les poils de chien, vêtue de mon plus vieux jean et d'un pull en coton effiloché aux manches. Nettoyer me procure du plaisir, ce que j'ai du mal à reconnaître et que je n'avoue presque jamais, mais ici, dans ma tête, j'enregistre ce fait : épousseter, cirer et polir offre des récompenses. Beaucoup de gens partageraient cet avis si on les forçait à avouer, bien que l'aspirateur soit trop bruyant et trop encombrant pour être agréable. J'aime surtout manœuvrer mon balai à poussière sur les vieux planchers de chêne. (À New York, il est illégal de secouer un balai par la fenêtre, et probablement même à Toronto ; j'ai lu ça quelque part.) Ces moines bouddhistes que j'ai vus il y a peu de temps dans un documentaire à la télé consacrent deux heures à la méditation matinale, suivies par une heure de ménage minutieux. Avec leur robe couleur safran et leur crâne rasé luisant, ils sortent chaque jour avec des seaux et des chiffons, et ils nettoient des choses, tout ce qui a besoin d'être nettoyé, un mur ou une vieille barrière, tout ce qui représente une menace ou le désordre. Je commence à comprendre où cela peut les conduire.

Mon torchon à poussière humide à la main, je continue. Je passe sous l'évier pour astiquer ce morceau de tuyau coudé difficile à ravoir. Demain, je prévois d'épousseter l'escalier de la cave, rapidement, mais en passant dans les coins.

Je ne suis pas bête au point de ne pas pouvoir comprendre mon étrange obsession, bois et os, plomberie et sang. Pour paraphraser Danielle Westerman, nous ne faisons pas des métaphores dans le but de nous distraire. Les métaphores exercent leur propre pouvoir sur nous, même isolées de leurs manifestations fugitives. Elles sont aussi réelles que les massifs de pivoines que nous observons enfants, couchés dans l'herbe, lorsque nous regardons le dessous des feuilles et des pétales avec émerveillement : Oh, ceci est un territoire secret, pensons-nous, un monde inversé que les adultes ne peuvent pas voir, ses scarabées, ses vers, ses colonies de fourmis, son odeur de putréfaction aigre-douce. Mais, en fait, ce monde palpable est connu de tous; il ne représente rien d'autre que le monde lui-même.

J'époussette et j'astique cette maison afin de pouvoir la préserver hermétiquement des catastrophes. Si je m'applique à l'entretenir avec un soin méticuleux, je pourrai réclamer le retour de ma fille Norah, partie chercher la bonté. Cette maladie salissante qui a commencé par une idée tenace, puis continué par l'extension de l'infection, cette notion absurde – le Tao ? – selon laquelle le silence est plus sage que les mots, l'inaction meilleure que l'action, voilà ce contre quoi je lutte. Et, surtout ces derniers temps, je nettoie sans doute également pour l'ombre de Mme McGinn, avec l'envie de lui adresser une révérence. Oui, ça en valait la peine, ai-je envie de lui dire, toute cette inquiétude et cette confusion. Je suis assez jeune pour soupirer encore : à quoi ça sert ? mais suffisamment vieille pour ne pas attendre de réponse.

Je me hâte de finir ce travail. Je me hâte à chaque heure. Toute la journée, je jette des coups d'œil à la rampe en chêne. Des mains ont couru sur ses courbes lisses de haut en bas et de bas en haut, lui donnant l'aspect d'un organisme vivant. Cette rampe continue d'offrir un appui après tout ce temps, sans pour autant cesser d'être élégante et de réfléchir la lumière, et sa pérennité est un pied de nez à l'immensité de la solitude humaine ordinaire. Pourquoi, par admiration, ne caresserais-je pas de temps à autre les surfaces soyeuses ; tous les jours, en fait ? Je ne parlerai même pas de la récompense immédiate et éphémère de l'aérosol de cire au citron. Danielle et moi avons discuté de la question du ménage. De façon peu surprenante, et toujours de son air un peu *dérisoire**, elle croit que les femmes sont devenues esclaves de leurs possessions. Acheter puis prendre soin : ces choses-là épuisent la créativité de la femme, la créativité de n'importe qui. Mais j'ai observé la façon dont elle dispose des objets sur une étagère, et le soin avec lequel elle dresse une table, même quand c'est seulement pour moi qui viens à Toronto déjeuner avec elle dans sa véranda.

Ses opinions me surprennent souvent, même si je pense bien la connaître, et malgré nos quarante ans d'écart. Le docteur Westerman : poète, essayiste, survivante féministe, détentrice de vingt-sept diplômes honorifiques. « Ce serait peut-être mieux, ai-je dit un jour, indiquant un passage de son premier volume de mémoires et tentant de ne pas prendre un ton trop doctoral, d'utiliser le mot *tête* ici à la place de *cœur*. »

Elle m'a lancé un coup d'œil interrogateur, ses

paupières aux veines bleutées s'ouvrant plus grand. Comment ça? J'ai expliqué que parler du cœur comme du siège des sentiments était démodé depuis un certain temps, qualifié d'un peu idiot par les critiques, jugé précieux. Elle a réfléchi à cela une seconde, m'a souri avec une expression d'affection peinée, puis a posé une main sur sa poitrine. « Mais c'est là que je ressens la douleur, a-t-elle dit. Et la tendresse. »

J'ai renoncé. Les *partis pris** d'un auteur sont toujours – doivent toujours – être respectés par son traducteur. J'ai au moins appris cela après toutes ces années. Il y a d'autres choses que je pourrais faire de mon temps à part nettoyer ma maison. Il y a ce livre sur les animaux et Shakespeare, le volume complémentaire de mon *Shakespeare and Flowers*. Ou alors, je pourrais terminer ma traduction du quatrième et dernier volume des mémoires de Westerman, ce qui me prendrait environ six mois. Au lieu de cela, j'écris un second roman, lequel avance lentement parce que je me réveille le matin impatiente de faire le ménage. J'aimerais m'y attaquer avec des cotons-tiges, avec des cure-dents, récurer chaque fissure et chaque recoin. Citez-moi un nouveau produit ménager et je meurs d'envie de l'avoir entre les mains; je n'arrive pas à m'arrêter. Tous les jours, j'ouvre les yeux et je me réconforte avec les tâches que je vais accomplir. Il est nécessaire, je m'en aperçois, d'apprendre des moyens détournés de se consoler, et il est également nécessaire de se pardonner ses propres excentricités. Dans l'après-midi, après un déjeuner composé de fromage et de biscuits salés pris sur le pouce, je m'attelle à mon roman et produis, les bons jours, deux pages, parfois trois ou quatre. Je me perche sur mon fauteuil ergonomique et je me dis : Me voilà. Une femme assise.

Une femme en train de penser. Mais je suis toujours bousculée, toujours distraite. Le mardi, je retrouve mes amies pour boire un café à Orangetown, le mercredi, je vais à Toronto, un jeudi après-midi sur deux, j'assiste à la réunion du conseil de la bibliothèque.

Vendredi dernier, après avoir passé des jours chez moi à attendre un coup de téléphone de Mme Quinn, du *Promise Hostel*, le foyer d'accueil (qui ne m'apprenait rien à part le fait que rien n'avait changé), j'ai accompagné Tom à Toronto où une journée de conférences sur les trilobites était organisée au musée, et j'ai même assisté à une session en me disant que cela m'offrirait peut-être une distraction. Une paléontologue, une femme répondant au nom de Margaret Henriksen, de Minneapolis, s'exprimait dans une salle obscure en illustrant son discours au moyen d'une représentation digitalisée d'un trilobite replié en une petite boule. Personne n'a jamais vu de trilobites, puisqu'ils n'existent qu'à l'état de fossile, mais les parties de thorax osseux retrouvées sous forme fossilisée indiquent que ces créatures étaient si parfaitement conçues que, lorsqu'elles se sentaient menacées, elles étaient capables de se replier, chaque segment venant se loger dans le suivant pour protéger le corps mou de l'animal. Cette action est appelée l'enroulement, une attitude assez commune chez les arthropodes, et il me semble que c'est ce que fait Tom depuis ces dernières semaines. Je nettoie la maison et il « s'enroule » dans un silence qui l'emporte plus loin de moi que la silhouette spectrale de Mme McGinn, laquelle demeure tel un grain de poussière au coin de mon œil, se demandant pourquoi elle n'a pas été invitée à la fête de son amie en cette soirée de mars 1961. Cela la travaille. Elle se déçoit. Sa vie s'est consumée jour après jour (elle le comprend pour la première fois), elle en a avalé les flammes sans sourciller. Et à présent, soudain, ce vide. Rien ne l'a préparée à la vaste et grise simplicité de la tristesse, ni au fait de savoir que c'est à cela que ressemblera le reste de sa vie : habiter dans une maison tombant en ruines qui ne souhaite pas sa présence.

Après la conférence de Toronto, des amis des trilobites venus d'Angleterre ont voulu aller manger dans un endroit appelé le *Frontier Bar*, dans Bloor Street West, un restaurant sur le thème de l'Ouest sauvage. Ils en avaient vu la publicité dans un guide touristique et pensaient que ce serait amusant.

Tout est clinquant au *Frontier Bar*, depuis les peaux de vache clouées aux murs jusqu'aux fouets couronnés de petits chapeaux de cow-boys en plastique. Les cocktails s'appellent Rodeo Rumba et Crazy Heehaw, et nous nous sommes sentis un peu décadents en commandant notre bouteille de bon vin blanc. Avant de nous dire bonsoir à la fin de la soirée, je me suis excusée pour aller aux toilettes des dames (le « corral des vachères ») et, là, j'ai trouvé au dos de chaque porte de cabine un petit tableau noir avec une craie, un stratagème imaginé par le directeur pour éviter les dégradations de matériel.

J'ai souvent parlé à Tom des graffitis que l'on trouvait dans les toilettes publiques ; nous avons des notes comparées. Les mots que les femmes écrivent sur les murs sont si attendrissants, si innocents. Tom a du mal à le croire. « Demain est annulé », ai-je vu une fois. Et une autre : « Saskatchewan Libre ! » Un jour, un petit poème : « Si une goutte tu laisses / lorsque tu fais pipi / aie au moins la gentillesse / d'essuyer quand tu as fini. » J'aime particulièrement les traits d'esprit un peu décalés, les pensées qui semblent ne pas se suffire à elles-mêmes, sauf dans leur forme elliptique tronquée, éphémère.

Je n'avais jamais ressenti jusque-là un besoin de contribuer à la littérature des murs de toilettes, mais ce soir-là, au *Frontier Bar*, j'ai pris le morceau de craie sans hésiter un instant, la tête tel un vaisseau de douleur sonore, et mes mots fin prêts.

Tout d'abord, j'ai nettoyé la petite ardoise avec du papier toilette humide, effaçant « Salut m'man » et « Lori pète » pour me dégager un espace net. « J'AI LE CŒUR BRISÉ » ai-je écrit en lettres majuscules, mue par une impulsion que je qualifierais plus tard de dramatique, puérile, faible, grandiose et puissante. Puis, une idée baroque m'est venue : j'ai dessiné un petit cœur dans le coin et tracé une ligne déchiquetée en travers, parfaitement consciente de la médiocrité de mon talent de dessinatrice.

J'ai aussitôt senti un relâchement de la pression qui me broyait les côtes. Quelque chose, qui n'était pas étranger à de la jubilation, s'est frotté contre moi, juste un moment, à peine un instant, comme si, sous le coup d'un enchantement particulier, je pouvais être à la fois le récepteur et le transmetteur, pas une chose morte mais un lien vivant dans l'accumulation de ce qui deviendrait un chagrin insoutenable. À cet instant, j'ai cru, à mon propre ravissement, que j'avais écrit des mots d'une vérité révélatrice, inscrivant la plus intime et la plus alarmante des visions et non ce griffonnage mélodramatique geignard que c'était en réalité, et que ce déroulement de chagrin dans une cabine de toilettes avait depuis toujours été ma plus profonde ambition.

Je suis allée rejoindre les autres rassemblés sur le trottoir devant le restaurant. Ils n'avaient pas remarqué que je m'étais absentée aussi longtemps, et je n'étais peut-être partie que depuis une minute ou deux. Ils étaient tous rassasiés de bon vin et de mauvaise nourriture, et ils discutaient de Toronto, disant à quel point ils trouvaient étrange que des curiosités aussi kitsch que le *Frontier Bar* continuent d'exister. Tom m'a prise par la taille, avec une telle douceur que j'ai presque cru avoir oublié mon poison. L'air nocturne était d'un froid mordant, presque glacial, mais pour la première fois depuis des semaines j'ai pu prendre une grande inspiration. *J'ai le cœur brisé.* Ma bouche s'est refermée sur ces mots, et puis j'ai avalé.

Alors

« Alo-oo-ors, m'a demandé un jour ma fille Norah (elle avait environ neuf ans). Pourquoi est-ce que toi et papa, vous êtes pas mariés, au fait ? »

J'attendais la question depuis quelques années, et j'y étais préparée.

« En fait, nous sommes bel et bien mariés, lui ai-je répondu. Au vrai sens du terme, nous sommes mariés. »

Elle et moi étions à Orangetown un samedi matin, dans le seul magasin de chaussures de la ville à l'exception de ceux qui se trouvent dans le centre commercial, et Norah en essayait une nouvelle paire pour l'école.

« Nous sommes mariés dans le sens où nous sommes ensemble pour toujours.

– Mais, a-t-elle objecté, vous n'avez pas fait de cérémonie de mariage.

– Nous avons organisé une réception », lui ai-je répondu d'un ton joyeux.

Faire diversion en parlant de réception plutôt que de mariage avait toujours fait partie de mon plan.

« Nous avons préparé un repas pour les amis et la famille dans l'appartement de ton père.

– Quel genre de réception ? »

Comme j'avais facilement réussi à la faire dévier !

« Il y avait des pizzas et de la bière. Et du champagne pour porter les toasts.

– Est-ce que mamy Winters était là ?

– Eh bien, non. Elle et papy Winters ont organisé une autre réception pour nous, plus tard. Une sorte de goûter.

– Tu portais quoi ?

– Tu veux dire à la fête avec les pizzas ?

– Oui.

– J'avais un caftan qu'Emma Allen avait taillé dans du coton africain. Avec un motif bleu et noir imprimé à la main. Tu as vu les photos. Sauf qu'elle s'appelait Emma McIntosh, à cette époque.

– C'était ta demoiselle d'honneur ?

– En quelque sorte. On n'utilisait pas ce mot, à cette époque.

– Pourquoi ça ?

– C'était dans les années soixante-dix. Les mariages n'étaient pas à la mode en ce temps-là. Les gens pensaient que ce n'était pas important si deux personnes s'aimaient vraiment.

– Je déteste ces chaussures. »

Elle se tortillait dans le fauteuil.

« Eh bien, on ne va pas les acheter, alors.

– Quel genre de chaussures tu avais ?

– Quand ça ?

– À ton truc avec les pizzas.

– Je ne suis pas sûre de m'en souvenir. Oh si, je me souviens. On n'avait pas de chaussures. On était pieds nus.

– Pieds nus ? Toi et papa ?

– C'était l'été. Un été très chaud.

– C'est sympa, dit-elle. J'aurais bien aimé être là. »

C'était beaucoup trop facile.

« Moi aussi, j'aurais bien voulu que tu sois là,

ai-je ajouté en toute sincérité. Ça aurait été un jour parfait. »

« Alors, il y a du nouveau ? » C'était Emma Allen qui me téléphonait, il y a une semaine, depuis Terre-Neuve. Nous étions amies depuis le lycée, à Toronto. Nul besoin de points de référence entre Emma et moi. Nos esprits fonctionnent de la même façon. Elle est écrivain, journaliste médicale, rousse, grande et dégingandée ; elle a vécu autrefois, brièvement, à Orangetown avec son mari et ses enfants, et elle appartenait au même atelier d'écriture que moi. Nous nous téléphonons au moins une fois par semaine. Quand elle demande s'il y a du nouveau, elle veut parler de Norah, de Norah qui vit dans la rue.

« Elle est toujours là-bas. Tous les jours.

– Ça doit être une sorte de soulagement, a-t-elle avancé d'un ton mesuré. Même si c'est pas grand-chose, merde.

– Je m'inquiète pour le froid. »

C'était le mois d'octobre, et il gelait pratiquement toutes les nuits. Nous avions même eu de la neige, qui avait fondu depuis.

« Des sous-vêtements en Thermolactyl ? a suggéré Emma.

– Bonne idée.

– D'un autre côté...

– Oui ?

– Le froid la fera peut-être rentrer à la maison. Tu sais comment un bon coup de froid peut réveiller les gens et les faire prendre soin d'eux.

– J'y ai déjà pensé.

– Je m'en doutais. »

Le père de Tom était médecin généraliste à Orangetown, si bien que Tom est devenu médecin généraliste à Orangetown. Ce n'est pas vraiment aussi simple que ça, mais le résultat est le même. Quand il était étudiant, Tom était en rébellion contre l'ordre établi, carrément à l'extrême gauche. Il n'a pas assisté à sa propre remise des diplômes, parce que la cérémonie impliquait de porter la robe académique. Pendant dix ans, les seuls pantalons qu'il ait portés étaient des jeans. Il n'a pas de cravate et n'a pas l'intention d'en acheter, jamais : c'est la marque habituelle des libéraux. Il a des instincts bourgeois, mais lutte contre ceux-ci. C'est-à-dire qu'il mène une vie d'homme marié mais refuse l'idée d'une cérémonie de mariage. Mais surtout, c'est un genre de médecin différent de son père qui était bourru et sentimental. Tom est un saint, d'après les gens d'Orangetown, si patient, si humain, d'une autorité si tranquille. Il travaille à la clinique d'Orangetown avec trois autres médecins, dont l'un est un obstétricien qui s'occupe de la plupart des naissances de la région. Cela lui manque, à Tom, d'assister à des naissances. Il voit beaucoup de gens malades et beaucoup de gens seuls. C'est à travers Tom que j'ai découvert l'ubiquité de la solitude. Je n'y aurais pas cru autrement.

Je crois qu'il pense aux trilobites tout le temps. Pendant qu'il vérifie une prostate ou rédige une ordonnance pour des médicaments contre l'asthme, une partie de son esprit s'accroche à une représentation d'il y a cinq cents millions d'années – insondable pour moi – et aux arthropodes sans charme aujourd'hui éteints qui peuplaient toutes les mers et les océans du monde. Ils ont vécu longtemps, quelque chose comme une centaine de millions d'années. Certains mesuraient la moitié de l'ongle du pouce, et d'autres trente centimètres de long. Récemment, un trilobite géant a été découvert près des rives de la Baie d'Hudson, un monstre mesurant soixante-dix centimètres. Des créatures hideuses mais qui savaient s'adapter, les trilobites, et qui exposent désormais avec complaisance leurs restes fossilisés. Une tête aux yeux globuleux, un thorax, une espèce de queue ; une petite vie en trois parties qui avait jadis existé. Tom les adore, si bien que nous les adorons tous.

« Et alors ! » a dit Christine quand je lui ai mis sous le nez une cigarette tordue trouvée dans la poche de son parka.

« Et pourquoi est-ce que tu fouillais dans mon parka, d'abord ?

– J'allais le mettre dans la machine à laver, alors je vérifiais les poches.

– Je suis pas accro, si c'est ça qui t'inquiète.

– C'est bien ça qui m'inquiète, oui.

– Eh bien, je le suis pas. J'en ai juste fumé quelques-unes. Avec des amis.

– Quand j'étais enceinte de toi, Chris, je n'ai pas bu une seule goutte de vin pendant neuf mois. Je n'ai même jamais pris une aspirine. Je buvais trois verres de lait, tous les jours, et tu sais à quel point j'ai horreur du lait.

– Ouah ! Tu as été une véritable martyre pour la cause de la maternité.

– Je voulais que tu sois en bonne santé.

– Pour pouvoir me culpabiliser quand je serais plus grande.

– J'espérais juste...

Pas étonnant que Norah... »

Elle s'est interrompue.

Pas étonnant que Norah ait quitté la maison. En regardant son visage figé, j'ai pu lire les mots qu'elle avait été si près de graver dans l'air.

« C'est pas grave, ai-je dit en la prenant dans mes bras.

– J'ai horreur de fumer, de toute façon, a-t-elle murmuré. C'était juste histoire de le faire. »

« Alooo-ooo-ors ! »

C'est ce que disent les gens quand ils sont sur le point d'introduire un récit dans la conversation, ou quand ils ménagent un petit espace pour vous permettre de commencer vous-même une histoire. On peut le chanter sur différents tons, en fonction des circonstances.

« Alors ! »

C'est généralement le premier mot prononcé quand je m'assois pour boire le café avec Sally Bachelli, Annette Harris et Lynn Kelly. Alors ! Ce qui veut dire : nous voilà à nouveau à l'*Orange Blossom Tea Room*. Nous sommes les « dâââ-mes » du café d'Orangetown qui se réunissent le mardi matin. Quoi de neuf ? Alors ! Alors est comme le hautbois qui donne le *la* aux cordes. Alors, où allons-nous à partir de là ?

À part Emma Allen, et Gwen Reidman, avec qui je n'ai plus beaucoup de contacts en ce moment, ces trois femmes – Sally, Annette et Lynn – sont mes meilleures amies. Nous avons toutes à peu près le même âge, mais nous avons d'énormes différences de taille. Sally est une femme imposante, majestueuse. Elle a une bouche ronde dans un visage rond, et elle porte d'épaisses lunettes rondes avec une monture en plastique. C'est une ancienne actrice, qui dirige maintenant un groupe de théâtre en cours du soir, elle est très douée pour imiter les accents : écossais, allemand, antillais ; elle sait tout faire. Même ses épaules ont quelque chose de théâtral, ses coudes et ses poignets aussi. Ses vêtements, qu'elle dessine et confectionne elle-même, sont d'extraordinaires assemblages de formes amples et fluides aux couleurs vives.

« Alors », dit Lynn Kelly, qui porte des tailleurs pantalons dans des tons neutres, des bijoux de grands magasins et des chaussures plates. C'est la plus petite d'entre nous, moins d'un mètre cinquante-cinq, et elle est très sèche et nerveuse. Qu'elle ait pu faire sortir deux enfants de ce bassin étroit reste un mystère. En revanche, elle a des cheveux volumineux, épais, foncés, luxuriants et en bataille qui compensent son manque de corpulence physique. Toutes les phrases qu'elle prononce semblent se terminer par un point. Elle est née et a grandi dans le Nord du pays de Galles.

Annette Harris est arrivée à Orangetown après avoir vécu à Toronto, et avant ça en Jamaïque. Quand elle prononce le mot *alors*, sa bouche forme un cercle sur la dernière syllabe. De nous toutes, c'est elle qui a la plus jolie silhouette, une silhouette de mannequin, taille fine, poitrine opulente, jambes magnifiques et belles mains. Elle s'habille avec austérité, hormis sa collection de bracelets et de boucles d'oreilles artisanaux en argent. J'ai rencontré Annette dans le groupe d'écrivains auquel j'appartenais jadis. Elle écrivait de la poésie à cette époque, et elle en écrit toujours. Son livre, *Lost Things* (Les Choses perdues), a été publié l'année dernière et s'est très bien vendu. Elle a fait une lecture à Toronto, et les gens se battaient pour entrer.

Alors, de quoi parlons-nous toutes les quatre lorsque nous nous retrouvons à l'*Orange Blossom Tea Room*? Nous ne pensons jamais au sujet de nos discussions ; nous discutons, c'est tout.

Aujourd'hui, Lynn parlait de confiance. C'est une férue de cyclisme, et son vélo était appuyé contre un lampadaire que l'on ne voyait pas depuis la fenêtre.

« Comment est-ce que je sais qu'on ne va pas me le voler ? nous a-t-elle demandé. Pourquoi est-ce que je suis absolument certaine qu'il ne risque rien ?

– Parce qu'on est à Orangetown, a répondu Sally.

– Parce qu'il y a cours, ai-je suggéré.

– Parce que ce vélo a vingt ans, a ajouté Annette. Je ne dis pas que le modèle n'est pas fantastique.

– Et comment se fait-il, a poursuivi Lynn, que je n'aie pas peur de faire du vélo dans Borden Road et de tourner ensuite dans Main Street ? J'ai mon casque, et j'essaie de bien rester sur le côté de la route, mais si un automobiliste est soudain pris d'un accès de folie et me fonce droit dessus ?

– Je ne crois pas qu'il y ait beaucoup d'accès de folie de ce genre à Orangetown, à cette heure-ci, ai-je dit en me souvenant que je n'avais pas fermé ma maison à clé.

– Ne crois pas ça, a rétorqué Annette. La folie est partout.

– Quelqu'un pourrait entrer dans ce café à cette minute même en brandissant une épée. J'ai lu une histoire sur un homme qui est entré dans une église en Angleterre et qui s'est mis à découper les gens en tranches.

– Il était fou.

– C'était impossible à prévoir.

– C'est comme d'être frappé par la foudre. On ne peut pas tout le temps avoir peur de la foudre.

– Ou qu'un avion s'écrase sur sa maison.

– Si quelqu'un entrait ici avec une épée, a dit Lynn d'une voix froide, on n'aurait aucune chance.

– On serait impuissantes.

– On pourrait se glisser sous la table.

– Non, on serait impuissantes.

– La confiance. On nous l'a inculquée de force à la naissance. Ou plutôt, on émerge du ventre de notre mère déjà confiants. En ayant confiance dans la main qui va nous tenir.

– Alors ? a dit Lynn. Quand perd-on ses illusions sur la question ?

– Quand est-ce qu'arrive le doute, tu veux dire ?

– Immédiatement, ai-je répondu. Une seconde après la naissance. J'en suis sûre. »

Alors, les jours passent, début de l'automne, milieu de l'automne. Natalie et Chris ont toutes les deux obtenu des petits rôles dans la pièce intitulée *The Pajama Game* montée au lycée, et à la maison elles interprètent sans cesse des chansons de cette comédie musicale, qui, après toutes ces années, sont toujours de bonnes chansons. *Hernando's Hideaway*, *Seven and a Half Cents. I've Got Ssss-steam Heat* : c'est la préférée de Natalie ; elle la braille en descendant l'escalier en zigzag, se penche par-dessus la rampe, écarte les bras ; Chris, juste en dessous d'elle dans l'escalier, chante un « boom-di-boom » discret en accompagnement. Tom écrit un article pour la conférence sur les trilobites de l'an prochain en Estonie. « Tu n'aimerais pas aller en Estonie ? » me demande-t-il. Je ne sais pas. Ça dépend de Norah, de ce qui arrive à Norah. J'essaie de travailler sur mon nouveau roman, mais je déraille souvent. Le dernier livre de Danielle se vend bien, même sans tournée promotionnelle, même avec une publicité minimum. Ainsi va la vie.

Autrement

Il y a deux ans, j'étais installée dans un autre genre de vie où je n'avais guère défini ma notion du chagrin. Offenses, affronts mineurs, sentiment de pertes minimes, petites trahisons, même de mauvaises critiques : c'est de cela, pensais-je, qu'était faite la tristesse; la tragédie, c'était quelqu'un qui n'aimait pas mon livre.

J'ai écrit un roman seulement parce que j'avais le sentiment qu'il s'agissait du bon moment dans ma vie pour écrire un roman. Mon éditeur m'a envoyée en tournée de promotion dans quatre villes : Toronto, New York, Washington et Baltimore. Une promotion très modeste, pourrait-on dire, mais Scribano & Lawrence ne savait pas trop quoi faire de moi. Je n'avais jamais écrit de roman. J'étais une femme d'une quarantaine d'années, d'allure tout à fait anonyme et certainement peu douée pour affronter les médias. Si j'avais une réputation quelconque, c'était en tant qu'assistante d'édition et universitaire, pas parce que j'avais produit, à l'étonnement de tous, un « roman frais, brillant et printanier », du moins d'après le *Publishers Weekly*.

My Thyme Is Up a stupéfait tout le monde par le succès de ses ventes. Nous ne savions pas du tout qui entrait dans les librairies pour l'acheter. Je l'ignorais, et M. Scribano aussi. « Sans doute des jeunes femmes actives, a-t-il risqué, rongées par la solitude et l'insécurité. »

Ces mots m'ont légèrement froissée, mais les critiques, aussi bonnes fussent-elles, m'avaient déjà un peu vexée. Leurs auteurs semblaient déconcertés de voir que mon mince roman (tout juste deux cents pages) possédait un poids quelconque. « Étrangement séduisant », disait le supplément littéraire du *New York Times*. « Le livre de Mme Winters est tout à fait dans l'air du temps, bien qu'il n'ait pas un parfum d'éternité », affirmait le *New Yorker*. Tom m'a conseillé de prendre cela comme un compliment, son point de vue étant que tous les romans valables étudient soigneusement l'époque dans laquelle ils s'inscrivent, et c'est parfois des années plus tard, malgré eux, qu'ils acquièrent un lustre permanent. Je n'en étais pas aussi sûre. Travaillant depuis longtemps sur la mise en forme des ouvrages de Danielle Westerman, j'avais atteint un degré presque handicapant d'appréciation critique grâce à la sévérité de sa position morale, et je comprenais parfaitement que mon livre avait quelque chose d'un tout petit peu *gentillet*.

Mes trois filles étaient contentes du roman, car leurs noms avaient été cités dans une interview de *People Magazine*. (« Mme Winters vit dans une ferme aux abords d'Orangetown, dans l'Ontario. Mariée à un médecin généraliste, elle est la mère de trois filles ravissantes, Natalie, Christine et Norah. ») Cela leur suffisait. Ravissantes ! Norah, la plus littéraire, la plus pétillante d'esprit des trois (Natalie et Chris sont toutes les deux en section scientifique au lycée d'Orangetown), marmonnait que le livre aurait pu être meilleur si je n'avais pas terminé par un heureux dénouement, si Alicia avait finalement décidé d'aller à Paris, et si Roman lui avait refusé son affection. Il y avait peut-être, postulait ma fille, une naïveté excessive dans les graines de thym qu'Alicia avait plantées dans sa jardinière, dans son apathie et ses espoirs grinçants. Et aucune personne saine d'esprit n'aurait chanté tout haut (comme l'avait fait Alicia) ces mots qui étaient arrivés jusqu'aux oreilles de Roman (il préparait du café dans la cuisine) et l'avaient lié à elle pour toujours : *« My thyme is up. »*

Le roman a remporté le Prix Offenden, qui, même si la somme allouée était belle, l'a condamné à jouir d'un statut mineur. Clarence et Margot Offenden avaient créé ce prix dans les années soixante-dix, exaspérés par l'opacité du roman contemporain. « Le Prix Offenden reconnaît la qualité littéraire et récompense l'accessibilité. » Tels sont leurs critères. Margot et Clarence forment un couple au grand cœur, riche, mais ils sont un peu simplistes dans leurs jugements ; Margot, en particulier, aime bien répéter sa recette du roman durable. « Un début, un milieu et une fin, aime-t-elle à dire. Est-ce trop demander ? »

À la remise du prix organisée à New York, elle a embrassé Tom et les filles en leur disant combien je brillais parmi mes pairs, ces amateurs de circonvolutions, ces prétentieux qui écrivaient sans songer au lecteur, qui jouaient à des jeux pour leur seul amusement, jetaient un masque noir sur tous les événements, que ce fût approprié ou non, et mettaient une porte, par exemple, ou une chaise, dans tous les chapitres juste pour être déroutants et obscurs. « C'est merveilleux, a chantonné Margot à l'oreille de Tom, de s'apercevoir que l'optimisme existe encore dans ce monde. » On m'a interviewée pour la télévision, assise dans un fauteuil Vasily avec un chat sur les genoux ; quelqu'un, le réalisateur ou le producteur, avait insisté à propos du chat. Quelque chose en rapport avec l'image.

Je ne me considère pas comme quelqu'un d'optimiste. En fait, si je priais, je demanderais tous les jours qu'on m'épargne la honte de l'optimisme béat. Danielle Westerman, avec sa vie, ses réflexions sur sa vie, m'a au moins appris cela. Ne cachez pas votre côté sombre, m'a-t-elle dit une fois, c'est le fait de s'éloigner de la brillance aveuglante qui nous fait avancer. Elle a dit cela, bien sûr, à l'époque des débuts difficiles du féminisme, et personne ne s'attendait à la voir se démener pour accéder à la gaieté. Je me rappelle avoir ressenti, en commençant ma minitournée, l'inquiétude latente que l'on développe quand on sait qu'on a eu trop de chance ; à tout moment, peut-être mardi après-midi prochain, je peux être frappée par quelque chose d'insupportable.

Après la cérémonie de New York, j'ai dit au revoir à ma famille et j'ai pris le train pour Washington, où je devais séjourner dans un hôtel de Georgetown ; au dernier étage, mon éditeur avait réservé un endroit baptisé la Suite de l'Écrivain. Une plaque en cuivre sur la porte annonçait ce fait étonnant. Moi, l'écrivain à l'imperméable beige, Mme Reta Winters d'Orangetown, j'ai franchi cette porte en traînant une petite valise et j'ai regardé autour de moi, n'osant imaginer ce que j'allais trouver. Il y avait un salon en plus d'une chambre, deux grandes baignoires, un lit très large, tant de canapés que je n'aurais même pas le temps de m'asseoir sur chacun d'eux pendant mon court séjour, et une table basse formée d'une plaque de verre posée sur trois énormes faux livres empilés les uns sur les autres. Une grande bibliothèque contenait les ouvrages des auteurs qui avaient séjourné dans la suite. « Nous aimons demander à nos invités de nous laisser un exemplaire de leurs œuvres », m'avait dit la réceptionniste, et j'avais dû expliquer que je n'avais pris qu'un exemplaire de lecture, mais que je tenterais d'en trouver un autre dans une librairie du coin. « Nous apprécierions tout particulièrement », avait-elle répondu avec une profonde sincérité.

Les livres laissés par les précédents auteurs étaient décevants, des manifestes d'inspiration ou des manuels d'épanouissement personnel, avec quelques thrillers dans le tas. Je ne suis pas snob (j'ai lu la biographie de Jackie Onassis, par exemple), mais le fait d'être intimement associée à des écrivains tels que Danielle Westerman m'a habituée à espérer un certain degré d'ambiguïté ou de nuance, et ici, il n'y en avait aucun.

Dans le vaste et large lit, j'ai fait un rêve troublant mais familier : je fais toujours ce rêve quand je suis loin d'Orangetown, loin de ma famille. Je suis debout dans ma cuisine, en train de préparer un repas compliqué pour des invités, mais il n'y a pas assez de nourriture. Dans le frigo, il n'y a qu'un seul œuf, et peut-être une tomate. Comment vais-je pouvoir nourrir tous ces ventres affamés ?

Je sais comment un expert analyserait ce rêve : la rareté de la nourriture symbolise la rareté de l'amour, et j'aurai beau utiliser au mieux cet œuf et cette tomate, il n'y aura jamais assez de Reta Winters pour tous ceux qui ont besoin d'elle. C'est comme ça que ma vieille amie Gwen, que j'avais hâte de voir à Baltimore, interpréterait à coup sûr ce rêve, si j'étais assez sotte pour le lui raconter. Gwen tient de façon obsessionnelle un journal de ses rêves (comme beaucoup de mes amies), et elle enregistre également les rêves des autres s'ils le lui proposent et si elle les trouve intéressants. Dans une lettre récente, elle revendique désormais le titre d'oniricocritique, ayant achevé une formation continue sur l'interprétation des rêves.

Je ne partage pas la théorie de l'amour insuffisant. J'ai cru comprendre que les rêves étaient un langage alternatif que nous n'avions pas forcément besoin d'apprendre. Mon rêve du frigo vide, j'aime à le croire, renvoie seulement à l'arrêt brutal, ou à l'interruption, des obligations quotidiennes. Pendant plus de vingt ans, j'ai eu la responsabilité de préparer trois repas par jour pour les personnes avec lesquelles je vivais. Je n'ai peut-être pas conscience de cette obligation, mais je dois sûrement toujours, à un niveau quelconque, calculer et partager la quantité de nourriture disponible dans la maison en fonction du nombre d'individus à nourrir : Tom et les filles, les amis des filles, ma belle-mère, et diverses connaissances de passage. Et il y a aussi le chien à nourrir, sans oublier de mettre de l'eau dans son bol près de la porte de derrière. Loin de la maison, libérée de la responsabilité des repas, mes calculs inappliqués se glissent dans mes rêves tel un ronron mécanique et me laissent hébétée face à ces provisions de nourriture insuffisantes et à mon imprévoyance. Un petit rêve sans importance, mais je me réveille toujours avec un sentiment de terreur.

Comme *My Thyme Is Up* était un premier roman, et comme mon nom n'était pas connu, je n'avais pas grand-chose à faire à Washington. M. Scribano le redoutait. Les chaînes de télévision n'étaient pas intéressées, et les radios évitaient les romans, m'avait expliqué l'attachée de presse, sauf s'ils abordaient un « sujet » comme le cancer ou les enfants maltraités.

Je suis parvenue à m'acquitter de toutes mes obligations en seulement deux heures le lendemain matin de mon arrivée, prenant un taxi pour me rendre à une librairie baptisée *Politics & Prose*, où j'ai dédicacé mes livres à trois clients assez perplexes, puis j'ai signé des autographes sur des exemplaires en stock, que le personnel a eu la gentillesse de me fournir. Je me suis montrée dans l'ensemble assez maladroite, excessivement enthousiaste avec les clients, trop bavarde, voulant qu'ils m'aiment autant qu'ils prétendaient aimer mon livre, qu'ils deviennent mes meilleurs amis. (« Je vous en prie, appelez-moi Reta, tout le monde m'appelle comme ça. ») Mes cheveux s'étaient détachés – ce qui est très rare – et ils tombaient sur mon visage fiévreux. J'avais envie de m'excuser de ne pas être plus jeune et plus séduisante, comme Alicia dans mon roman, de ne pas avoir sa voix ni ses manières éclatantes d'ingénue. J'avais honte de mon tailleur rouge, commandé par correspondance, et je me demandais si, en me réveillant dans la Suite de l'Écrivain, je n'avais pas oublié de mettre du déodorant.

De chez *Politics & Prose*, j'ai pris un taxi jusqu'à un magasin appelé *Pages*, où il n'y avait pas un seul client mais les deux jeunes propriétaires m'ont offert un déjeuner somptueux dans un bistrot italien et ont insisté pour me donner un exemplaire gratuit de mon livre à laisser dans la Suite de l'Écrivain. J'avais l'après-midi libre, tout un après-midi, et rien à faire jusqu'au lendemain matin, où je devais prendre le train pour Baltimore. M. Scribano m'avait prévenue que je risquais de me sentir seule pendant ma tournée.

Je suis rentrée à l'hôtel pour me rafraîchir, puis j'ai posé le livre dans la bibliothèque. Mais pourquoi étais-je revenue à l'hôtel ? Quel instinct casanier m'avait ramenée ici quand j'aurais pu visiter des musées ou peut-être suivre une visite guidée dans les chambres du Sénat ? J'avais un long après-midi de printemps à remplir, ainsi qu'une soirée, puisque personne n'avait proposé de m'inviter à dîner.

J'ai décidé d'aller faire les magasins dans le quartier de Georgetown, ayant repéré depuis le taxi un certain nombre de minuscules boutiques. L'anniversaire de ma fille Norah, le premier mai, était la semaine suivante, et elle mourait d'envie d'avoir un beau foulard chic. Elle n'avait jamais eu de foulard de sa vie, à moins de compter les écharpes en laine qu'elle portait dans le bus scolaire, mais depuis son voyage de terminale à Paris elle parlait des foulards que toutes les Françaises élégantes portaient comme autant d'accessoires indispensables à leur garde-robe. Ces foulards, si artistiquement drapés, étaient en soie, rien de moins, et leurs couleurs rehaussaient et réveillaient les vêtements les plus tristes, ces blazers bleu marine que portent les Françaises ou ces cardigans noirs en laine bon marché dont elles tentent de se débarrasser.

Je n'ai jamais le temps de faire les boutiques à Orangetown et, à vrai dire, il n'y aurait pas grand-chose là-bas. Mais aujourd'hui j'avais du temps, beaucoup de temps, si bien que j'ai mis mes chaussures à petits talons pour sortir.

Les boutiques de Georgetown s'intègrent entre des maisons aux façades minuscules dont on a accru le standing avec des baies vitrées à persiennes, encadrées par de tout petits jardins, qui sont un enchantement pour les yeux. Ma propre maison tentaculaire et désordonnée près d'Orangetown, larguée sur ce paysage, détruirait au moins une demi-douzaine de ces façades en brique impeccables. Ici, on avait l'art de disposer les pots de fleurs avec soin et solennité, on passait les pots de terre au papier de verre, soupçonnais-je, pour leur donner un aspect rustique.

Ces boutiques avaient si peu d'articles en rayon que je me demandais comment elles parvenaient à se faire concurrence. Il y avait peut-être six ou sept chemisiers sur une tringle, quelques pulls en cachemire, une table où étaient jetés négligemment des coquillages, des pierres ou des cadres de tableaux Art nouveau, ou encore des présentoirs de cartes postales anciennes. Une escadrille de vendeuses très minces présidait ces rares marchandises, qu'elles effleuraient si amoureusement que j'avais soudain envie d'acheter tout ce que je voyais. Les foulards – chaque magasin en proposait une bonne demi-douzaine – étaient noués sur des anneaux en bois, et il n'y en avait pas un qui ne fût en pure soie avec des bords roulottés à la main.

J'ai pris mon temps. J'ai compris que je pourrais, en passant assez de temps dans les magasins, offrir à Norah le foulard parfait, et non presque parfait sans l'acheter sur un coup de tête comme nous le faisions d'habitude chez nous. Elle avait précisé qu'elle voulait quelque chose de bleu vif, avec peut-être quelques touches de jaune. Je trouverais ce foulard précis dans l'une de ces nombreuses boutiques. Le fait de m'imaginer dans la peau d'une acheteuse attentive et décidée m'a envoyé une décharge de bonheur. J'ai pris une grande inspiration et adressé un sourire sincère aux vendeuses anorexiques, lesquelles ont semblé deviner et réagir à mon nouvel enthousiasme de consommatrice. « Ce n'est pas tout à fait elle », ai-je appris à dire bientôt, et elles hochaient la tête d'un air compréhensif. La plupart portaient elles-mêmes des foulards noués autour de leurs cous anguleux, et j'admirais en moi-même les nœuds compliqués et les couleurs de ces foulards. J'admirais aussi la franche implication de ces femmes dans ma mission. « Oh, le foulard doit absolument correspondre à la personne », disaient-elles, ou des paroles similaires, comme si elles connaissaient intimement Norah et comprenaient que c'était une jeune femme d'un naturel docile mais aux goûts et aux exigences bien définis qu'elles tenaient à satisfaire.

Norah n'était pas ainsi, en réalité. Elle était, Tom et moi l'avions toujours pensé, trop facile à satisfaire et elle estimait trop rarement mériter ce qu'on lui offrait. Lorsqu'elle était toute petite, vers trois ou quatre ans, alors qu'elle déjeunait à la table de la cuisine, elle avait entendu un avion passer au-dessus d'elle et elle avait levé les yeux vers moi en disant : « Le pilote sait pas que je suis en train de manger un œuf. » Elle semblait choquée par cette sensation de solitude, mais elle tenait à exprimer ce choc calmement pour ne pas m'alarmer. La fille qu'elle était il y a deux ans m'aurait remerciée pour n'importe quel foulard que je lui aurais offert, heureuse que j'aie pris le temps d'en acheter un, mais pour une fois je voulais et avais l'occasion de me procurer l'article qui la comblerait.

Comme je passais d'une boutique à l'autre, j'ai commencé à avoir une idée très précise du foulard que je voulais pour Norah, et j'ai également compris qu'il me serait peut-être impossible de mener cette tâche à bien. Je me suis représenté le foulard ; il devait être vif et discret en même temps, de facture délicate, mais avec une forme bien définie. Ce n'était pas une écharpe que je voulais pour Norah. Ce que je voulais, c'était de la solidité et de la personnalité, mais sous une forme sinueuse, éphémère. C'était ce que Norah, qui avait dix-sept ans, presque dix-huit, méritait. Elle avait toujours été une enfant courageuse et peu exigeante. Une fois, quand elle avait quatre ou cinq ans, elle m'avait dit comment elle contrôlait ses mauvais rêves la nuit. « Je tourne juste la tête sur l'oreiller, avait-elle expliqué d'un ton prosaïque, et ça change de chaîne. » Elle accomplissait cet acte au lieu de nous appeler ou de pleurer ; elle réglait ses propres cauchemars et exposait avec candeur sa solution originale, ce qui nous réconfortait, Tom et moi, mais aussi, je l'avoue, nous amusait un peu. Je me rappelle, avec une certaine honte à présent, avoir raconté cette histoire à des amis, autour d'un café, lors d'un repas, à propos de mon brave petit soldat de fille, qui contrôlait sa vie.

Personnellement, je porte rarement des foulards, je n'en prends pas la peine, et, de plus, tout ce que je me mets autour du cou finit par ressembler à un foulard de scout : le nœud se resserre autour de ma gorge et les pointes rebiquent au lieu de retomber gracieusement en drapé. Je ne suis pas douée avec les accessoires, je le sais, et je ne suis certes pas une bonne acheteuse. Bien que je possède une légère *faiblesse** pour le luxe, je n'ai jamais compris ce qui pousse les autres femmes à accomplir des exploits frisant la perfection en matière de shopping, mais j'ai maintenant une idée sur la question. C'est le désir de combler quelqu'un, ne serait-ce que soi-même. Il me semblait, à cette époque d'innocence stupide, que le bonheur futur de ma fille Norah reposait désormais non sur le fait d'être acceptée à la prestigieuse Université McGill ou d'avoir un nouveau petit copain séduisant, mais sur la simple possession d'un article vestimentaire particulier, que moi seule pouvais lui fournir. Je n'avais aucun pouvoir sur l'Université McGill ou sur le petit copain, ni, en fait, sur une quelconque part réelle de son bonheur, mais je pouvais lui offrir quelque chose de temporaire et de nécessaire : ce rêve de transformation, ce bout de soie.

Et le foulard était là, pendu mollement à un gros crochet argenté dans ce qui devait être le vingtième magasin où je suis entrée. La petite clochette a sonné ; la bouffée désormais familière d'un potpourri a flotté jusqu'à mes narines, et le foulard de Norah a ondulé devant mes yeux. Il était orné d'un bout à l'autre de rectangles, tous subtilement décalés les uns par rapport aux autres : bleu, jaune, vert et une teinte de violet agréable. Chacune de ces formes était soulignée par une bande de noir et grossièrement coloriée, comme à coups de pinceau. Je trouvais ses reflets éblouissants et son contact glacial sensuel. Seulement soixante dollars américains ? J'ai sorti ma carte de crédit sans aucune arrière-pensée. Ma journée avait été bien employée. Puis, après avoir jeté un coup d'œil alentour, j'ai acheté des boucles d'oreilles en forme de croissant pour Natalie, en argent, et un bracelet avec trois rangées de perles pour Christine. J'ai pris toutes ces décisions en une minute. Je me sentais pleine d'un pouvoir enivrant.

Le lendemain matin, j'ai pris le train pour Baltimore. Je n'ai pas pu lire, malmenée par les secousses entre un paysage urbain et le suivant. Deux hommes assis devant moi parlaient à voix haute du christianisme, de son triste déclin, et ils assemblaient les mots *Jésus Christ* comme s'il s'agissait du prénom et du nom de quelqu'un : M. Christ, Jésus pour les intimes.

À Baltimore, une fois encore, j'ai eu peu de choses à faire, mais puisque je devais voir Gwen au déjeuner, je m'en moquais. Un jeune animateur de radio portant un T-shirt noir et des chaînes en or autour du cou m'a demandé comment j'allais dépenser l'argent du Prix Offenden. Il m'a également demandé ce que mon mari pensait du fait que j'avais écrit un roman. Ensuite, je me suis rendue au *Book Plate* (une sorte de café-librairie) où j'ai signé six dédicaces, puis, un peu avant onze heures du matin, juste avant de rejoindre Gwen, je me suis retrouvée sans rien à faire.

Je ne l'avais pas revue depuis l'époque de notre vieux groupe d'écriture à Orangetown, quand nous nous réunissions deux fois par mois pour partager et travailler en « atelier » sur nos textes. Poésie, mémoires, romans ; nous apportions des photocopies de notre travail à ces sessions du matin, où, autour d'un café et de muffins (c'était le début des années quatre-vingt, l'âge d'or des muffins), nous nous encouragions gentiment les unes les autres et balbutiions quelques suggestions telles que « Je pense qu'il te reste une dernière relecture avant d'avoir terminé » ou « Est-ce que X n'intervient pas trop tard dans cette scène ? ». Ces ébauches de critiques étaient prises pour ce qu'elles étaient, des tâtonnements d'amateurs. Mais quand Gwen parlait, nous écoutions. Une fois, elle m'avait donné le frisson en disant de ce que j'avais écrit : « C'est une image fantastique, ce truc à propos de cette baleine de corset. Je regrette de ne pas y avoir songé moi-même. » Ses nouvelles avaient été en fait publiées dans un certain nombre de trimestriels littéraires, et elle avait même réalisé une vente presque mythique, des années plus tôt, chez *Harper's*. Quand elle avait déménagé à Baltimore cinq ans plus tôt pour aller donner des cours dans une petite université pour femmes, notre groupe d'écrivains ne se réunissait plus que de façon irrégulière, avant de s'éteindre lentement.

Nous étions restées en contact, pourtant, Gwen et moi. Je lui avais écrit une lettre extatique quand j'étais tombée sur une de ses œuvres dans *Three Spoons*, qui était présentée comme une partie d'un roman en cours. Elle avait repris ma métaphore de la baleine de corset; je n'avais pu m'empêcher de le remarquer et, en fait, de me sentir flattée. Je savais que Gwen écrivait ce roman : elle travaillait dessus depuis des années, tentant d'apporter une structure féministe à ce qui était en réalité un récit autobiographique sans détour d'un mariage précoce raté. Gwen avait fait des sacrifices pour son jeune mari étudiant, et celui-ci l'avait trahie par ses infidélités. À la fin des années soixante-dix, dans les affres de la passion et désireuse de satisfaire ses moindres exigences, elle s'était fait fermer le nombril par un chirurgien esthétique parce que son mari s'était plaint que celui-ci « sentait ». Cette remarque, une lubie éphémère, aigrie, n'avait apparemment été formulée qu'une fois, mais, poussée par le besoin de faire plaisir ou de se punir, elle était devenue une femme sans nombril; elle s'était retrouvée avec une légère dépression au milieu du ventre, et cette absence de nombril, plus que toute autre chose, était devenue le symbole de ses regrets et de sa colère. Elle parlait d'effacement, de la façon dont la relation avec sa mère – avec qui elle était en mauvais termes de toute façon – avait été effacée en même temps que cette marque de connexion originelle. Elle envisageait d'avoir recours à une reconstruction du nombril, m'avait-elle dit dans son dernier e-mail, mais le coût était exorbitant. Entre-temps, elle avait repris son nom de jeune fille, Reidman, ainsi que son prénom complet, Gwendolyn.

Elle avait également changé de style vestimentaire. Je m'en suis aperçue dès que l'ai vue assise au *Café Pierre*. Elle avait troqué son jean et son pull pour ce qui semblait être de larges pans de tissus non cousus, déstructurés, jupes, surjupes, capes et châles; il était difficile de définir exactement de quoi il s'agissait.

Cet enveloppement de tissu, de couleur saumon, s'étendait jusqu'à sa tête, lui couvrait entièrement les cheveux, et je me suis demandé l'espace d'une affreuse seconde si elle n'était pas malade, sous chimiothérapie, et si elle n'avait pas perdu ses cheveux. Mais non, son visage était frais, sain et bien portant. En guise de sac à main, elle avait un sac en plastique mou avec un logo de supermarché. Cela semblait curieux, surtout lorsqu'elle l'a posé sur la table au lieu de le mettre par terre comme je m'y attendais. Il a légèrement rebondi sur la surface en bois poisseuse, et je me suis souvenue qu'elle transportait toujours une pomme, un livre de poche ou deux, et son petit tube de crème contre les gerçures.

Bien sûr, je lui avais écrit quand *My Thyme Is Up* avait été accepté pour la publication, et elle m'avait renvoyé une carte postale qui disait : « Bien joué, ça a l'air marrant. »

J'étais un peu surprise qu'elle n'eût pas apporté d'exemplaire à dédicacer, et je me suis demandé, à un moment donné, à la moitié de mon gratin d'huîtres, si elle l'avait seulement lu. L'université la paye affreusement mal, et je sais qu'elle n'a pas assez d'argent pour s'acheter des livres reliés neufs. Pourquoi n'avais-je pas demandé à M. Scribano de lui envoyer un exemplaire de courtoisie ?

C'est seulement après avoir terminé nos salades et commandé le café que je me suis aperçue qu'elle n'avait pas fait la moindre allusion à mon livre, ne m'avait pas même félicitée pour le Prix Offenden. Mais peut-être n'était-elle pas au courant. L'annonce, dans le *New York Times*, n'était pas bien grosse. N'importe qui aurait pu la manquer.

Il est tout à coup devenu important pour moi de la mettre au courant du prix. C'était un besoin aussi urgent que celui d'uriner ou de déglutir. Comment pouvais-je placer cela dans la conversation ? Peut-être dire quelque chose à propos de Tom, sur le fait qu'il pensait faire changer le toit de notre grange, et que l'argent du Prix Offenden serait bien utile. Le lâcher de façon insouciante. Facile.

« C'est vrai ! » a-t-elle dit de sa voix cordiale et fluide, m'indiquant qu'elle était déjà au courant. « Début, milieu, fin. » Puis elle a eu un large sourire.

Elle a parlé de son « truc », ce par quoi elle entendait son style. On aurait dit qu'elle parlait d'un sac de kapok. Il y a toujours de petites surprises linguistiques dans son travail, mais ce que je trouve le plus intéressant, ce sont les petits morceaux d'univers qu'elle met dans ce qu'elle écrit, les observations ou les incongruités, ou les conjectures annexes. Elle comprend leur valeur. « Il aime le fait que mon truc soit décalé et suive un cours aléatoire », a-t-elle dit d'un admirateur. Le coin de ses yeux paraissait légèrement rose, mais c'était peut-être un reflet de son turban, qui coupait son front en formant une ligne droite.

Elle avait toujours affirmé avoir peu d'imagination, qu'elle s'inspirait des événements de sa propre vie, mais était sans cesse à la recherche de ce qu'elle appelait du « mastic ». Par cela, elle voulait parler de l'arbitraire, de l'étrange, de l'ordinaire, de l'excipient de la vie quotidienne qui cimente les moments d'authenticité de notre existence. Je l'ai vue faire de merveilleuses envolées sur les boutonnières, par exemple, la façon dont celles-ci se déchirent avec le temps, surtout sur les vêtements bon marché. Et un texte brillant sur les miroirs biseautés, un autre sur l'odeur d'un escalier de son enfance, la cire, le bois et la propreté rassurante, des éléments sans importance en eux-mêmes mais qui s'accumulaient en marge de l'histoire.

Elle avait l'air triste, au-dessus de son café, plus vieille que dans mes souvenirs, et je devinais que je l'avais déçue pour une raison quelconque. On sent toujours lorsqu'on a déçu quelqu'un. Chaque rencontre se solde par un succès ou un échec. Il m'est venu à l'idée que je pouvais peut-être offrir à Gwen un peu de « mastic » en lui parlant de la découverte que j'avais faite la veille : le shopping n'était pas ce que je croyais, il pouvait devenir une mission, voire un art si l'on persévérait. J'avais eu une idée d'achat ; j'avais bénéficié d'une plage de temps inattendue ; il devait être possible non seulement d'imaginer cet objet mais de le concrétiser.

« Tu as dit que tu étais entrée dans combien de boutiques ? m'a-t-elle demandé, et j'ai su que j'avais fini par l'intéresser.

– Vingt, ai-je répondu. Ou quelque chose comme ça.

– Incroyable.

– Mais ça en valait la peine. Pas au début, quand j'ai commencé, mais ça en a valu de plus en plus la peine au fil de l'après-midi.

– Pourquoi ? m'a-t-elle demandé lentement. (Je voyais qu'elle tentait d'exprimer un semblant de gratitude, mais elle était plus proche des larmes.)

– Pour voir si elle existait, cette chose que j'avais dans la tête. Cet article.

– Et elle existait.

– Oui. »

Pour le prouver, j'ai glissé la main dans mon fourre-tout pour en retirer le sac pâle et boursouflé de la boutique. J'ai déroulé le papier de soie rose sur la table et je lui ai montré le foulard.

Elle l'a pris pour l'appliquer contre son visage. Des larmes brillaient dans ses yeux.

« C'est juste que c'est tellement beau », a-t-elle dit.

Puis elle a ajouté : « En le trouvant, c'est presque comme si tu l'avais fait. Tu l'as inventé, créé grâce à ton imagination. »

J'ai failli pleurer moi-même. Je ne m'attendais pas à ce que quelqu'un comprît ce que je ressentais.

Je l'ai regardée rouler à nouveau le foulard dans son emballage fragile. Elle a pris son temps, repliant les bords du bout des doigts. Puis elle a glissé le paquet dans son sac en plastique, ses larmes coulant désormais sans retenue, mouillant le noyau rose de son visage.

« Merci, Reta chérie, merci. Tu ne sais pas ce que tu m'as donné aujourd'hui. »

Mais si, je le savais.

Mais à quoi cela se résume-t-il ? À un foulard, à trente grammes de soie, peut-être moins, qui flottent librement dans le monde, qui rendent quelqu'un heureux, cette personne-là ou cette autre, quelle importance. J'ai regardé Gwen/Gwendolyn, ma vieille amie, puis mes mains, une petite bague en grenat, un cadeau que Tom m'avait offert dans les années soixante-dix, une semaine après notre rencontre. J'ai pensé à mes trois filles, à ma belle-mère, et à ma défunte mère, avec sa beauté passée et le besoin qu'elle avait de se détendre en peignant de la porcelaine. Aucune de nous n'allait avoir ce qu'elle désirait. Je le soupçonnais depuis des années, et à présent je me disais que Norah avait à moitié compris ce grand secret féminin qui consiste à vouloir et à ne pas obtenir. Norah, le brave petit soldat. Imaginez quelqu'un écrivant une pièce intitulée *Mort d'une femme commis voyageur*. Quelle plaisanterie ! Notre besoin de soutien est si transparent que nous nous posons des questions, indéfiniment, mais pas avec suffisamment de sévérité. Le monde n'est pas encore prêt pour nous ; je suis blessée de le dire.

Nous sommes trop tendres, même vous, Danielle Westerman, pionnière féministe, survivante de l'Holocauste, cynique et géniale. Même vous, Mme Reta Winters, avec votre somme de connaissances inutiles, nouvelles et anciennes, votre charme désuet. Nous sommes trop gentilles, trop bien disposées – trop mal disposées, aussi –, cherchant à attraper une main tendue sans savoir comment demander ce que nous n'avons même pas conscience de vouloir.

Au lieu de

J'ai besoin d'approfondir ce problème des femmes, la façon dont elles sont évincées et exclues des droits les plus fondamentaux.

Mais nous sommes allées si loin; c'est ce que pensent les gens. Si loin par rapport à cinquante ou cent ans en arrière. Eh bien non, nous sommes arrivées au nouveau millénaire et nous ne sommes pas « arrivées » du tout. On nous a envoyées dans un trou et fait disparaître. Personne n'est aveugle au point de ne pas reconnaître le pouvoir du fort sur le faible et, par conséquent, la probabilité de la défaite. Dimanche dernier encore, je crois, j'ai vu ce vieux machin sur Channel 2, dans l'émission *Literary Lights*, l'autre, là, avec sa tête bien faite, carrée et osseuse, ses oreilles transparentes collées à son crâne, son air d'avoir quatre-vingts ans et de prendre ça avec espièglerie.

« Selon vous, quelles ont été vos influences majeures? lui a-t-on demandé.

– Hmm. »

Cela exigeait une réflexion littéraire soigneuse, mais pas trop.

« Tchekhov, sans aucun doute », a-t-il répondu, le

visage soudain mou comme de la pâte à pain. « Et Hardy. Et, bien sûr, Proust, cela va sans dire. »

Qu'est-ce qui lui prend, à cet homme ? N'a-t-il jamais entendu parler de Virginia Woolf ? N'est-il pas assez courageux pour prononcer les noms : Danielle Westerman ou Iris Murdoch ? Mais bien sûr, il n'est pas question ici de courage ; l'idée ne l'a simplement pas effleuré.

Mais attendez ! Voici venir la question sur les femmes, posée par la présentatrice froissée et angoissée, avec sa coiffure élaborée et son tailleur, qui transpire en consultant ses notes d'un rapide coup d'œil craintif :

« Qu'en est-il des (pause) femmes écrivains ? Les femmes ont assurément remodelé le discours de notre siècle.

– Hmm. »

Nouvelle réflexion profonde, nouveau tripotage de sourcils mous entre le pouce et l'index, puis il regarde avec espoir la caméra et dit :

« Eh bien, au XIXe siècle... il y a bien eu quelques femmes écrivains intéressantes à cette époque. »

Oui, mais. L'émission s'arrête dans trente secondes et il ne va pas mettre de nom de femme sur la majestueuse fermeture en fondu que le caméraman fait sur lui.

Les femmes ont été entravées par des responsabilités transmises de génération en génération, aurait-il pu dire si l'animatrice lui avait donné le temps ou les encouragements nécessaires, ou s'il avait été suffisamment embarrassé de rester muet devant tant de personnes. Les femmes devaient s'occuper des enfants, ramasser des herbes ou des racines comestibles. Vous voyez, aurait-il pu dire, en agitant le petit doigt, c'est une question de biologie et de destinée. Les femmes ont été gênées par leur biologie.

Gênées; une notion tellement neutre et dénuée d'ingénuité, une notion qui écarte la responsabilité.

Emma Allen m'a envoyé un e-mail de Terre-Neuve hier. Avec sa fille et sa belle-fille veuve, elle était allée faire une thalasso pendant le week-end, écrivait-elle, et elle espérait être entièrement « gênée », pour une fois.

Gênée ; à l'évidence une faute de frappe, pas le genre de méprise linguistique ou culturelle que je rencontre parfois en parlant avec Danielle Westerman, dont je finirai par traduire le quatrième tome des mémoires. Elle persiste à utiliser le mot français *traduction**, bien qu'elle baigne dans un milieu anglophone depuis maintenant quarante ans. Quand j'aurais fini la *traduction** du chapitre deux, elle veut que je le lui dise. C'est le chapitre dans lequel elle fait un long flash-back et parle de la jalousie maladive de son ex-mari suite à la publication de son premier recueil de poésie, lequel avait reçu de superbes critiques en France en 1949. Il s'intitulait *L'Île*, et avait été publié à Paris aux Éditions Grandmont. J'ai trouvé les poèmes en eux-mêmes très délicats à traduire (la poésie n'est pas ma spécialité), mais j'étais plus jeune à cette époque, et je voulais me dépasser, faire preuve d'une patience infinie pour changer les mots de place, les chantonnant à voix basse comme sont censés le faire les traducteurs, pour tenter de rendre pleinement l'intention que le poète a mise dans son œuvre. Les poèmes étaient comme de petits jouets avec des parties mobiles, remplis de jeux de mots et d'allusions au féminisme de la première heure, dont j'ai fait passer la plupart à la trappe, j'ai le regret de le dire.

Nous avions convenu de changer le titre en *Isolation* (Isolement). La traduction directe, *Island*, ne rendait pas complètement le fait que Danielle avait l'impression à cette époque-là d'être la seule féministe au monde. Elle voulait également que je change le nom de son éditeur original Éditions Grandmont en Big Mountain Press sur la page de copyright. Elle peut se montrer énergique et têtue, comme tout le monde le sait, mais il y a quelquefois une perle de logique cachée sous son entêtement.

« C'est une traduction, bon sang, avait-elle soufflé sous son maquillage rose vif, pourquoi ne pas donner à ces *éditeurs** français prétentieux un joli nom pour le Nouveau Monde, quelque chose qui apporte une bouffée d'oxygène et du sang tout neuf ?

– En général, lui avais-je répondu doucement, ce n'est pas une bonne politique de traduction d'altérer les noms des éditeurs étrangers. »

Elle voulait savoir qui établissait ces règles ; mais j'étais sûre qu'elle allait se fier à mon jugement, en définitive. Amoureuse de la vie comme elle l'est, elle n'a aucune patience avec les puritains. Elle et moi travaillons ensemble depuis des années à présent, mais même au début nous étions parvenues à nous comprendre, formulant avec grâce nos petites propositions et résistances pour qu'elles ne deviennent pas une véritable confrontation. Si nous ne sommes pas d'accord sur l'usage des guillemets, nous nous accordons en revanche sur les questions de niveau de langue. Par exemple, elle refuse d'employer le mot *ass* pour désigner le derrière de quelqu'un, et je partage son point de vue. Oh, comme nous détestons ce mot toutes les deux, aussi bien en anglais qu'en français ! *Ass, ass, ass.* Cul, cul, cul. Nous nous entendons bien, et je ne vois pas pourquoi il en irait autrement. Nous connaissons toutes les deux, mais de façons légèrement différentes, la consolation du mot juste parfaitement utilisé.

Nous sommes deux femmes, *au fond** – c'est ainsi

qu'elle exprime fréquemment cette espèce de halo intellectuel qui enveloppe et lie nos énergies individuelles –, et chacune de nous possède l'anatomie fondamentale propre à notre sexe, la plomberie et le déploiement des tendres tissus féminins. Chacune subit les impitoyables cycles de la femme qui font naître des crises d'inquiétude étonnamment similaires. De plus, nous partageons le même amour pour le mordant acéré du langage et une tolérance assez féminine (à mon avis) vis-à-vis des moments où les mots s'embourbent dans l'approximation. Elle connaît l'importance d'une éducation rigoureuse, et, en même temps, elle sait préserver son intelligence de toute bouffée d'orgueil.

Mais sa vie n'est pas ma vie. Elle a travaillé plus dur et a été plus courageuse parce qu'elle n'avait pas le choix, et pendant longtemps elle a caché ses idées politiques sous un tissu de conventions littéraires. Soudain, sa phase traditionnelle a pris fin, et elle s'est retrouvée avec un baluchon plein de questions difficiles, dont certaines s'adressaient directement à moi. Comment puis-je m'autoriser à vivre avec un homme ? m'a-t-elle demandé à plusieurs reprises. Elle ne comprendra jamais comment je suis parvenue à accepter la tyrannie de la *pénétration**. Ce mot, pour une raison quelconque, est toujours prononcé comme s'il n'existait pas en anglais. Elle lui donne une ferveur abrupte, même si elle a appris à apprécier Tom, et même si elle n'est pas étrangère à l'acte de pénétration en lui-même ; mais c'est un autre chapitre de sa vie.

Et nos trois filles : elle les connaît toutes les trois, et les aime sans restriction, mais elle n'a pas vraiment idée de la façon dont je m'investis dans leur vie, dont mon corps, ma conscience n'ont jamais été, même l'espace d'un instant, séparés d'elles. Elle s'inquiète du fait que Norah soit sans abri, me téléphone tous les deux jours pour savoir si elle est revenue. Elle a même pris un taxi pour se rendre au carrefour de Norah, où elle est arrivée avec un immense panier de fruits, et elle l'a invectivée d'une voix forte, comme si elle avait utilisé un haut-parleur, la traitant d'idiote et de fille stupide malavisée qui empêchait sa mère d'avancer dans son travail. Norah a refusé de lever la tête, m'a raconté Danielle avec un haussement d'épaules épuisé. *Qu'est-ce qu'on peut faire ?**

Au moins, Danielle Westerman ne qualifie-t-elle pas, comme beaucoup de mes connaissances, l'attitude de Norah de « stade comportemental ». Elle pense que Norah a simplement eu recours au refuge traditionnel des femmes privées de pouvoir : elle a accepté à la place une impuissance complète, une passivité totale, un genre de piété immobile. En ne faisant rien, elle a tout revendiqué.

« Répétez ça », ai-je demandé. Et elle a répété.

« Dites-le en français », l'ai-je pressée, voulant être sûre de ce qu'elle avait dit.

Elle s'est exécutée sur-le-champ.

« Norah s'est tout simplement laissée aller vers ce refuge traditionnel des femmes qui n'ont aucun pouvoir. Elle a ainsi fait sienne cette totale impuissance, cette passivité absolue. Ne faisant rien, elle a tout revendiqué. »*

Je suis à moitié d'accord avec elle, mais ma conviction s'atténue doucement. Je ne veux pas croire que Norah soit concernée par le pouvoir ou l'absence de pouvoir, pas de la manière dont nous décrivons généralement cette essence. Elle est plongée dans une sorte de transe démente, et à un moment ou un autre – la semaine prochaine, le mois prochain – elle va claquer des doigts et se réveiller. Oui, oui, dit Danielle Westerman, Norah est trop intelligente pour une fantaisie extravagante, comme en témoigne en particulier cette habile inversion qu'elle a mise au point, le fait de revendiquer son existence en cessant d'exister. Néanmoins, elle ne parvient pas à comprendre pourquoi je ne poursuis pas la traduction de ses mémoires ni pourquoi, au lieu de cela, j'écris un autre roman. Elle nourrit une méfiance profonde, digne du XVIIIe siècle, à l'égard de ce genre littéraire, mais elle ne le reconnaîtra jamais.

Je ne suis pas sûre de comprendre pourquoi, dans une période aussi agitée, je m'attaque au genre frivole qu'est la comédie romantique. C'est M. Scribano, de chez Scribano & Lawrence, qui m'a poussée à commencer un autre roman. Et aussi difficile à croire que cela puisse paraître, il ne pensait pas aux bénéfices qu'il pourrait tirer de l'édition dans le sillage du succès de *Thyme.* Le *profit* n'est pas un mot qui sortirait de sa vieille bouche distinguée aux lèvres charnues. Il est un fragment rescapé d'un monde perdu qui honorait, peut-être avec trop d'adoration, l'acte d'écriture. En éditeur démodé, en homme démodé, il pensait plutôt qu'une femme ayant une fille perturbée avait tout intérêt à se distraire avec un projet qui occuperait et consumerait une autre partie de son existence. « Quelque chose de léger, m'avait-il dit au téléphone depuis New York. Quelque chose, chère Mme Winters, capable de vous sortir de votre tristesse une heure par jour. Peut-être deux. » Et puis il avait ajouté : « Le monde a soif d'amusement. »

J'écris maintenant les après-midi, après avoir emporté une théière et une tasse dans mon débarras. J'essaie de m'y atteler avec plus de discipline. Aujourd'hui, Natalie et Chris ont entraînement de basket après l'école. Tom les ramènera à la maison vers six heures. Pet a choisi de faire un somme au soleil dans la cuisine. Il adore s'allonger sur le dos comme une grosse carpette poilue, les pattes arrière écartées, les pattes avant soigneusement repliées, tout en vous dévisageant avec un sourire de loup rusé. J'essaie de respirer légèrement en montant l'escalier, comme si le fait d'installer un calme délibéré dans ma poitrine pouvait avoir un effet sur les pointes et les angles de tout ce que je m'efforce de sortir de mon esprit. J'allume ensuite mon ordinateur et me mets au travail. J'ai l'impression que si je veux m'acquitter sérieusement de la tâche d'« être bonne », c'est le seul endroit au monde où je peux commencer, aussi douillettement installé sur mon fauteuil pivotant qu'une poule sur son nid.

Contrairement à certaines personnes, je ne vois pas l'intérêt d'être triste. J'ai parfois pris le chemin de la tristesse, et il ne mène à rien. Je ne répondrais pas, comme Anna Karénine quand on lui demande à quoi elle pense : « Toujours à mon bonheur et à mon malheur. » Ce mode de pensée aussi dépouillé ne conduit à rien. Non, Mme Winters d'Orangetown préfère établir elle-même des règles plus élaborées permettant d'éviter la tristesse. D'instinct, elle résiste à l'appel du chagrin. Sonder les différents degrés d'introspection l'intimide. Il y a deux ans, un critique qui parlait de *My Thyme Is Up* avait accusé son auteur – moi – d'être « bonne » aux moments heureux mais inepte à l'autre bout de l'échelle. Voyez-vous ça ! Et qu'en est-il du bruit de déchirure derrière mes yeux, semblable à celui d'un tissu amidonné déchiré de bout en bout ; et du besoin que j'éprouve de coller mes genoux contre mon ventre en dormant ? Des pleurnicheries.

Ranger ma maison me calme, le fait d'épousseter avec soin, d'astiquer. Spéculer sur la vie des gens aide aussi. Ces vies habitent mon esprit, et elles parviennent à détourner largement les synapses neuronales de mon chagrin. La psychanalyse a reçu dans l'ensemble trop de bonne publicité. L'introversion est d'une tristesse déchirante dans ce qu'elle a de circulaire et de confiné. Bien plus intéressante, du moins pour un romancier traversant une mauvaise passe, est la vie imaginaire projetée sur d'autres personnes. Gwendolyn Reidman à Baltimore vient d'annoncer publiquement qu'elle était lesbienne ; elle a envoyé un mot depuis un *bed and breakfast* appelé l'*Inglenook*, et jusqu'ici j'ai repoussé ma réponse. Et il y a Emma Allen avec sa fille et sa belle-fille en centre de thalasso, où les deux jeunes femmes se consacreront aux enveloppements de boue et aux massages en laissant Emma, âgée de quarante-quatre ans, comme moi, avec un sentiment de culpabilité parce qu'elle est tombée dans le piège de la vanité. Ensuite, il y a Mme McGinn, qui murmure sa solitude à travers le plancher et qui, selon toute probabilité, secouait son balai au-dessus de la balustrade de la loggia sur laquelle j'ai moi-même tapé le mien ce matin, en faisant mes rondes quotidiennes. Il y a la transparence violette d'une fin d'après-midi d'automne pénétrant dans le débarras par la lucarne, nette et carrée, et les grincements des vieux troncs d'arbre se courbant sous les bourrasques du vent d'octobre. Ici, au deuxième étage de la maison, mes sens s'aiguisent et me relient avec cette autre Reta, la jeune Reta, qui n'est pas si loin.

Il y a ma défunte mère qui, outre le français, m'a appris à être économe. Chaque jour, son image se manifeste sous une forme ou une autre, m'effleurant d'un mot ou d'un geste, ou me remémore parfois le souvenir d'une simple recette : *mousse au citron**, crème Chantilly, je l'entends dire *doucement, doucement**, sers-toi de ta fourchette et uniquement de ta fourchette, sois douce, sois patiente. Qui d'autre y a-t-il ? Il y a Loïs, ma belle-mère, encore en vie mais silencieuse, et il va falloir que je m'occupe rapidement de ce silence, ou que je demande à Tom de le faire. Et, bien sûr, il y a l'immense présence de Danielle Westerman qui plane, avec sa culture d'origine européenne, son menton fin et distingué, ses phalanges robustes et ses longs ongles écarlates. Danielle approuverait-elle ? Je change rarement d'opinion ou de point de vue sans que cette question sévère ne vienne claquer à mon oreille. La semaine dernière, je l'ai déçue en utilisant le diminutif *veggies* au lieu de *vegetables* pour parler des légumes. Elle avait une plus haute opinion de moi, je l'ai vu.

Ces mystères humains – nettoyer ma maison, fantasmer sur la vie des autres – me tiennent compagnie, me tiennent en éveil.

Mais plus que toute autre chose, il y a le rythme de la frappe sur le clavier et de la pensée qui m'apaise, qui me procure presque un plaisir d'athlète dans le fait d'empiler des propositions les unes sur les autres. Qui aurait cru que cette vieille habitude deviendrait une stratégie pour maintenir un semblant de vie quotidienne, un cadeau inattendu, *une prime**. Les jours où je ne sais plus mettre un pied devant l'autre, je redeviens un être conscient en tapant sur mon ordinateur. Écrire un roman léger ressemble bien à ce que M. Scribano avait promis : une diversion, un endroit indulgent où l'air est agréable, humide, et où l'on voit des gens séduisants à travers une lumière joliment floue. Je peux fermer les yeux, passer par une petite porte dans le mur, et ne pas penser à l'absence de mon enfant. Je peux faire taire la voix critique qui dans ma tête compare le poids de la littérature sérieuse à celui du simple divertissement. Lecture facile. Un livre pour la plage. Léger, sans prétention. Le genre d'invention creuse qu'exige ce style particulier est aussi bienfaisant que de l'huile sainte. « Au plus profond de nous, nous sommes tous superficiels. » Qui a dit cela ?

Les pages du nouveau manuscrit s'empilent rapidement, même si la cohérence narrative est un peu faible dans les premiers chapitres. J'ai déjà arrêté l'heureux dénouement, mais à présent je dois dresser quelques obstacles en chemin. Roman et Alicia ont fixé une date pour leur mariage. Les invitations ont été envoyées aux familles et aux amis, élégamment calligraphiées sur du papier de riz par Alicia en personne, qui possède un don pour cet art. Mais il y a des complications, et il m'en reste quelques-unes à inventer. Je ne veux pas accabler mes personnages de névroses ; je veux suggérer une onde de complications venant perturber leur état psychique normal. Alicia a encore un ou deux doutes persistants sur le fait d'épouser Roman. Elle a vu la façon dont il devenait agité et fébrile en présence de son amie Suzanne. C'est son second mariage, après tout, et on l'a prévenue que les musiciens étaient des gens instables. Roman joue du trombone dans l'orchestre symphonique de Wychwood, Wychwood étant ma ville imaginaire, une cousine prétentieuse de Toronto. Alicia a remarqué que Roman ne prêtait guère attention à son hygiène personnelle et il lui faut se rappeler que cette odeur musquée lui semblait séduisante au début de leur rencontre. Son menton volontaire suggère la vanité. Quand il est en présence d'hommes plus grands que lui, il devient légèrement obséquieux, et il se touche les lèvres assez souvent, comme la Mme McGinn de mon imagination. Cette manie commence à agacer Alicia, et elle envisage de le lui dire. Entre-temps, Suzanne... Suzanne fait quelque chose, quelque chose d'impardonnable, mais d'habilement mesuré et réfléchi. Ou peut-être est-ce Sylvia, la bassoniste de l'orchestre. Les détails restent à travailler.

Très vraisemblablement, Roman se pose aussi des questions sur le mariage, mais je ne suis pas dans la tête anguleuse et encombrée de Roman. C'est dans la peau d'Alicia que je me trouve. Je vois à travers ses yeux de femme, touche avec ses doigts de femme, caresse les épais cheveux laineux et un peu poisseux de Roman qu'il peigne en arrière. Devrait-on lui dire quelque chose sur sa marque de gel ? Bientôt. Et avec quel soin dois-je décrire l'appartement d'Alicia ? La fiction exige une énumération impitoyable ; j'essayerai de m'en tirer avec des meubles en bois clair, de hautes fenêtres, une palette de couleurs ensoleillées, et quelques objets en ambre polonais éparpillés çà et là, reflétant la lumière naturelle. Et la question des voitures ? Il faut la résoudre. Alicia n'a pas de voiture ; elle pense qu'une voiture coûte trop cher à entretenir dans une ville comme Wychwood. Roman, lui, a une voiture, une Honda Civic, un modèle datant du début des années quatre-vingt-dix. Il l'entretient merveilleusement bien. Il y a à peine une semaine, il a remplacé les tapis de sol en caoutchouc au lieu de nettoyer les anciens.

Je peux déconstruire la sensibilité féminine aiguë d'Alicia pendant une heure ou plus, si j'arrive à ne pas tomber dans un deuxième roman tissé avec les effilochures imaginaires accumulées à la fin de chaque heure d'écriture. Un de mes fantasmes : Norah dort dans sa chambre au rez-de-chaussée. Dans mon film mental, elle est revenue à la maison, épuisée, en stop depuis Toronto. Chaque nouvelle projection est identique. Elle apparaît, brusquement, en sécurité dans nos murs. Elle est légèrement fiévreuse à cause d'une grippe, mais rien de sérieux, rien que quelques jours passés au lit ne pourront réparer. Dans quelques minutes, je lui porterai du thé au citron. Ma fille, ma fille malade. Je ne veux pas la réveiller, pourtant. Réveiller une personne endormie me semble être un acte particulièrement violent. C'est ainsi que l'on torturait les prisonniers politiques en Chine – ou était-ce en Argentine ? –, au moyen d'un système d'alarme automatique compliqué qui sonnait cinq minutes après l'endormissement, si bien que les corps déjà malmenés étaient traumatisés par le manque de sommeil et aiguillonnés par une méfiance chronique.

Non, laisse-la dormir. Efface. Je dois retourner à Roman et Alicia, mes deux enfants perdus, et à leur égoïsme respectif.

Tom parle souvent de l'étrangeté de l'évolution des trilobites. Personne ne sait quoi que ce soit sur le cerveau des trilobites, ni sur leur mode de reproduction sexuelle. Toutes les belles preuves de tissus mous ont pourri et disparu, ne laissant que la coquille de calcaire. Mais on sait que la plupart des trilobites avaient d'énormes yeux compliqués sur les côtés de leur tête lisse. Les restes fossilisés sont intacts, même sous la plus petite loupe. Tous les trilobites possédaient des yeux, sauf une espèce, qui était aveugle. Dans ce cas-là, la cécité est interprétée comme un pas en avant dans l'évolution, puisque ces créatures sans yeux vivaient dans la boue tapissant le fond d'une masse d'eau profonde. Il semble que la nature préfère se débarrasser des instruments inutilisés. Les trilobites aveugles ont été délestés de leur fardeau biologique, leur merveilleux radar ophtalmique, et ils se sont développés dans les ténèbres. Quand je pense à cette adaptation étrange, je me demande pourquoi je n'arrive pas à m'adapter, moi aussi. Tout ce que je voulais, c'était que Norah soit heureuse ;

je voulais tout. Au lieu de cela, je me suis posée au fond du lac, enlisée dans la boue compacte où je me tortille en rêvant de me faire enlever les yeux.

Il y a deux ans, pendant une tournée à Washington, j'étais une personne innocente, une mère qui ne s'inquiétait de rien de plus sérieux que de savoir si sa fille aînée serait prise à McGill ou si elle allait trouver un nouveau petit copain. L'animateur de radio de Baltimore m'avait demandé (il devait être à court de questions) quelle était la pire chose qui me soit jamais arrivée. Cela m'avait arrêtée net. Je n'arrivais pas à penser à un drame quelconque. Je lui avais répondu que, quel que soit cet événement, il ne s'était pas encore produit. J'ai pourtant su, à ce moment-là, ce que serait la nature de la « pire chose », qu'elle ferait d'une façon ou d'une autre partie intégrante de la vie de mes enfants.

Ainsi

« La bonté est une abstraction », a déclaré Lynn Kelly mardi dernier quand nous étions réunies toutes les quatre pour le café. « C'est une construction imaginaire représentant la volonté collective d'un groupe défini de personnes. » Comme toujours, elle parlait avec autorité, utilisant son fort accent gallois pour aiguiser chaque mot. « La bonté est un luxe destiné aux gens heureux. » Comme toujours, nous occupions la table près de la fenêtre de l'*Orange Blossom Tea Room*, dans Main Street. Il nous est arrivé seulement une ou deux fois de trouver quelqu'un déjà installé à « notre » table en arrivant, ce qui explique pourquoi, il y a des années, nous avons décidé de nous retrouver à neuf heures et demie précises. À dix heures, l'endroit est bondé.

« La bonté, mais pas la grandeur », ai-je dit à Annette, Sally et Lynn, en citant les mémoires de Danielle Westerman.

Chaque fois, et pour je ne sais quelle raison, que ces fameux mots tombent dans mon champ de vision, j'ai l'impression que l'air reste coincé dans ma poitrine comme si j'avais avalé une anguille tout entière.

« Comment est-ce qu'elle peut continuer à vivre sa

vie en sachant ce qu'elle sait, que les femmes sont exclues de la grandeur, et que la plupart du temps elles choisissent d'en être exclues ?

– Préférant se contenter de leurs petites sorties ridicules au lieu de voyager.

– De partir en voyage, oui.

– Après tous les efforts que Danielle a faits pour apporter ce changement, a dit Lynn. Elle n'est toujours pas citée comme référence.

– Sauf par les femmes.

– Le fait d'être une référence ne suffit pas. Les femmes doivent être écoutées et comprises.

– Les hommes ne s'intéressent pas à la vie des femmes, a poursuivi Lynn. J'ai demandé à Herb. J'ai vraiment insisté sur ce point. Il m'aime, mais, non, il n'a vraiment pas envie de savoir comment fonctionne mon cerveau, comment je pense et comment...

– Je n'ai eu qu'une poignée de discussions avec des hommes, ai-je dit. À part Tom.

– J'en ai eu deux. Deux conversations avec des hommes qui ne mouraient pas d'envie de "remporter" la conversation.

– Je n'en ai jamais eu, a dit Sally. C'est comme si je n'avais pas l'autorité morale pour entrer dans la conversation. Je suis en dehors du cercle du bien et du mal.

– Comment ça ?

– Je veux dire qu'on ne nous interroge pas, pour la plupart d'entre *nous*, sur les questions de choix éthiques. Personne ne nous demande notre avis. On pense que nous n'en sommes pas capables.

– Peut-être qu'on ne l'est pas, a dit Annette. Vous vous souvenez de cette femme qui a accouché dans un arbre ? En Afrique, au Mozambique, je crois. Il y avait eu une inondation. L'année dernière, non ?

Et elle était là, en plein travail, vous imaginez ! Alors qu'elle était dans un arbre, suspendue à une branche.

– Mais est-ce que ça veut dire... ?

– Tout ce que je dis, a poursuivi Annette, c'est : qu'est-ce qu'on a fait à ce sujet ? C'est une chose vraiment terrible, et est-ce qu'on a envoyé de l'argent pour aider les victimes des inondations au Mozambique ? Est-ce qu'on a transformé notre choc en bonté, fait quoi que ce soit pour attester de la bonté de nos sentiments ? Moi, je n'ai rien fait.

– Non, ai-je répondu. Je n'ai rien fait.

– Moi non plus, a ajouté Sally. Mais on ne peut pas étendre les bonnes actions à tous les cas de...

– Je m'en souviens, maintenant, a dit lentement Lynn. Je me rappelle m'être réveillée le matin et avoir entendu à la radio qu'une femme avait accouché dans un arbre. Et je crois que le bébé a survécu, non ?

– Oui, a confirmé Annette. Le bébé a survécu.

– Et vous vous souvenez, a demandé Sally, de cette femme qui s'est immolée au printemps dernier ? Ça s'est passé juste ici, dans notre pays, au beau milieu de Toronto.

– Dans le square Nathan Phillips.

– Non, je ne crois pas. C'était juste devant...

– C'était une femme saoudienne, qui portait un de ces longs voiles noirs. Auto-immolation.

– Elle était saoudienne ? C'est sûr ?

– C'était une musulmane, en tout cas. En costume traditionnel. On n'a jamais su qui c'était.

– C'est un tchador, non ? a avancé Annette. Le voile.

– Ou une burka.

– C'est terrible, ai-je dit. Je jouais avec les fleurs en plastique posées au milieu de la table. J'étudiais les poils de chien sur ma manche bleu marine.

– Elle est morte. Inutile de le dire, a repris Annette.

– Mais quelqu'un a tenté de l'aider. Je l'ai lu quelque part. Quelqu'un a tenté d'éteindre les flammes. Une femme.

– Je l'ignorais, ai-je dit.

– C'était dans un des journaux.

– Et cette autre jeune femme, au Nigeria, qui est tombée enceinte et qui a été fouettée en public ? Qu'est-ce qu'on a fait pour elle ?

– Je voulais envoyer une lettre au *Star*.

– Beaucoup de gens ont écrit, ils étaient tout bouleversés par cette histoire – pour des Canadiens, je veux dire –, mais elle s'est fait fouetter quand même.

– Mon Dieu, ce monde est brutal. »

Annette, née et élevée à la Jamaïque, est poète et économiste, divorcée de son mari qui était devenu violent à la suite d'une faillite. Elle vit à Orangetown, seule, dans une petite maison semblable à un cottage, travaille à mi-temps pour une *dotcom*, où elle manipule des statistiques sur un écran.

Lynn vit avec son amour de mari, Herb, et leurs deux enfants, dans une maison flambant neuve aux abords de la ville. Elle a un cabinet juridique prospère, mais elle prend tout de même deux heures chaque mardi matin pour venir boire le café.

Et Sally a pris une année sabbatique pour s'occuper de son bébé, un garçon né le jour de ses quarante ans, un bébé miracle, un succès de la banque du sperme. Avant, elle amenait Giles dans une espèce de sac à dos, mais à présent qu'il est sevré, elle emploie une baby-sitter le mardi matin. Elle a envisagé d'intenter un procès à son obstétricien (Lynn le lui a déconseillé) parce qu'il ne lui a pas laissé porter ses lunettes pendant l'accouchement, si bien qu'elle a raté la plupart de ce qui s'est produit.

Le médecin a déclaré que ce n'était pas prudent de porter des lunettes, mais elle s'est convaincue que c'était une question d'esthétique, qu'elle et ses lunettes perturbaient la représentation picturale qu'il se faisait de la Naissance d'un Enfant.

Nous nous retrouvons toutes les quatre ainsi depuis dix ans. Nous commandons des cappuccinos ; nous sommes trois à prendre des décas. De temps en temps, nous mangeons un *scone* ou un croissant.

Nous n'avons pas de nom ; nous ne sommes pas un club ; il n'y a pas d'ordre du jour. Nous préférons nous considérer comme des détentrices d'opinions, c'est-à-dire que nous ne « pérorons » pas sur nos opinions, car celles-ci sont arbitraires et conçues dans un monde irréel auquel seuls cinquante pour cent de la population participent. Nous savons presque tout ce qu'il y a à savoir les unes des autres. Nous abordons toutes sortes de sujets, même si nous ne parlons pas de nos vies sexuelles ; je pense que nous évitons ce sujet à cause d'un très vieux tabou, le besoin de protéger les autres. Nous ne bêtifions pas beaucoup non plus sur les enfants, à cause d'Annette, qui n'en a pas. Quand Annette est en voyage, comme cela lui arrive parfois, Sally, Lynn et moi parlons alors de nos gamins. Parfois, nous faisons des découvertes sur les différences entre les sexes : le fait que les hommes aiment le vent mais les femmes pas trop, qu'elles le trouvent inquiétant. Nous avons remarqué que les hommes ne s'asseyent pas, s'ils peuvent l'éviter, au milieu d'un canapé, mais que les femmes semblent s'en moquer. En France, on pense qu'une femme qui a ses règles ne peut pas réussir une bonne mayonnaise. Non ! Sûrement plus maintenant ! Nous parlons de la crise de la bibliothèque municipale, puisque Annette et moi faisons toutes les deux parties du conseil. Est-ce que notre vieille amie Gwen, à présent Gwendolyn Reidman, a toujours été lesbienne ou est-ce qu'elle a découvert cela à l'âge mûr ? Et est-ce que Cheryl Patterson, la bibliothécaire, épousera Sam Sonhdi, le dentiste du centre commercial ? L'art est une ruse de séduction, dit Annette, du moins la poésie. Nous nous demandons si l'innocence avec laquelle nous naissons est réelle, et nous essayons d'imaginer un cas où elle ne serait pas condamnée à être oblitérée. Que se passerait-il alors ?

Tom m'a demandé une ou deux fois de quoi nous parlions le mardi matin, mais j'ai simplement secoué la tête. C'est trop riche pour être résumé, et trop inégal. Certaines personnes appellent ça des papotages. Nous parlons de nos corps, de nos vanités, de nos désirs les plus chers. Bien sûr, elles savent toutes les trois que Norah vit dans la rue ; elles me réconfortent et m'apportent leur sollicitude. Une phase, pense Annette. Une dépression nerveuse, estime Sally. Lynn est certaine que la cause est physiologique, glandulaire, hormonale. Elles me disent toutes que je ne dois pas prendre la déchéance de Norah comme un signe de mon propre échec en tant que mère, et ceci, bien que je ne l'aie jamais reconnu auparavant, est une peur profonde et toujours présente. Plus qu'une peur : une certitude. Elles me disent que c'est normal d'en vouloir à Norah d'avoir baissé les bras, mais je ne semble pas trouver l'énergie nécessaire à la colère.

Nous savons à quoi nous ressemblons : à quatre femmes d'âge mûr courbées sur une table dans un café d'une petite ville, penchées en avant, toutes les quatre, comme le font les femmes quand elles ne veulent pas perdre un seul mot de la conversation. Il y a deux ans, quand je suis allée à New York pour recevoir le Prix Offenden, elles m'ont offert une culotte violette en soie véritable avant mon départ. Je l'ai portée pour la cérémonie sous mon tailleur en laine blanche, et toute la soirée, chaque fois que je faisais un pas dans telle ou telle direction, serrant des mains et disant « Merci d'être venu » et « N'est-ce pas incroyable », je sentais le contact de la soie entre mes jambes, et je me disais que j'avais vraiment de la chance d'avoir des amies aussi bonnes et aussi affectueuses. Lynn, qui vient du pays de Galles, appelle ça des *knickers*, qui est plus l'équivalent de « culotte » en français, et à présent nous utilisons toutes ce mot. Nous aimons sa sonorité.

J'ai pris soin de donner quelques amis à Alicia. C'est curieux la façon dont on oublie les amis dans les romans, mais je comprends comment cela est possible. On peut accuser Hemingway, Conrad, même Edith Wharton, mais la tradition moderniste a opposé l'individu, l'être en conflit, au reste du monde. Les parents (affectueux ou négligents) sont admis dans les œuvres littéraires, et les frères et sœurs (faibles, envieux, autodestructeurs) y jouent un rôle. Mais l'absence d'amis est presque une convention : il ne semble pas y avoir de place pour des amis dans un récit déjà encombré par les événements et les vibrations tortueuses de l'être intérieur. Néanmoins, j'aime bien faire intervenir quelques amis, dans l'espoir qu'ils sortiront le roman de sa profonde solitude intrinsèque, laquelle risquerait dans le cas contraire de sonner creux et de paraître suspecte.

La meilleure amie d'Alicia s'appelle Linda McBeth. Linda, une conseillère artistique qui travaille pour le même magazine qu'Alicia, avait un rôle dans *My Thyme Is Up*, si bien qu'elle intervient aussi dans la suite. Les deux femmes occupent des bureaux voisins au travail, et elles vont ensemble à un cours de yoga le jeudi soir, avant de sortir boire un verre. Elles parlent sans arrêt et finissent parfois un peu éméchées. Linda a un problème de poids. Elle a un problème d'homme, aussi, un problème de manque d'homme, je veux dire. Elle demande à Alicia de renforcer sa confiance en elle. Mais elle est amusante, douée pour son travail, et très psychologue quand il s'agit des autres.

« Je ne sais pas quoi penser de Roman, dit-elle à Alicia à un moment donné. C'est vraiment un type formidable, mais par moments il a une très légère tendance à se prendre pour le roi.

– Tu veux dire, le genre de roi qui reste assis sur son trône ? demande Alicia.

– Oui, répond Linda. Il a toujours l'air de surveiller son vaste domaine, si tu vois ce que je veux dire. Et de regarder au-delà de la tête de ses sujets, qui s'inclinent devant lui.

– Hmm, répond Alicia. Oui. »

Roman a lui aussi un bon ami, j'y ai veillé. Michael Hammish sera le témoin de Roman à son mariage avec Alicia, qui est prévu pour bientôt, à moins que je n'intervienne rapidement pour le faire capoter. C'était le camarade de chambre de Roman à Princetown ; c'est un agent de change à l'air légèrement menaçant, un footballeur du dimanche, marié à une blonde réservée prénommée Gretchen, qui travaille comme attachée de presse pour la Compagnie de danse de Wychwood. Michael Hammish, qui a des cuisses grosses comme des jambons et de gros genoux virils et carrés, a pris Roman à part pour le mettre en garde contre le mariage.

« S'il y a quoi que ce soit que tu veuilles faire, fais-le maintenant, Roman, parce qu'une fois que tu seras marié, tu n'auras pas l'ombre d'une chance de le faire, même si tu es marié à une fille géniale comme Alicia. Il y a des choses qui t'en empêchent, des choses typiques du couple. Tu verras. Ça arrive tout le temps, ça nous est même arrivé à Gretch et moi, dans une certaine mesure. Mais tu as la chance de pouvoir y réfléchir. Ça fait des mois que tu essaies de trouver d'où vient ta famille. Je l'ai remarqué, ça m'a frappé. L'Albanie, l'Albanie, tu ne parles que de ça. Suis mes conseils, mec, et fais-le. Tu n'auras pas de seconde chance. »

Pourtant

Norah a été prise à McGill en 1998. Forcément, avec les notes qu'elle avait. Cela n'avait jamais fait de doute. Nos inquiétudes idiotes n'étaient qu'une mise à l'épreuve de notre certitude. La lettre d'acceptation était particulièrement chaleureuse. Mais à cette époque-là, « le copain » avait fait son apparition, un jeune homme de vingt-deux ans nommé Ben Abbot, étudiant en deuxième année de philosophie à l'Université de Toronto. Bien sûr, cela changeait tout. Norah s'est désistée pour McGill. Elle s'est inscrite à Toronto, est partie s'installer dans un appartement en sous-sol près de Bathurst avec Ben et a opté pour une filière de langues modernes. Brave fille. Selon les désirs de sa mère.

Mais j'étais inquiète parce qu'elle n'habitait plus sous notre toit, comme Natalie et Christine, et parce que je ne savais plus si elle déjeunait correctement le matin, parce que je savais qu'elle faisait l'amour tout le temps avec quelqu'un qui encore récemment était un étranger et connaissait désormais de façon intime chaque partie de son corps ; cette simple pensée déclenchait en moi une vague de panique. D'abord, ils sont restés ensemble un mois, puis six, puis un an, puis un an et demi. Je commençais à m'y habituer.

Mais pas vraiment, pas complètement. Je reconnaissais que je faisais partie de ces mères qui ont des difficultés à voir leur fille devenir une femme.

Vers la fin de sa deuxième année, le premier avril, elle est venue passer le week-end à la maison, et elle buvait une tasse de café à la table de la cuisine pendant que, douillettement emmitouflée dans ma robe de chambre la plus chaude, je préparais des œufs brouillés pour le petit déjeuner. La cuisine de cette ancienne demeure est exceptionnellement vaste et lumineuse, et cela me rappelait tous les matins de l'enfance de Norah où elle était assise ici devant la fenêtre qui donnait sur les bois nus et bruns de l'hiver, en train de manger une tartine de beurre et de bavarder à propos de la journée à venir. À cette époque, elle était réveillée par la sonnerie de son propre petit réveil mécanique, un cadeau reçu pour ses dix ans, une chose qu'elle avait particulièrement demandée. Être réveillée par un réveil que l'on avait soi-même remonté était un signe de maturité, pensait-elle, et cette idée de maturité la travaillait, peut-être parce qu'elle était l'aînée de la famille, la grande sœur de Natalie et Christine : qu'est-ce que cela signifiait, et comment pouvait-elle y accéder ? Plus important que le fait d'être bonne, gentille et adorable était venu le souhait, tôt dans sa vie, d'être mûre. Ce petit réveil en plastique était devenu une partie de son perpétualisme, une doctrine de l'éternité, comme à l'église. Enfant, elle l'emportait quand elle partait camper, et elle le transportait ensuite dans son sac à dos entre chez nous et l'appartement en sous-sol de Toronto où elle habitait avec son ami. Avait-elle réglé son réveil hier soir ?

Oui, sans doute, même si elle venait seulement passer le week-end à Orangetown ; et elle était là, réveillée, alors que Tom et les autres filles s'étiraient à peine à l'étage. Personne ne lui avait demandé d'être aussi sérieuse, à part elle-même.

J'aimais bien avoir de la compagnie dans la cuisine de bonne heure le matin. J'adorais son air endormi et chiffonné entre deux bâillements, qui se mêlait à ce que je considérais comme un gaspillage d'elle-même (l'appartement désordonné de Bathurst, Ben, sa passion pour Flaubert), toutes ces choses que je ne comprendrais jamais complètement parce qu'elles étaient détachées de mon propre cadre temporel; moi, l'enfant des années soixante, et elle, l'enfant des années quatre-vingt-dix. Pour le moment, cependant, elle était à la maison; je l'avais pour moi seule. Elle portait une de mes vieilles robes de chambre avec une fermeture Éclair sur le devant, d'une horrible couleur bordeaux, son corps apportant de la grâce aux lignes maladroites. Mais quelque chose m'a soudain alertée dans sa contenance : le fait que son visage ait paru étrangement affaissé. Elle avait les yeux gonflés, brillants, mais pas de larmes. Ce que j'ai aperçu à cet endroit était quelque chose de dur, de fixe, de chitineux. De quoi s'agissait-il? « Nous ne sommes réels que dans nos moments de perception » (qui a dit cela?). Je percevais quelque chose à présent. J'ai mis mes lunettes de lecture et j'ai à nouveau regardé ma fille, attentivement. Je l'ai fait se tourner vers la fenêtre pour que la lumière tombe sur ses yeux et sur sa ferme petite lèvre supérieure. Elle a fini par cligner des yeux, puis par les fermer, pour se protéger de la lumière et de moi.

« C'est Ben?

– En partie.

– Tu ne l'aimes plus comme avant.

– Oui. Et non. Pas assez.

– Comment ça, pas assez? »

Elle a haussé les épaules et tendu la main vers ma

taille, passé son pouce dans la ceinture de ma robe de chambre pour s'y accrocher, le front appuyé contre mon ventre. Je donnerais n'importe quoi pour revivre ce moment.

« Essaie d'expliquer.

– Je n'arrive pas à aimer suffisamment les gens.

– Pourquoi ça?

– J'aime le monde davantage. »

Elle sanglotait à présent.

« Comment ça, le monde?

– Tout. L'existence.

– Tu veux dire, ai-je avancé, sachant que cela paraîtrait stupide, les montagnes, les océans, les arbres et des choses comme ça?

– Toutes ces choses. Mais les autres aussi. »

Je m'étais assise sur une chaise et je massais l'endroit tendre entre ses omoplates. Mon pouce y avait exactement sa place, décrivant un petit mouvement circulaire. Je n'avais aucun moyen de savoir que ce serait sa dernière visite à la maison, qu'elle était sur le point de disparaître.

« Continue.

– Il y a la littérature. Et le langage. Enfin, tu sais. Et les ramifications des langues, les langues mortes et les langues mortes oubliées. Et Matisse. Et Hamlet. Tout ça est si énorme, et j'aime tellement ça.

– Mais qu'est-ce qui... ?

– Et les continents entiers. L'Inde. Surtout les endroits, comme l'Inde, que je n'ai jamais vus. La moindre petite piste qui part de la moindre route de terre cachée, qui elle-même part de la moindre route principale. Les broussailles, les sentiers. Les places des petites villes. Il doit y avoir des millions de places publiques. Je ne les verrai jamais toutes, alors, à quoi bon ?

– Tu pourrais passer une année à voyager, tu sais, Norah. »

J'entendais Natalie et Christine remuer à l'étage, crier d'une chambre à l'autre, régler la radio sur une station de rock locale.

« Et les marées, a repris Norah. Pense aux marées. Elles n'oublient jamais d'aller et venir. La terre inclinée dans l'espace. Peu de gens les comprennent.

– Est-ce que Ben a déménagé ?

– Non.

– Et tu vas faire quoi ?

– Je ne sais pas.

– Tu habites où ?

– Je suis toujours là-bas. Pour le moment. Mais j'envisage de partir toute seule.

– Et tes cours. Ton troisième trimestre. Qu'est-ce qu'il devient ?

– Qu'est-ce qu'il devient ?

– Tu as laissé tomber la fac ! »

Je n'arrivais pas à croire à cette idée qui avait si subitement émergé dans ma tête, et j'ai dû la répéter.

« Tu as laissé tomber la fac.

– J'y réfléchis. Je ne passerai peut-être pas mes examens.

– Pourquoi ?

– C'est juste... tu sais... un peu inutile.

– Et ta bourse ?

– Je n'ai pas besoin d'argent. C'est ce qu'il y a de plus étonnant. Je peux me passer de ma bourse d'études...

– Est-ce que Ben sait ce que tu envisages de faire ?

– Déménager, ou ne pas passer les examens ?

– Les deux.

– Non.

– Tu n'as pas l'intention de le lui dire ?

– Non.

– Tu vas en parler à ton père ?
– Mon Dieu, non.
– S'il te plaît, Norah. Il a traversé certaines... certaines phases... quand il était plus jeune. Il y a longtemps. Je t'en prie, parle-lui.
– Non. Je ne peux pas.
– Je t'en prie, Norah.
– D'accord. »

Le mal, quand il arrive, vient de si nombreuses directions que je n'essaie même pas de retrouver sa trace. Des nouvelles d'Indonésie ou de Jérusalem, Bush qui se prépare aux élections, des avancées révolutionnaires dans la recherche contre le cancer : rien de cela n'a quoi que ce soit à voir avec cette magnifique fille aînée aux fins cheveux clairs, qui était bonne, intelligente, parlait d'une voix grave et musicale inhabituelle pour son âge, vivait dans l'obéissance, lisait Flaubert et ne provoquait personne susceptible de lui faire du tort.

J'ai senti les murs de la cuisine enfler vers l'extérieur, et tout a pris une forme incurvée comme dans un dessin animé à la télé. Puis je les ai sentis rétrécir vers l'intérieur, où ils nous écrasaient toutes les deux.

« Tu te rends bien compte que c'est sérieux, lui ai-je dit. Tu es dans un état psychologique préoccupant et tu as besoin d'aide. Il y a de fortes chances pour que tu fasses une dépression. Ça vient peut-être d'une carence en minéraux ou en vitamines, quelque chose d'aussi simple que ça.

– Ce n'est pas une seule grosse chose. Ça, je le sais. C'est beaucoup de petites. J'essaie de passer outre les détails, mais je n'y arrive pas.

– Norah... Le monde semble souvent nous cacher des choses. Nous avons tous cette impression à certains moments, mais particulièrement à ton âge. Tu dois y faire face...

– Mais c'est exactement ce que je veux faire. J'essaie d'y faire face. Mais c'est trop énorme.

– Est-ce qu'il s'est passé quelque chose, quelque chose dont tu ne nous as pas parlé ?

– Non. C'est juste... tout. »

Je me suis entendue lui crier au visage, formant un trou grossier au centre du monde, avec une violence incontrôlable.

« Il faut que tu parles à ton père aujourd'hui, ai-je insisté. Aujourd'hui.

– J'ai dit d'accord.

– Mais tu dois aussi parler à quelqu'un d'autre. Quelqu'un dans le domaine du conseil. Aujourd'hui. »

Avais-je vraiment dit cela : « Quelqu'un dans le domaine du conseil » ? Pas étonnant qu'elle m'ait dévisagée.

« On est dimanche, a-t-elle répondu.

– On ira à l'hôpital. Les urgences seront ouvertes.

– Ce n'est pas une urgence.

– Norah, tu as besoin d'aide.

– J'essaie de trouver où est ma place. »

Elle s'est alors accrochée désespérément à moi. Je réfléchissais à toute vitesse. Drogue. Quelque affreux mélange de drogues. Ou une secte. J'ai tenté de me représenter les membres d'une secte que j'avais vus traîner autour de l'université, robes grises, sandales. Ou ces horribles chrétiens régénérés qui ne laissent pas leurs femmes porter de maquillage et qui leur coupent les cheveux si jamais elles osent leur répondre. J'ai examiné la bouche de Norah : pas de rouge à lèvres. Mais, non, c'était l'heure du petit déjeuner ; personne ne porterait du maquillage à cette heure-ci. Pourtant, il devait y avoir une explication parfaitement logique si seulement je pouvais la trouver en réfléchissant. Quelque chose s'était déroulé à l'envers dans sa conscience, lui donnant une naïveté pure à propos de la vie, l'idée qu'on pouvait amener celle-ci à un état de perfection, tout en sachant cela impossible. Ou alors, il s'agissait peut-être d'un déséquilibre temporaire de l'oreille interne. J'avais lu quelque chose là-dessus, récemment. La mononucléose, ce vieux cauchemar, l'ennemi juré des étudiants ; les gens pensaient autrefois qu'elle se transmettait par les baisers. Ou peut-être une tumeur au cerveau, énorme, mais pas inopérable. Une déviation de la colonne vertébrale, qui exigerait un simple ajustement par un expert de Boston (nous pourrions prendre l'avion et être là-bas en moins de deux heures, en un souffle).

C'étaient des idées sensées, des exemples de réflexions parallèles que Tom m'avait apprises. Mon cœur battait la chamade pendant que je spéculais calmement. J'ai compris. Tout de suite, j'ai compris que c'était le début du chagrin. En fait, c'est moins d'une heure après, je crois, que Norah a quitté la maison, se glissant simplement par la porte d'entrée avec son sac à dos orange, puis fait du stop, sans doute, jusqu'à Toronto. Je ne parvenais pas à croire qu'elle fût partie sans dire au revoir. J'ai regardé dans toute la maison pour la trouver ou trouver ses affaires. Personne. Rien. Ensuite, j'ai compris à quel point elle était devenue incontrôlable, à quel point elle était devenue un danger pour elle-même. Elle était perdue.

Perdue. Une partie de ma conscience s'est ouverte comme un nuage se déchire, révélant des scènes de malheur traumatisantes. Le soleil est tombé avec fracas sur les rues où Norah ne marcherait plus, ce stupide soleil mort. Ses anniversaires se poursuivraient sans elle, le premier mai, dans dix ans, ou vingt. D'une façon ou d'une autre, elle était désormais écœurée par ce que le monde avait à offrir, et elle avait fait une overdose à laquelle elle ne survivrait pas.

Ou alors, il ne s'agissait pas d'un écœurement, mais du contraire, comme Danielle Westerman croit le comprendre. Une perception faussée a peut-être poussé Norah à penser que cette vie était trop riche pour qu'on puisse en faire le tour, et d'une beauté insoutenable. Mais la vérité est tout autre, et j'essaie de comprendre ce que peut être cette vérité. Parfois, je suis sur le point d'y parvenir.

À d'autres moments, j'ai l'impression d'être seulement une mère angoissée de plus qui s'est querellée avec sa fille, une fille simplement déprimée, fatiguée au terme d'un long hiver, et sans doute inquiète de voir que sa première histoire d'amour perdait de son intérêt. J'en ai trop fait, c'est tout. Et j'ai projeté mes propres peurs et ma propre panique sur Norah. Quelle preuve ai-je ? Aucune. Elle ira bien dans quelques jours, elle sera de retour à la maison, se sentant un peu idiote et honteuse.

Je suis tout à tour complaisante et inquiète. Personne ne sort d'une période semblable sans être déconcerté. C'est impossible. D'un autre côté, je me rappelle le regard qu'elle avait quand elle était assise à la table de la cuisine, et mes pensées deviennent de plus en plus téméraires. Parfois, je me dis qu'il y a pour Norah non *trop* de choses, mais *pas assez*; une absence béante, une privation presque totale de nourriture. Il y a un buffet somptueux, avec de la musique, des richesses et des arabesques de langage, mais elle n'y a pas été invitée. Elle voit ce banquet pour la première fois, mais à présent elle ne pourra plus jamais l'oublier. Une détérioration s'est produite dans le tissu du monde, ce monde qui ne lui appartient pas, contrairement à ce qu'on lui avait dit.

Encore, encore et encore. On lui en interdit l'entrée. Désormais, la vie ressemblera de moins en moins à la vie.

Non, je ne suis pas encore prête à croire une chose pareille

Dans la mesure où

8 octobre 2000

Messieurs,

J'étais plus déprimée que d'habitude hier soir eu égard à des problèmes personnels, et j'étais assise dans un gros fauteuil où je feuilletais le dernier numéro de votre magazine, que mon époux m'avait, de façon prévenante, acheté chez le buraliste du coin. (Nous ne sommes pas abonnés car nous pensons être déjà submergés de papier à la maison, et, comme nous tentons d'être de bons citoyens, nous essayons de ne pas trop endommager la planète.)

Je n'ai pu m'empêcher de remarquer que vous aviez vendu l'une de vos très coûteuses pages publicitaires à ce qui semble être une institution bidon quelconque. La densité de la typographie et sa calligraphie droite de couleur brune tentent d'éviter l'écueil de l'habituelle bombe commerciale à quatre couleurs, mais sans succès. En fait, tout se bouscule sur cette page. Le produit, quoi qu'il en soit, s'intitule les « Grands Esprits du Monde intellectuel occidental » : Galilée, Kant, Hegel, Bacon, Newton, Platon, Locke et Descartes. De petites gravures d'apparence très authentique représentant les têtes de ces messieurs forment une ligne serrée (disons impénétrable*) qui coupe le haut de la page, suggérant une continuité de l'érudition, un tapis roulant* *incessant de noble pensée, dont on peut trouver des extraits, comme vous l'expliquez plus bas sur la page, dans quatre-vingt-quatre (84) cassettes de trente minutes, que chacun (au masculin) peut écouter en marchant, en faisant son jogging, en allant au travail ou en s'acquittant de ses CORVÉES (j'insiste sur ce dernier mot).*

Cela représente un grand nombre de demi-heures consacrées à l'érudition, vous en conviendrez, mais au moins le souscripteur pourra-t-il éviter, d'après la publicité, « des années de lectures et d'études fastidieuses » et, pire encore, « de se retirer complètement de la vie active ». Vous pouvez éveiller votre esprit « sans avoir à quitter votre travail ou devenir un ermite ». Un ermite ! L'étudiant sera guidé dans ses études par la faculté ; c'est-à-dire Darren (sans nom de famille), Alan, Dennis, Phillip, Jeremy, Robert, un autre Robert, Kathleen (Kathleen ?), Louis, Mark, et Douglas. Ma question est : Comment Kathleen s'y est-elle prise pour être en lice ?

Je reconnais que de telles questions me tourmentent ces jours (et ces nuits)-ci. J'ai une fille de dix-neuf ans qui traverse une sorte de dépression (en fait, son état n'a pas encore été diagnostiqué), laquelle serait, selon une amie à moi, causée par des offres telles que vos Grands Esprits du MIO, pas seulement par votre pub du mois d'octobre, bien sûr, mais par une longue accumulation, année après année, de portraits de nobles penseurs imprimés sur des pages à l'encre sépia, reproduite année après année, une accumulation pesant insidieusement et exprimant une absence tenace de curiosité, une ignorance totale, en fait, envers les grands esprits féminins.

Vous répondrez à mes commentaires par une longue liste énumérant les droits que les femmes ont obtenus et vous insisterez sur le fait que le terrain de jeu est égal, mais vous devez bien voir que tel n'est pas le cas. Je ne peux pas être la seule à m'en apercevoir.

Je sais bien que je ne peux influencer votre politique

publicitaire. Mon seul espoir est que ma fille (elle s'appelle Norah) ne tombe pas sur un exemplaire de ce magazine, ne lise pas cette page, et ne réalise pas, comme je l'ai compris pour la première fois, avec quelle désinvolture et quelle irrévocabilité elle est tenue à l'écart de l'univers. J'ai également deux autres filles – Christine, Natalie – et je m'inquiète pour elles deux. Tout le temps.

Cordialement,

Reta Winters,
The Hermitage,
Orangetown, Canada.

De cela

Il y a un problème auquel tous les romanciers doivent faire face s'ils veulent créer des personnages uniques ayant une épaisseur. Ces personnages, du moins ceux qui vont avoir de l'importance dans le développement narratif, exigent un contexte. Ils ne peuvent pas simplement être jetés sur la page comme s'ils s'étaient métamorphosés à partir d'un tas de boue tiède. Darwin a mis fin à cela. Freud aussi. La parthénogenèse ne fonctionne pas pour les êtres humains, pas encore et sans doute jamais, à moins que l'être humain ne devienne quelque chose d'autre que ce que nous connaissons. Les personnages de livre ont besoin d'avoir une enfance quelconque, des parents, tout au moins, quelquefois même des grands-parents. Ces antécédents généalogiques peuvent être morts ou perdus, auquel cas il n'est pas nécessaire de les introduire dans le fil narratif continu : il faut simplement y faire allusion. Le vieux papy Barney, avec ses médailles militaires. Mamy Foster et sa fixation sur les fonctions corporelles. L'héritage confus de la génétique influence de façon directe ou subtile le personnage contemporain et la manière dont il ou elle réagit aux vicissitudes de la vie. Les particularités peuvent être accentuées, comme ombrées au graphite : Américains blancs protestants d'origine anglo-saxonne ou Juifs, vieille fortune ou nouvelle richesse; un romancier doit reconnaître que le patrimoine génétique fait partie de l'intrigue, et que même mon éthérée et romantique Alicia est un paquet de chromosomes agencés de façon précise. Les parents influencent les enfants, endurcissent ou affaiblissent leurs résolutions, et aucun romancier crédible ne bousculera ce postulat. Même dans le rêve le plus kafkaïen, certains éléments ne peuvent être soustraits à la substance, la géographie, la famille, le sang. Tout le monde est l'enfant de quelqu'un, et un roman, au sens le plus grossier du terme, est l'histoire de la destinée d'un enfant. Il y a toujours une chaîne d'ADN qui revendique quelque chose. La question est : Jusqu'où un romancier doit-il remonter afin de donner de la stabilité à un personnage et atteindre un certain degré d'épaisseur ?

À mon avis, il n'est pas nécessaire de fournir un arbre généalogique complet; rares seraient les lecteurs contemporains qui auraient la patience d'absorber une telle quantité d'informations. Seuls quelques repères familiaux essentiels sont requis, le sentiment que le personnage ne s'est pas inventé lui-même, qu'il n'est pas arbitraire. Jane Austen, bien qu'elle soit une prédarwinienne, remonte toujours au moins une génération en arrière, et parfois deux. Elle connaît l'importance des fondations.

Je travaille sur la suite de *My Thyme Is Up* (que je vais intituler *Thyme in Bloom* – Thym en fleur –, réservant *Autumn Thyme* – Thym d'automne – au cas où je décide d'écrire une trilogie), et je me débats pour savoir quelle dose de mortier héréditaire je dois utiliser dans la construction des personnages d'Alicia et de Roman. J'ai opté pour la simplicité, et la symétrie :

ils sont tous les deux enfants uniques, nés de parents affectueux. La famille d'Alicia est relativement riche ; celle de Roman appartient à la classe ouvrière albanaise de deuxième génération mais est en pleine ascension sociale (tous les hommes ont une tignasse de cheveux bouclés ; les femmes ont une voix tranchante sexy). Au départ, je voulais que leurs parents soient tous morts, mais à présent je veux que ceux-ci s'impliquent dans les préparatifs du mariage, et qu'ils participent aussi à la scène burlesque du restaurant où ils se réunissent tous pour la première fois. Le père d'Alicia (avocat ? Non, j'ai déjà dit dans *My Thyme Is Up* qu'il était ingénieur en mécanique, dommage) n'arrive pas à croire qu'il puisse exister quelque part dans le monde un homme digne de sa fille chérie. Rien qu'en entendant la liste des prétendants, il affiche une expression furieuse, offensée, et émet quelques grognements de désapprobation hautement élaborés. Pendant ce temps-là, la mère de Roman (une futuriste, une futuriste de premier ordre, qui travaille pour un cabinet d'expertise au centre de Wychwood) déclare qu'aucune femme sur terre n'est capable d'apprécier son adorable garçon. Elle sourit, mais sournoisement, les lèvres serrées. Sa bonne humeur vigoureuse désavoue tout véritable sentiment. Au fond d'elle, elle croit que la quête du bonheur est un acte égoïste, quelque chose que seuls les enfants peuvent prendre au sérieux. Les enfants sont, selon elle, des sauvages indomptés attendant d'être façonnés par des mains civilisées.

Je n'ai pas connu Tom enfant, et ceci m'a toujours semblé être une perte incalculable. En tant qu'adulte, il est patient, préoccupé, un hédoniste vaguement mélancolique, parfois aussi acerbe, crispé et échevelé ; alors qu'il étudiait la médecine, dans les années soixante-dix, il était provocateur et s'est fait arrêter deux fois pour avoir participé à des manifestations politiques et, avec ses camarades de classe, il a été emprisonné pour avoir bandé les statues de héros canadiens estimés dans Queen's Park, mis des attelles sur celles d'anciens Premiers ministres et peint leurs poitrines de bronze musclées en rouge sang. Mais à quoi ressemblait-il vraiment, ce gamin maigrichon qui se précipitait dans la cour après le dîner avec un ballon de football sous le bras, la porte-moustiquaire claquant derrière lui, dans l'herbe verdissante où se profilaient des ombres allongées et qui, en automne, était émaillée de feuilles jaunes humides ? Cette scène imaginaire parle de sécurité, de feu de bois et de taches de soleil incrustées... Oh, je pense que ces moments sauvages et frémissants m'ont été volés, arrachés par une mauvaise synchronisation originelle.

Mais ce n'est pas seulement Tom ; ma propre enfance manque du même genre de contenu spécifique. « Le problème avec les enfants, a dit un jour Danielle Westerman, c'est que l'enfance ne les intéresse pas » (« Autoréflexions », interview privée, 1977). Oui, et quand ils acquièrent finalement une curiosité suffisante, il est trop tard. (Elle rejette entièrement son enfance passée à La Roche-Vineuse, son père, sa mère. Ils ont tous les deux négligé leur unique enfant, confesse-t-elle. Mais il doit y avoir autre chose, je le soupçonne, quelque chose de plus dur, de plus blessant et de plus brutal.)

Ce que je me rappelle le plus des premières années de ma vie, c'est mon ignorance effroyable. Une vision partielle du monde m'avait été allouée, une rangée de maisons dans le quartier de Kingway à Toronto, et le reste, je devais feindre de le savoir. Comme tous les enfants, j'étais obligée de passer en chancelant d'une supposition à une autre, toujours sur le point de trébucher dans la honte. Ce n'est pas ce que nous savons mais ce que nous ne savons pas qui a raison de nous. Rougir et s'empourprer, traîner les pieds et tituber : ce sont les expressions de surface d'une souffrance plus profonde. La honte de l'ignorance est écrasante. « J'ai failli mourir », disent les adultes de leurs anciennes méprises idiotes : ils entendent par là que la découverte de leur ignorance ressemblait à un arrêt du cœur.

C'est du moins ce que moi, Reta Winters (née Summers), je ressentais enfant, alors que je fouillais dans l'esprit d'un enfant encore plus jeune et n'y voyais rien qu'un tourbillon d'images avant l'arrivée des mots et de la grammaire, une sorte de peinture au doigt, des traces de couleurs humides et vives qui signalaient, pour la plupart, un danger. J'ai compris depuis le début que j'étais détachée de ce que – je le pensais – le reste du monde savait. J'étais obligée de réglementer le monde, mais en secret. Pourquoi est-ce que le ciel était bleu quand on levait les yeux mais pas quand on le regardait de côté ? Et si la lune tombait dans notre jardin ou, pire, sur notre toit ? Ces questions, plus semblables à des miracles de par leurs formes phénoménologiques, se rassemblaient autour de moi pour former l'oxygène que je respirais, et ce qu'elles me murmuraient était : Il y a de fortes chances pour que tu te fasses tuer à cause de ton ignorance. Cela pouvait arriver à tout moment.

Quand j'étais enfant, quelqu'un était entré dans notre jardin et avait emporté toutes les fleurs des trois massifs d'hortensias de ma mère. Celle-ci avait pris cet acte de vandalisme avec une bonne humeur remarquable, comme si elle ignorait que nous courions un véritable danger. Moi, je le savais, pourtant. Je savais que notre famille avait été choisie et que les fleurs manquantes annonçaient un mal plus grand et faisaient partie d'un dessein plus ambitieux, lequel pouvait finalement mener à la mort, mais j'étais incapable de transformer mes peurs en mots car, à un tout autre niveau, j'avais conscience d'être ridicule.

De tels gouffres d'incompréhension, de telles incomplétudes devaient être endurés en silence : cela semblait être la loi naturelle. Un enfant est suspendu dans un réduit d'ignorance verrouillé, à l'intérieur des limites du corps, cet endroit sombre. Nommer une perplexité revient à l'amplifier. En même temps (je reconnaissais cette calomnie pour ce qu'elle était), les observations naturelles des enfants sont souvent qualifiées de fantasques, et même d'adorables, et si leurs mots, leurs gentilles questions sont souvent cités et font souvent sourire, ils n'ont aucune garantie d'obtenir une réponse. Pourquoi les enfants se risquent-ils à révéler leurs pensées ? Ce doit être par désespoir ou à cause d'une peur insupportable. C'est un miracle qu'ils ne se jettent pas par la fenêtre dans un accès de confusion.

Notre optimiste fille Norah nous taquinait avec de curieuses idées. Des voix qui parlaient dans sa tête, disait-elle. Tout le temps. Mais nous avons tout de suite compris que cela ne voulait rien dire, seulement qu'elle avait pris conscience du dialogue ininterrompu qui se déroule dans la tête d'une personne, la plus longue conversation que l'on puisse jamais avoir avec autrui. Eh, salut, c'est encore moi. Et encore. La conversation la plus intéressante que nous aurons jamais, et la plus circulaire, répétitive, folle. Oh non, pas encore elle ! Elle ne se tait donc jamais ? (C'est pour cela que je lis des romans : pour pouvoir échapper à mon inexorable monologue intérieur.)

Je soupçonne la petite Reta Summers d'avoir été

plus lente que les autres à accepter le dénouement des affaires et les manifestations terrestres, ou alors d'avoir eu plus peur du ridicule. Je tentais de comprendre les choses par moi-même. Il y avait une guerre, par exemple, et tout le monde en parlait, disait à quel point c'était horrible que des gens se fassent tuer, même des bébés qui étaient affreusement brûlés. Mais qu'était-ce qu'une guerre, au juste ? Qu'était le napalm ? À quelle distance se trouvait le Vietnam ? Personne ne me le disait, mais j'imaginais que ce devait être l'allée qui se trouvait derrière la charcuterie de Bloor Street, parce que j'avais une fois entendu de grands bruits à travers le mur du fond du magasin. Je pleurais quand on m'y emmenait, même si ma mère et mon père me tenaient par la main. Ils ne me demandaient pas pourquoi je pleurais. Ils pensaient sans doute que j'avais peur de M. Hopkins, qui avait une moustache et qui coupait la viande avec une lame noire aussi longue que son bras.

J'ai compris que les gens avaient deux prénoms et parfois trois. En fait, j'étais Reta Ruth Summers. Avant d'aller à l'école, j'avais appris à réciter mon adresse, 555, Strath Avenue, ainsi que mon numéro de téléphone, et tout le monde trouvait cela incroyable pour une enfant de mon âge. De temps en temps, on m'autorisait à tenir le téléphone contre mon oreille et à parler avec mamy ou tante Judy. « Mais tante Judy n'est pas réellement une tante », me disait ma mère. Je savais ce que « réel » signifiait. On pouvait le toucher ou le voir, ce n'était pas imaginaire comme les histoires que j'inventais.

Les anges changent les meubles de place, m'avaient dit mes parents une nuit d'été où le tonnerre grondait ; *le tonnerre**, avait murmuré ma mère d'un ton dramatique, écarquillant les yeux pour me faire comprendre qu'il s'agissait d'une chose splendide dont il ne fallait pas avoir peur. Mais l'histoire des anges ne tenait pas debout. Même eux savaient que cela ne tenait pas debout, à la façon dont leurs lèvres s'étaient fermées quand ils avaient prononcé ces mots, confessant qu'ils tenaient particulièrement à leur propre petite fantaisie; mais j'avais dû l'aimer aussi, quand je repense à la façon dont j'avais avalé son réconfort facile.

Ma mère me parlait toujours en français et mon père en anglais, et j'avais le droit de leur répondre dans l'une ou l'autre langue. Cela faisait partie d'un pacte qu'ils avaient fait tous les deux avant ma naissance, selon lequel tous leurs enfants grandiraient avec deux langues, et ils partageraient la responsabilité de ce projet. Ma mère, une Marteau *pure laine** de Montréal, parlait un français musical, et mon père, un anglais d'Édimbourg tranchant, à peine érodé par ses années passées au Canada.

Étrangement, la confusion épique de mes jeunes années n'a pas été provoquée mais plutôt atténuée par l'immersion dans deux langues; cette dualité clarifiait le monde : *la chaise**, « chair »; *le rideau**, « curtain »; *être**, « to be »; *le chien**, « dog ». Chaque objet, chaque action, avait un écho, une explication. La signification avait deux jambes, deux racines étymologiques fiables. Je baignais dans l'anglais, où je nageais un dos crawlé détendu, mais j'étais debout jusqu'à la taille dans le français. Le dictionnaire français-anglais, avec sa couverture bleue effilochée, était la bible de la famille, puisque nous n'étions pas une famille attachée à des pratiques religieuses strictes.

Néanmoins, ils m'ont appris à réciter une prière avant d'aller dormir. « Cher Jésus, bénis maman, papa, mamy, mes deux grands-pères et tante Judy, et fais de moi une bonne fille. » Ce que je savais de

Jésus, je l'extirpais à l'air qui m'entourait. Jésus était invisible, mais il entendait tout ce que je pensais ou disais. Il me voyait même quand j'étais assise sur les toilettes, ce qui était humiliant. Il était comme Dieu, mais pas aussi vieux que Dieu. Il ne cessait pas de m'aimer quand j'étais méchante, même si je ne croyais pas cela un seul instant. Il portait une robe marron et aimait avoir des enfants sur les genoux. Il n'était pas invisible, à l'époque. On lui avait planté des clous dans les mains et les pieds ; je ne supportais pas cette idée, ce déchirement de la chair.

J'ai appris à réciter parfaitement ma prière. « La façon dont elle articule ! » disait mon père, ce presbytérien déchu, avec une voix aussi tranchante que des minéraux tièdes. Ceci était un simple tour que j'avais appris à réaliser et, ce faisant, je les avais poussés à m'aimer encore plus. « N'est-ce pas qu'elle est intelligente », disaient-ils, et à chaque fois c'était comme s'ils m'avaient tendu une fleur. *Très douée**, disait ma mère, qui n'était pas entrée dans une église catholique depuis son mariage. Je me souviens qu'elle secouait la tête avec émerveillement, la fière jeune maman, la façon dont elle se tenait avec tant d'optimisme sur le perron de devant dans son corsaire couleur tilleul et ses sandales mexicaines qui grinçaient (il y a un mot pour désigner ces chaussures en cuir tissées : *huaraches*). Elle aimait sa vie de jeune épouse, sa petite maison de Toronto de style pseudo-élisabéthain avec son jardin rectangulaire, et cette période avant qu'elle ne succombe au découragement.

De ma mère me vient mon amour des fleurs. Elles arrivaient sous une forme repliée à l'intérieur de graines minuscules, si petites qu'il en fallait cinquante pour occuper le fond d'un sachet plat. Elles étaient miraculeusement programmées depuis le début, ces petites taches de matière noire que nous secouions dans nos mains, puis que nous semions dans des parterres de fleurs. Elles germaient, puis s'ouvraient selon un programme de développement étudié avec soin. C'était étonnant, tous ces déroulements et ces éclatements comprimés, or personne ne le disait. Personne ne faisait d'histoires quand les graines remplissaient effectivement leur devoir : germes, feuilles, les longues tiges semblables à des rivières et, finalement, la complexité des fleurs. J'aimais déchirer la soie des pétales entre mes doigts, frotter le pollen dans mes mains. « Mais ce n'est pas gentil, Reta, m'a dit ma mère un jour. Pourquoi est-ce que tu veux faire du mal à une jolie fleur ? » Je n'y ai jamais cru, à cette douleur des fleurs, mais néanmoins je ne l'ai jamais refait. J'étais l'enfant inepte recherchant ces moments de calme où je trouverais l'approbation des adultes, du moins où je pourrais me reposer de mon incertitude permanente.

Une fois, j'ai égratigné la rampe avec une cuillère. Ma mère l'a frottée avec du beurre, et la rayure a disparu. Elle ne se doutait pas que c'était moi qui l'avais faite : sa petite fille n'aurait pas fait une chose pareille. C'est avec une grande indulgence qu'ils ont ri quand j'ai dit que les coquilles d'œuf étaient en plastique, et aussi quand j'ai demandé à mon père si nous pouvions acheter quelques stalactites pour décorer notre toit. Nos voisins, les McAndrews, avaient des stalactites, de longs doigts de glace argentés sculptés qui duraient tout l'hiver. « Notre petite Reta, disaient-ils en riant. Notre petite. » J'avais peur de me noyer sous leur approbation. Il n'y avait rien de solide à quoi s'accrocher. À chaque instant, je risquais de perdre mon équilibre et ensuite je ne serais plus la petite Reta. Comme Norah, je ne serais plus rien.

Je n'avais pas de frères et sœurs, mais j'étudiais attentivement les bébés qui entraient chez nous, les enfants des amis de mes parents. Ils étaient là, couchés, minuscules, emmaillotés, sentant le lait caillé, bien bordés dans des couvertures en molleton. Depuis le début, j'avais remarqué qu'ils manifestaient une curiosité constante et patiente qui réduisait et simplifiait les mystères affluant dans notre foyer. Ils ne s'inquiétaient pas comme moi à propos de l'auréole qui entourait la tête du petit Jésus, ne se demandaient pas de quoi elle était faite, ce qui la maintenait au-dessus de sa tête quel que fût l'endroit où il se rendait. Ils mettaient leurs petites mains sur la façade en plastique côtelé de la radio posée dans la cuisine et riaient en sentant les vibrations qui en sortaient. Je voyais qu'ils acceptaient la transmission électrique pour ce qu'elle était, tandis que je disposais d'une information spéciale : je savais qu'il y avait des petites personnes vivant à l'intérieur de la radio, les citoyens obligeants d'un village miniature accroché au flanc d'une montagne sombre et escarpée. Personne d'autre ne le savait, et je n'avais pas suffisamment confiance en quelqu'un pour en parler.

Ce n'était pas la négligence qui engendrait l'ignorance dont j'étais prisonnière. Les adultes étaient trop occupés pour fournir des explications compliquées. En fait, c'était en partie la besogne de mes parents qui m'effrayait, cette responsabilité frénétique qui les préoccupait. Leur travail, c'était de nous maintenir en vie. Il ne leur est jamais venu à l'esprit que je m'inquiétais de voir à travers mon nez quand je regardais à gauche ou à droite : il devenait alors entièrement transparent, mis à part son contour charnu flou. Et assurément, ni l'un ni l'autre ne prenaient le temps d'exprimer leur propre perplexité quant à l'univers où ils vivaient, le fait qu'eux aussi étaient peut-être submergés par des notions à peine comprises. Mon père, mince, arpentait le jardin de ses longues jambes, balançant sa cigarette entre ses doigts, se penchait pour inspecter un iris ; il possédait la vigilance d'un jardinier et ne semblait pas défaillir d'émerveillement devant cette fleur sereinement conventionnelle, le fait que sa cape et son col s'ouvrent à partir d'un bulbe compact, dont chaque partie était prédestinée et parfaitement à sa place. Il vendait des meubles canadiens rustiques en pin, et travaillait en outre comme « vieillisseur », c'est-à-dire qu'il prenait des éditions limitées de livres dont il malmenait les pages et les couvertures pour leur donner l'air d'avoir un âge respectable, leur conférant la subtilité et le parfum de l'histoire.

La lune me suivait. Quand je traversais d'un pas hésitant, à sept ans, la pelouse du jardin, la tête rejetée en arrière, pour tenter de m'étourdir, je voyais que la lune avançait par embardées à chacun de mes pas, me tenant compagnie tandis que je m'approchais du parterre de pivoines. Pourquoi, parmi tous les gens de ce monde, avais-je été choisie pour être la compagne de la lune ? Qu'est-ce que cela signifiait ? Honneur, responsabilité, reproche, quoi ?

J'ai confié à mon amie Charlotte cette histoire curieuse à propos de la lune. Mais elle m'a affirmé, au contraire, que la lune la suivait, elle. Si bien que dos à dos, au bout du chemin, nous nous sommes écartées de quelques pas, elle allant dans une direction, moi dans l'autre. Aussitôt, j'ai compris que la lune suivait tout le monde. Cette découverte a été pour moi un soulagement, à peine terni par la déception.

Charlotte était la fille d'une famille dano-canadienne qui tenait une boutique de peinture d'enseignes dans Bloor Street. Le secret qui habitait le fond de son cœur était le prénom de son père : Adolph. Sachant les associations malsaines qui accompagnaient ce prénom brutal et dur (tout cela n'était pas clair pour moi), il se faisait appeler Chris Christiansen. Je lui ai promis que je ne révélerais jamais à personne son véritable prénom, et j'ai tenu parole. Charlotte avait des cheveux blonds, sévèrement coupés au carré. Elle était exceptionnellement docile et obéissante. Un autre enfant plus âgé m'a dit, en parlant de Charlotte, que les gens bons mouraient jeunes, et que ce serait son destin. Cette affirmation avait été prononcée avec une telle autorité – avec nonchalance, nonchalance, fatalisme, fatalisme – que je l'ai crue totalement, sans aucune preuve ni de la bonté intrinsèque de Charlotte ni du genre de mort prématurée dont elle devait être honorée. La bonté de Charlotte et son châtiment présumé sont venus grossir l'ensemble des idées confuses qui formaient ma réserve de présuppositions, et le problème de la bonté – qu'est-elle ? d'où vient-elle ? – me préoccupe toujours.

Le sentiment de confusion que j'avais autrefois m'empêche aujourd'hui de regarder mon enfance à travers un voile de nostalgie. Danielle Westerman dit essentiellement la même chose dans son poème « Sentimentalisme ». Elle est l'autre voix qui parle dans ma tête, presque toujours présente, parfois écho, parfois soliste. Qui voudrait, dit le célèbre docteur Westerman, retourner à une incompréhension aussi inarticulée, quand, *mon Dieu**, nous nous efforçons tous de faire bonne figure, feignant de savoir comment tourne le monde ? Le fait est que je n'avais pas besoin de tout savoir, et que personne n'attendait cela de moi au départ.

Je semble avoir un don pour pardonner à moi-même. C'est l'un des rares réconforts qu'il me reste à l'âge de quarante-quatre ans : celui de ne plus devoir à nouveau subir ce niveau de peur et d'ignorance crasse. J'ai surveillé de près l'évolution de mes enfants, guettant les signes d'une désorientation similaire et espérant pouvoir les sauver grâce à mon assurance et à mon savoir. Norah, bien sûr, est temporairement perdue. Elle a attrapé ma maladie, mais en pire. Elle a écouté avec trop d'avidité, trop de sérieux, a pris les choses trop à cœur, si bien que ce mal lui est tombé dessus par surprise. Quant à Natalie et à Chris, elles semblent, jusqu'ici, dans un état de calme, malgré ce qui est arrivé à leur sœur. Il y a cependant de fortes chances pour qu'elles bluffent.

Chaque

« Merci de m'avoir libérée de ton sein », m'a dit Christine, ma deuxième fille, aujourd'hui 12 octobre, qui est la date de son dix-septième anniversaire.

Sein. Où avait-elle trouvé le mot « sein » dans ce sens-là ?

« J'ai lu ça dans le roman de Tom Wolfe, m'a-t-elle expliqué. Ça veut dire utérus. Ou matrice. »

Elle était debout dans la cuisine et avalait un reste de pizza arrosé d'une tasse de jus de pomme en guise de petit déjeuner.

« Je t'en prie », ai-je répondu, puis, pour maintenir le rythme de notre conversation, j'ai ajouté :

« Ce fut un plaisir.

– Tu n'es pas sérieuse », m'a-t-elle lancé. Elle avait exactement deux minutes pour enfiler sa veste et courir prendre le bus scolaire au bout du chemin.

« Accoucher ne peut pas être rangé dans la catégorie des plaisirs de la vie.

– Eh bien, ai-je dit, tentant d'adopter un ton neutre, comment sais-tu une chose pareille, Chris ? Comment tu le sais, au juste ? »

J'ai jeté un coup d'œil à la pendule au-dessus de la cuisinière ; elle m'a regardée jeter un coup d'œil à la pendule et je l'ai regardée faire. Elle avait la bouche déformée par un morceau de croûte de pizza à demi mâché, dans lequel mordaient ses robustes dents saines. Ce n'était pas joli à voir, même si j'adore notre fille un peu trapue et si je tente chaque jour de ma vie d'entretenir sa tendresse et de la garder proche de nous.

« Eh bien, en fait, a-t-elle expliqué d'un ton exaspéré, j'ai regardé cette vidéo sur les accouchements à la maison. Et toi aussi. Et ton mari aussi. »

Ces derniers temps, quand elle parle de son père, elle ne l'appelle pas p'pa ou papa mais mon « mari », quelquefois mon « mari d'antan » en employant un accent anglais snob exagéré. Et quand elle lui parle de moi, c'est toujours « ta femme ». « Ta femme a un faible pour le chocolat », lui a-t-elle dit hier soir pendant que je raclais les dernières miettes de mon gâteau. « Ta femme m'a promis de relire ma dissertation sur *La Nuit des Rois.* » « Ta femme aurait besoin de chaussures neuves sympas pour remplacer ces espèces de baskets qu'elle traîne depuis un siècle. » Tom et moi comprenons que ce changement de rhétorique est censé être ironique et que nos anciens noms familiaux – maman, papa – ne peuvent plus être prononcés sans un soupçon d'embarras.

« Alors, je voulais te remercier, a-t-elle conclu tout en enfilant enfin sa veste et ses moufles pour se diriger vers la porte. Bon sang ! Vingt heures de travail pour m'expulser de ta matrice. » Elle a prononcé ce mot avec emphase, lui donnant un accent comique.

« Douze heures.

– Tu as oublié.

– Est-ce que ce n'est pas moi qui devrais m'en souvenir ? Mieux que tout le monde ?

– Tu as toujours eu tendance à modifier l'histoire.

Toi et ton mari, vous voulez que nous, les filles, on croie qu'on est venues au monde sans causer trop de tracas. Pourquoi tu souris comme ça ?

– C'est cette expression, trop de tracas. Ça me fait penser à ta grand-mère. Mamy Winters. Tu sais qu'elle veut toujours éviter de causer trop de tracas aux gens.

– Mais en même temps, qu'est-ce qu'elle est exigeante ! Ha ha ! »

À présent, elle était vraiment dehors, où elle volait dans le chemin.

« En tout cas, m'a-t-elle crié, merci ! »

Deux mercis en une journée. Ce matin même, en heurtant Natalie, notre fille cadette, devant la porte de la salle de bains, elle avait soufflé les mots :

« Je voulais juste te remercier de ne pas m'avoir appelée Ophélia.

– Ophélia !

– Il y a une nouvelle à l'école, une fille qui vient de Prescott.

– Et elle s'appelle...

– Ophélia.

– Voilà qui est... – J'ai cherché le mot – inhabituel. Comme prénom.

– Trop nul.

– Eh bien, ce n'est pas un nom que tout le monde choisirait. » Pourquoi suis-je obligée de mettre de la diplomatie dans les échanges les plus insignifiants ?

« J'imagine qu'ils trouvaient ça lyrique. Ses parents, j'entends.

– La plupart des enfants ne le savent pas. Enfin, ils ne font pas le lien. On n'étudie pas *Hamlet* avant l'année prochaine.

– Je crois que je n'ai jamais rencontré quelqu'un qui s'appelait...

– Ophélia ? Alors, M. Fosdick m'a demandé de

veiller sur elle pendant un jour ou deux, de lui faire visiter l'école et de la présenter aux autres. Tu imagines ça ? Je voudrais vous présenter, hum, Ophélia. En essayant de ne pas rire. »

J'ai souri à Natalie, quinze ans, apercevant d'un œil sa mâchoire délicate, admirant sa forme charmante. L'autre œil, mon œil de mère, s'inquiétait : Était-elle trop maigre ? Quelles sortes de connaissances surgissaient dans ses innocentes cellules corporelles ?

« Mais à part ça, tu l'aimes bien ? Ophélia, je veux dire.

– Si je l'aime bien ? Je crois, oui.

– Tu veux l'inviter à la maison ? À dîner ? Pas aujourd'hui. Mais, disons, demain.

– Pourquoi pas. Je pourrais lui demander.

– D'accord.

– Tu te souviens de Nestia ? En CM1 ? C'était un drôle de nom, Nestia. Mais on était si jeunes, on avait neuf ans. On ne s'est jamais dit que Nestia était un nom bizarre. On ne l'a jamais taquinée avec ça. »

J'ai attendu une seconde avant de répondre. Natalie, de tous nos enfants, est la plus influençable, toujours avide de trouver une excuse à son mécontentement.

« Je crois qu'on apprend à vivre avec son prénom », ai-je enfin ajouté.

C'est alors elle qui a marqué un temps d'arrêt.

« Alors, ça ne t'ennuie pas de t'appeler Reta ? »

Maintenant qu'elle était lancée, elle s'accrochait fermement à cette effusion de paroles.

« Je veux dire, ta mère et ton père t'ont fait ça alors que tu n'étais encore qu'un bébé. Mamy et papy. Ils t'ont appelée Reta.

– Ça aurait pu être pire.

– Ils auraient au moins pu l'orthographier correctement. Avec un *i*.

– Ils aimaient juste la sonorité.
– Et nous, on a appelé notre chien Pet. Pas très original de notre part.
– C'est Norah qui...
– Elle avait douze ans. Je me souviens. Elle voulait *A pet*, un animal domestique.
– On l'a appelé "A pet" pendant quelques jours. Et puis juste "Pet". Ensuite, on s'est habitués. Un nom générique. Au lieu de quelque chose de trop littéraire. »

Elle m'a jeté un regard méprisant et j'ai cru qu'elle allait dire : « J'ai entendu cette histoire un million de fois. » Mais elle s'est ravisée avec un fin sourire. Chris et elle sont déterminées à ne pas provoquer de chagrin ni même de friction au sein de notre famille pulvérisée.

« Alors, je vais demander à Ophélia de venir demain soir, d'accord ? Tu n'éclateras pas de rire quand je te la présenterai ?
– Promis.
– Ok, alors. »

Quand elle repensera à sa vie, à l'époque où elle avait quinze ans, lorsqu'elle sera ménopausée, qu'elle aura du bon sens, de l'esprit, qu'elle jouera au golf et traitera des affaires immobilières, ou qu'elle aura quatre-vingts ans et les os fragiles, qu'elle sera soudée à un fauteuil roulant, quoi qu'elle devienne, elle ne se souviendra pas de cette conversation que nous avons eue devant la salle de bains, de son embarras vis-à-vis d'une fille affublée d'un prénom malheureux, ni qu'elle avait tenté de me provoquer, moi, sa mère, à propos de mon propre prénom, de ce qu'il signifiait pour moi. Sa vie est encore en construction, tournée vers l'extérieur, tout comme celle de Chris. Elles ne le savent pas, mais elles sont en train de réviser l'enfance dont elles veulent se souvenir, et de s'apprêter à vivre comme nous devons tous vivre en fin de compte, sans notre mère. Les trois quarts de leur poids sont constitués de souvenirs, à ce stade. Je n'ai pas la moindre idée de ce qu'elles écarteront ou de ce qu'elles décideront de garder et d'embellir, et je n'ai aucune certitude, non plus, sur leur capacité à faire des choix substantiels.

Elles font tellement d'efforts, Natalie et Chris, pour maintenir un certain volume sonore dans la maison. Cela me crève le cœur, de voir leurs petits entractes, leurs tentatives pour nous amuser ou nous divertir, Tom et moi, pour nous assurer qu'elles sont toujours là, qu'elles veulent être les filles réglementaires et maintenir la routine : école, amis, dîners en famille, entraînements de basket, l'équipe de natation. Pourquoi est-ce si rassurant d'avoir des enfants qui font partie d'une équipe de natation ? Parce que la vue de ces peaux lisses mouillées frissonnant au bord de la piscine et le parfum du chlore imprégnant leurs cheveux forment un tout qui protège du mal.

Ce que les deux filles ont abandonné, c'est le volley, qui a lieu le samedi matin au lycée d'Orangetown.

À la place, le samedi matin, Tom emmène Chris et Natalie à Orangetown avant l'aube. Là-bas, elles prennent le bus qui va à Toronto, descendent à la vieille gare routière du centre-ville. De là, elles marchent quelques centaines de mètres pour prendre le métro jusqu'à Bloor et Bathurst, et elles passent la journée avec Norah sur son bout de trottoir dans le centre de Toronto, revenant à Orangetown en fin d'après-midi. Elles font cela depuis que nous avons découvert où elle se trouvait.

La première fois, elles y sont allées sans nous le

dire. Nous étions inquiets de ne pas les voir revenir de toute la journée, même si c'étaient des adolescentes. Nous avons insisté pour avoir une explication. Elles étaient embarrassées, réticentes.

« On s'est dit qu'on irait la voir, c'est tout », a fini par dire Chris.

Elles prennent des tapis pour s'asseoir dessus et des couvertures, maintenant que le temps a tourné. Elles emballent des sandwiches, prennent des bouteilles d'eau, une Thermos de thé, une pile de magazines et de livres, du papier toilette et des tampons hygiéniques; elles ont pensé à tout. Elles ont fouillé dans les tiroirs de la commode de Norah pour trouver des chaussettes, des sous-vêtements, des pulls. Elles meurent d'envie d'emmener Pet, mais il n'a pas le droit de monter dans le bus. Elles sont convaincues que le simple fait de voir Pet – baver, renifler et remuer la queue – la ferait revenir à la maison. Tom et moi hésitons; nous ne voulons pas faire pression sur elle, la soumettre au chantage.

Nous ne savons ni l'un ni l'autre ce que font au juste les filles à l'angle de Bloor et Bathurst pendant ces longues heures. Nous avons seulement de vagues idées.

« On traîne, c'est tout, dit Natalie.

– C'est comme si on lui rendait visite », explique Chris.

Je tiens ma langue. Poser trop de questions risquerait de déstabiliser l'arrangement fragile qu'elles ont mis au point.

La passivité a la capacité de susciter la violence, et c'est surtout cela qui m'inquiète, le fait que Norah ne soit pas capable de se défendre. Je me berce suffisamment d'illusions pour croire que les excursions du samedi de Chris et Natalie contribuent à sa sécurité, bien que ce soit au détriment de la leur.

Je suis d'accord avec ces visites, et j'adresse un signe joyeux aux filles quand elles partent pour la journée, comme si cette nouvelle routine pouvait réussir – sauver, en fait, une partie de ce qu'on a perdu.

La première fois qu'elles y sont allées, elles se sont jetées à son cou en la suppliant et en pleurant.

« Elle nous a souri, a raconté Chris. Elle est restée assise avec un horrible sourire et nous a dit qu'elle était contente de nous voir. »

« Elle puait, a dit Natalie une autre fois. Grave. Ils ont des douches au foyer. On pourrait croire qu'elle se rappellerait comment se servir d'une douche.

– Elle ne pue pas, est intervenue Chris, s'efforçant de me rassurer. C'est seulement l'odeur de la rue.

– Elle ne nous parle pas vraiment, a repris Natalie.

– Au début, on restait assise à un mètre d'elle. On ne voulait pas lui foutre la trouille.

– Comme si elle n'était pas déjà...

– Maintenant, on s'assoit juste à côté d'elle. Natalie s'assoit d'un côté et moi de l'autre.

– Elle s'en fiche. Elle continue de sourire et les gens continuent de lui donner de l'argent.

– Ou de ne pas lui donner d'argent.

– Elle ramasse plus d'argent que n'importe qui dans ce coin, et il y a trois ou quatre autres types. Les gens ont l'air de bien l'aimer, les gens qui passent.

– Personne ne nous donne d'argent à nous, mais on n'a pas d'écriteau ou de pancarte ni rien.

– Il y a un homme qui m'a donné un dollar. Il s'est contenté de le lâcher sur mes genoux. Mais il était bizarre.

– C'est vite horriblement ennuyeux, mais elle a l'air d'avoir l'habitude.

– On dirait qu'elle est en hibernation. Tout en elle tourne au ralenti.

– Elle reste simplement assise, elle ne lit pas, ne regarde même pas les livres.

– On lui a apporté une brosse à dents. Au cas où elle n'en aurait pas.

– On lui a apporté son vieux caban. On l'a posé par terre à côté d'elle avant de partir.

– On l'avait enveloppé dans un sac en plastique.

– On lui dit toujours qu'on reviendra la semaine d'après. C'est la dernière chose qu'on lui dit.

– On ne la serre pas dans nos bras ni rien. On dirait qu'elle ne veut pas.

– Mais elle a l'air d'apprécier qu'on soit là, d'une façon ou d'une autre. On dirait qu'elle pense que c'est notre droit d'être là si on en a envie. »

Natalie dort mal. Chris prend du retard en maths. Mais aucune des deux ne voudra l'admettre. Elles veulent croire, et elles veulent que nous croyions aussi, qu'il ne s'est rien passé à part un petit détour de « l'histoire jusqu'ici ». Ce sont des coconspiratrices dans cet effort de foi.

Pour Norah, l'histoire de son enfance ne deviendra pas du lest humain comme ce sera (peut-être) le cas pour Chris et Natalie, et même pour mon ridicule personnage en deux dimensions de roman populaire, cette écervelée d'Alicia. Norah semble coincée dans les derniers jours irresponsables de l'enfance, blessée par l'aiguillon de l'injustice, à dix-neuf ans, avec une violence et une frustration qui cognent dans sa tête. C'est comme une tumeur molle, mais d'une agressivité exceptionnelle. Ses tentacules ont pénétré dans le secteur de sa conscience. Cette invasion s'est produite rapidement, pendant que tout le monde avait le dos tourné.

Concernant

17 octobre 2000

Cher Alexander Valkner,

Je me sens vaguement découragée ces derniers temps (un malaise général, des soucis à propos d'une fille adolescente, etc.) et ça a été un soulagement de tomber sur votre long et brillant article dans un numéro récent de Comment, *à savoir « L'Histoire des dictionnaires ». Le sujet semblait d'une nouveauté exceptionnelle, et il était traité avec vigueur et irrévérence. J'aime moi aussi les mots et je passe mes journées de travail en quête de synonymes. La façon dont vous descendiez et remontiez d'un bond sur l'estrade du professeur était particulièrement divertissante, tantôt parlant sur un ton historique passionnant qui semblait sortir de la page, tantôt murmurant comme l'homme à la barbe frisée qui vient à notre bibliothèque municipale pour tenter d'écrire des romans, un thésaurus posé à côté de lui. De l'intimité, vous passiez à la grandeur, puis vous faisiez la navette entre les deux, tel un métronome merveilleusement réglé. J'ai admiré la méticulosité avec laquelle votre essai était construit et la façon dont il restait anecdotique, accessible, et enfin, adoptait le ton de la confession. Je n'ai que trop bien reconnu le moment où vous avez été tenté d'aborder certains de nos grands écrivains pour voir si oui ou non ils « cédaient à la tentation » de garder un thésaurus caché dans le tiroir de leur bureau, l'équivalent d'une flasque de whisky. John Updike, Saul Bellow, Richard Ford, Tom Wolfe, Anthony Lane comptent parmi les noms que vous citez : ces gens-là ne seraient-ils pas surpris qu'on leur demande s'ils utilisent ou non un dictionnaire ! Imaginez seulement leur précipitation déconcertée pour tenter de cacher le volume ! Et qui d'autre ? Calvin Trillin, William F. Buckley, Robert Lowell, Anthony Burgess, Julian Barnes.*

Une sacrée liste. Une liste de très grande qualité et aussi, vous en conviendrez, une liste assez médiocre. Je suis sûre que vous vous êtes aperçu en relisant vos épreuves que vous aviez négligé de mentionner Danielle Westerman, Joyce Carol Oates ou Alice Munro, mais peut-être était-il déjà trop tard. Je suis certaine que vous avez senti vos cheveux se dresser sur votre tête ; un petit personnage agiter un doigt réprobateur en disant : « Il manque quelque chose, M. Valkner ». Peut-être avez-vous lâché le nom de Sylvia Plath ? Il est de notoriété publique qu'elle utilisait bel et bien un thésaurus pour composer ses poèmes, ce qui semble assez choquant, quand on y pense. On n'imagine pas les poètes bondir de leur chaise pour aller consulter un outil mécanique, ce qu'est un thésaurus, en fin de compte.

Peut-être étiez-vous fatigué quand vous avez parcouru votre liste particulièrement testiculaire de victimes potentielles, énumérant des grands pontes de la littérature ; tenter d'instaurer une parité vous a peut-être semblé trop difficile ou une politique trop évidente. Mais avez-vous remarqué quelque chose d'encore plus significatif ? Il n'y a pas un seul nom de femme cité dans tout le corps de votre très long article (seize pages, doubles colonnes), dans aucun contexte, pas une seule fois. Comme si ces grands hommes littéraires étaient venus au monde par la grâce de leurs propres efforts. Tenir ce genre de comptabilité scrupuleuse est fatigant, et ennuyeux, mais votre voix, M. Valkner, et le support que vous avez choisi (le magazine Comment*) exercent une grande autorité. Vous comprendrez sans aucun doute que les femmes qui tombent même par hasard sous votre influence (*mea culpa*) sont destinées à subir un apprentissage d'autodénigrement.*

Cela expliquera mon abattement, et pourquoi je vous déballe mes sentiments. À quarante-quatre ans, j'étais une femme ayant l'impression que la société avançait et portant en elle le souvenir d'une foi en l'intégrité. Aujourd'hui, tout à coup, je la vois du point de vue de ma fille de dix-neuf ans. Nous essayons tous de comprendre ce qu'a Norah. Elle refuse d'occuper un emploi régulier. Elle a abandonné l'université, a renoncé à sa bourse d'études. Elle est assise sur un trottoir et vit de mendicité. Jadis passionnée de lecture, elle a renoncé à l'acte même de lire, et elle pense faire cela au nom de la bonté. Elle ne s'intéresse pas aux religions, ni aux cultes d'aucune sorte, ni à cette foi un peu condescendante dans les racines propres à chaque individu. Elle est trop préoccupée par son projet d'autodestruction. Il se réalise très lentement et en causant beaucoup de chagrin, mais je commence enfin à comprendre la situation. Ma fille Christine grince des dents la nuit, ce qui est un signe de stress. Mon autre fille, Natalie, se ronge les ongles. On pousse les femmes à se plaindre puis à demander du réconfort. Ce que veut Norah, c'est faire partie du monde entier, ou du moins avoir, l'espace d'un instant, le goût du monde entier dans la bouche. Mais elle ne peut pas. Alors, elle ne l'aura pas.

Cordialement,

Renata Winters,
The Orangery,
Wychwood City

Par conséquent

Ma fille vit comme un vagabond dans les rues de Toronto, mais malgré tout j'ai dû me faire livrer quatre mètres cubes de paillis d'écorce ce matin, pour un coût de 141,91 dollars, transport compris. Nous avons fait le dernier désherbage dans le jardin, et nous allons à présent répandre cette matière sombre au parfum boisé entre les arbustes et les plantes vivaces, l'égaliser au râteau de notre mieux, inhalant cette odeur légèrement étrange, à mi-chemin entre le pourri et le frais. D'ici au printemps, elle aura pénétré dans la terre, et toutes les petites échardes seront réduites en fine poussière.

Cette pensée largue une bombe métaphorique qui me fend le crâne en deux, si bien que je m'en débarrasse de ma façon habituelle. Je pense à autre chose, je fais autre chose. Immédiatement.

J'ai fait un chèque au livreur, un jeune garçon, avec un joli visage et de belles dents bien droites. J'ai été trop préoccupée pour prêter attention au calendrier ces derniers temps, et j'ai dû lui demander de me rappeler la date.

« C'est mon anniversaire, m'a-t-il répondu avec un large sourire. J'ai vingt-huit ans aujourd'hui.

– C'est un bel âge, ai-je dit (car qu'y avait-il d'autre à dire, en réalité ?)

– Ouais, c'est ce que je pense aussi. (L'amabilité faite homme.) J'espère qu'ils vont m'engager en CDI. (Il a fait un signe de tête en direction de son camion.) Comme ça, je pourrai quitter mon travail de livreur de nuit pour le *National Post*, et ce sera plus facile pour moi de voir ma copine, qui habite à Lake Inlet, et comme ça on pourra envisager de se marier et d'avoir une famille, ouais. »

Je voyais que si j'avais hoché la tête ou souri, il m'aurait tout raconté, la moindre petite vaguelette de pensée qui venait clapoter entre ses oreilles et le maintenait en vie. Quel pouvoir j'avais sur lui ! Je pouvais l'allumer et l'éteindre comme une radio ; j'en éprouvais une certaine honte. Il était là, debout, les bras croisés sur la poitrine, bouillant de révéler la chronique de sa vie et l'importance de ce jour si spécial pour lui (ainsi que tous ses espoirs, lesquels étaient somme toute dérisoires, si lamentablement dérisoires). C'est seulement quand il est retourné au camion que j'ai remarqué qu'il avait un problème aux jambes ; elles étaient tournées vers l'intérieur, les genoux se touchant de façon étrange, produisant des sursauts au lieu d'un pas régulier.

« Passez une bonne journée, vous aussi ! » m'a-t-il crié de sa voix outrageusement joyeuse.

Tom et moi avons répandu le paillis en fin d'après-midi. L'aspect net du résultat était satisfaisant, comme si nous avions rendu service à la terre. Nous nous sommes arrêtés pour observer la lutte de l'ombre et de la lumière sur les quelques feuilles restantes, puis nous sommes rentrés ensemble dans notre cuisine chaude et ordonnée, ce qui nous a fait l'effet d'une punition. Nous avions échoué dans notre tentative de mener une vie heureuse. Malgré nos soigneuses dispositions, nous étions sur le point d'être vaincus. Ceci en dépit de la douce odeur de tomate légèrement brûlée des lasagnes qui montait du four. Christine jouait du piano dans le salon, Mozart, absorbée pour une fois dans les répétitions de plus en plus pénétrantes de la musique. Natalie était vautrée par terre devant la télé, en jean. Tom s'est installé dans le fauteuil à côté d'elle, et Pet, qui sert volontiers de repose-pieds, semblait dire : N'est-ce pas le paradis ! Pourquoi ce n'est pas tout le temps comme ça ? Ils regardaient les informations de six heures, sans ferveur, sans enthousiasme, mais avec attention. Ils étaient aimables et groggy. Natalie regardait l'écran avec son air à la « que -sont-devenues-les-fleurs ? », tandis que Tom enregistrait vraiment ce qui était annoncé. Une élection fédérale avait été appelée sur l'insistance du Premier ministre, mais cette petite nouvelle, loin d'être inattendue, passait inaperçue à côté du duel Gore-Bush aux États-Unis. « Je ne l'aime plus », a dit Natalie d'un ton paresseux, couchée par terre. Elle voulait parler de Jean Chrétien. Elle s'était exprimée avec une âpreté presque masculine. « Il est pompeux. Grave. » Chris, dans la pièce voisine, s'est lancée dans une autre reprise de Mozart, sachant que dans une minute on l'appellerait pour mettre la table, et voulant me signaler qu'elle avait mieux à faire en se préparant pour son cours du lendemain. J'ai vérifié le four et dressé la table.

Sept heures. J'ai passé la main dans le four pour retirer l'aluminium des lasagnes, puis j'ai fermé les rideaux rouges de la cuisine, ce qui indique à ma belle-mère habitant à côté qu'elle doit enfiler son manteau et grimper la côte puis traverser la pelouse jonchée de feuilles pour venir dîner. Elle prend ses repas avec nous tous les soirs, et nous utilisons le signal des rideaux depuis près de vingt ans. Elle guettait depuis sa véranda sombre, attendait patiemment, le nez déjà poudré, un trait de rouge à lèvres appliqué, la vessie vidée, les clés de sa maison dans la poche, et il lui faudrait exactement quatre minutes pour parcourir la centaine de mètres qui monte jusqu'à notre porte de derrière, que je laisse ouverte. Pourquoi ai-je des rideaux rouges dans ma cuisine ? Parce que Simone de Beauvoir adorait les rideaux rouges ; parce que Danielle Westerman adore les rideaux rouges par respect pour Simone de Beauvoir, et que je les adore à cause de Danielle. Ils symbolisent, comme quasiment rien d'autre ne peut le faire, le confort domestique, le bien-être, la convivialité, le manger et le boire, ainsi que la famille.

J'ai posé le plat de lasagnes fumant sur la table avec une salade verte dans le vieux saladier en acajou du Brésil de ma mère, qu'elle avait acheté la fois où mon père et elle avaient assisté à une conférence à São Paulo. Quand était-ce ? Au début des années soixante-dix, quand j'étais jeune, et qu'on me laissait avec tante Judy.

« À table », ai-je crié. Puis, plus fort : « À table ! »

Ils sont bien éduqués. Mozart s'est éteint aussitôt sur une descente de clavier. Mamy Winters a franchi la porte avec un crumble aux pommes pour le dessert. Elle a enlevé son beau manteau d'automne en soupirant, comme d'habitude ces derniers temps, sans même dire bonsoir. La télé s'est éteinte, et nous nous sommes assis tous ensemble, Chris avec une casquette de base-ball à l'envers comme si elle cherchait à exaspérer sa grand-mère.

Nous flottions en plein amour familial ; je respirais cet air avec reconnaissance, malgré son mélange de désordre et d'approximation. En cette soirée d'automne, j'avais allumé des bougies dans la salle à manger, et nous étions assis comme une famille ordinaire, comme si notre petite planète suivait son cours, comme si les saisons allaient continuer; l'automne était sur le point de faire place à l'hiver et, dehors, le nouveau paillis, pareil à un manteau de molleton, protégeait et réchauffait le sol. La météo prévoyait de la neige, bien que ce fût seulement le mois d'octobre.

Natalie, qui prenait toujours la responsabilité des silences pendant le repas alors qu'elle était la plus jeune, parlait de son professeur d'histoire, M. Glaven, lequel avait dévoilé son homosexualité à la classe aujourd'hui.

« Tu parles d'une grosse surprise, a-t-elle dit, comme si on ne s'en doutait pas.

– Oh, lui ! a répondu Chris. Ça fait deux ans qu'on sait qu'il est homo. »

Mamy Winters a cligné des yeux, puis elle a attaqué ses lasagnes, déposant de tendres fourchetées de nourriture directement dans sa bouche. Elle est fière de son appétit mais ne l'avouera jamais. Qu'a-t-elle mangé aujourd'hui ? Tartines et café au petit déjeuner, tartines et thé au déjeuner. Pas étonnant qu'elle ait faim à la fin de la journée. Tom se sert en dernier. Ses mains tremblent. Quand cela a-t-il commencé ? Merci mon Dieu pour Chris, pour Natalie, pour leurs potins ineptes sur le lycée, leur empressement naïf à se lancer et à développer les petits détails du quotidien. M. Glaven qui s'est fait repérer dans un bar gay de Toronto pendant le week-end, en train de tenir la main d'un autre homme et de l'embrasser sur la bouche. « Oh non, pas sur la bouche ! » s'exclame Chris. Elles s'efforçaient de compenser l'absence de Norah, de maintenir le quotient de volubilité mais sans parvenir tout à fait à reproduire les réflexions murmurées de Norah ou son hésitation parfaitement dosée quand on lui posait une question. « N'oubliez pas la salade », leur ai-je rappelé, et cela a été ma seule réelle contribution à la conversation du dîner, un réflexe enchâssé dans mon rôle de mère, celle qui fournit la nourriture, qui sert des repas équilibrés.

Je pensais à Alicia, dans mon roman, qui a entrepris un régime sans féculents pour pouvoir entrer dans la robe de mariage taille 36 qu'elle a commandée. Quelle femme insipide. Qu'est-ce que Roman peut bien lui trouver ? Une telle vanité fatale, une telle absence de souffrance ! Ou alors, c'est que la souffrance ne l'a pas encore tout à fait atteinte. Celle-ci est restée coincée dans sa moelle, elle ne monte pas de sa chair jusqu'à la racine de son cerveau.

Soudain, il était clair pour moi que le mariage d'Alicia et Roman devait être reporté. Je comprenais désormais où se dirigeait le roman. Elle n'est pas faite pour avoir un partenaire. Son célibat est son paradis sur terre, il l'est depuis le début, et elle a été à deux doigts de le sacrifier, ou, plutôt, moi, en tant que romancière, j'avais été à deux doigts de l'en priver. Les invités devront être prévenus et les cadeaux renvoyés. Tous, Alicia, Roman, leurs familles, leurs amis, ils sont tous stupides, stupides. Le roman, s'il veut survivre, doit être repensé. Alicia progressera dans la compréhension de soi, et les pages s'accumuleront. Je recommencerai demain. Cette pensée palpitait dans ma gorge. Demain.

Le téléphone a sonné à ce moment-là. Un appel de New York, pour m'annoncer que mon éditeur, M. Scribano, était mort dans l'après-midi.

Ensuite

Ce cher M. Scribano était mort à l'hôpital, après avoir fait la veille une chute dans l'escalier. La petite cérémonie privée aurait lieu dans trois jours et il devait y avoir un hommage spécial dans le *New York Times Book Review* de la semaine prochaine. Quelqu'un du journal m'a téléphoné chez moi à Orangetown pour me demander comment je l'avais trouvé en tant qu'éditeur.

Je n'étais pas calme et certainement pas éloquente. J'ai expliqué que M. Scribano avait été l'éditeur de Danielle, et que Danielle m'avait orientée vers lui pour mon premier roman. J'avais eu de la chance qu'on me fasse cette *courte échelle**, et de pouvoir publier mon premier roman à plus de quarante ans. Comment l'avais-je trouvé en tant que collaborateur ? Nous ne nous étions rencontrés qu'à deux occasions ; nous nous étions parlé au téléphone peut-être une douzaine de fois ; nous correspondions de façon occasionnelle, irrégulière. J'avais signé un contrat en sa présence dans son vaste bureau meublé avec sobriété et excessivement lumineux situé au soixante et unième étage dans le centre de Manhattan. Il s'était excusé de ne pas m'inviter à déjeuner, une chose qu'on attendait des éditeurs, mais il avait l'habitude de se faire monter un sandwich par le traiteur du rez-de-chaussée à midi précis. Il était à présent midi. Est-ce qu'un sandwich ordinaire me conviendrait ? Oui, avais-je répondu, et quelques minutes plus tard nous mordions dans du pain de seigle compact, du fromage et de la laitue. Il mangeait avec délicatesse, prenait soin de ne pas laisser de miettes dans sa moustache, et il buvait son thé brûlant à petites gorgées minutieuses. Il avait un rire bref, sonore et naturel, et je voyais qu'il pouvait paraître séduisant aux yeux des femmes. J'étais assise sur un petit fauteuil. Il était assis dans son gros fauteuil de Papa ours.

Beaucoup plus tard, il avait soulevé la question d'écrire un second roman, une suite, même si je me souviens qu'il n'avait pas employé ce mot, et voilà que brusquement il était mort.

« Je l'admirais énormément », me suis-je entendue dire au téléphone, puis, de façon incompréhensible, « Je ne m'en doutais pas ».

Tom affirme que les gens qui tombent dans l'escalier ne meurent pas, en général. Ils s'en sortent couverts de bleus, et parfois avec un bras ou une jambe cassés. La mort se produit seulement si la tête heurte quelque chose de dur avec force ou sous un angle particulier, et toute la journée je n'ai cessé de penser qu'il aurait pu être encore en vie si seulement... si seulement il n'avait pas basculé en avant de façon irréversible, si seulement il n'avait pas insisté pour qu'il y ait un escalier nu sans moquette, si seulement sa tête n'avait pas heurté le gros bloc de granit qu'il exposait sur le palier, un souvenir d'une tournée de conférences en Italie dans les années cinquante.

Il était mort en quelques minutes sans souffrir, m'avait expliqué Adrienne, sa secrétaire, qui téléphonait pour me faire un rapport circonstancié, comme si cette information m'était due en tant que romancière primée de la maison d'édition. Oui, avait-elle dit, tous les auteurs de chez Scribano & Lawrence allaient être personnellement contactés et informés de sa mort, exactement comme l'aurait souhaité M. Scribano. Toutes les variables étaient réunies, avait précisé Adrienne : la désorientation dans la cage d'escalier sombre, la chute tête la première, l'arme de pierre qui attendait. Il se rendait sans doute à la cuisine pour se préparer une tisane, une potion aux herbes qui l'aidait à dormir.

Mais j'ignorais qu'il était perturbé, qu'il vivait seul, qu'il avait donné des conférences en Italie, qu'il avait des problèmes de sommeil; je ne savais même pas quel âge il avait, mais on me l'a dit, et par la suite je l'ai lu dans sa notice nécrologique. Il avait soixante-dix-sept ans. Sa mort n'aurait pas dû provoquer un tel choc. J'ai eu l'impression, en apprenant la nouvelle, que je ne continuerais pas le roman, que seul M. Scribano avait insisté sur ce projet et l'avait maintenu en vie. (Je savais qu'il n'y avait pas de M. Lawrence, que celui-ci était mort plusieurs dizaines d'années plus tôt, que son nom était conservé pour l'euphonie.)

La nouvelle de la mort de M. Scribano a été pire pour Danielle Westerman, qui le connaissait depuis plus de quarante ans, et qui m'avait laissé entendre qu'il avait été non seulement son éditeur mais aussi, pendant une brève période, au début des années soixante, son amant. Elle l'appelait par son prénom, Andreas. Elle a très mal pris la nouvelle. Bon nombre de ses amis sont morts au cours des deux dernières années. Quand son éditeur meurt, m'a-t-elle dit au téléphone, on comprend à quel point écrire est un artifice, en réalité. « Sans éditeurs, les écrivains ne sont rien d'autre que des dentelliers. »

Je ne partageais pas cette opinion, pas du tout, mais je n'avais pas l'énergie nécessaire pour me lancer dans une querelle. À vrai dire, mon inquiétude pour Norah occupait une telle part de mes soucis que j'avais du mal à éprouver un réel chagrin pour la mort d'un homme de soixante-dix-sept ans qui avait péri d'une manière assez insouciante. Ma peine pour M. Scribano a été brève, un deuil modeste ; elle est passée en quelques jours ; j'ai envoyé des fleurs pour l'enterrement, qui avait lieu à la cathédrale St. Patrick (cela m'a impressionnée !), j'ai écrit un mot à sa secrétaire (il n'avait pas de famille), puis je l'ai oublié, je l'ai sorti de mon esprit. Je n'avais pas plus de concentration pour la tristesse.

Danielle semblait stupéfaite par cette hiérarchie dans mes préoccupations ou ce qu'elle percevait comme ma dureté de cœur. « Une vie tellement extraordinaire. Une telle présence. Une contribution si remarquable. On ne pourra pas remplacer une personne pareille. »

Oui, ai-je répondu, mais il a vécu longtemps. Ce que je voulais dire, c'était qu'il avait eu plus que ce que Norah aurait jamais.

Début novembre : je déteste cette période de l'année. Matins sombres, lanternes de Halloween cassées sur la route. L'hiver est plus dur, pensais-je sans arrêt, mais plus dur que quoi ? La neige se précipite dans la lumière des phares. Les arbres, tous dénudés, divisent le ciel en segments. Un mercredi court, sans soleil, l'air étalé de toute part comme des draps de mousseline.

Le mercredi, je vais à Toronto. Ce n'est pas aussi facile qu'il y paraît. Je me réveille à six heures du matin. Je prends une douche, je m'habille et je tire mes cheveux en arrière. Je réveille Chris et Natalie, fais remarquer à Tom une tache sur son pull.

Petit déjeuner : café pour Tom et moi, thé pour les filles. Pain grillé, beurre, confiture. Miettes autour du grille-pain. Assiettes et tasses dans le lave-vaisselle. Je dis aux filles de se dépêcher pour ne pas manquer le bus scolaire. Natalie n'a rien mangé, combien de temps peut-elle survivre en buvant du thé au lait? Je serre les filles contre moi. Leur souhaite bonne chance pour ce qui les attend : interrogation de maths, TP de chimie, basket. Je débranche la cafetière. J'aide Tom à trouver son agenda, qui est sous le courrier d'hier. Bisou, bisou, et il est parti. Je laisse sortir le chien quelques minutes. Téléphone à la mère de Tom pour voir si elle a bien dormi. Vérifie la température, moins dix. Finalement, je sors la voiture du garage en marche arrière, et pars pour Toronto.

Le trajet n'en finit pas, il est répétitif, de la couleur du ciment. Il faut une heure; il est à présent dix heures et demie, et je me gare près du carrefour de Norah.

Je fais plusieurs fois le tour du pâté de maisons devant lequel elle est assise, en essayant de rester à une certaine distance. Je ne veux pas la menacer d'une façon quelconque. Oh, mon amour, qu'est-ce qu'ils t'ont fait? Son visage : je n'ose pas m'approcher assez près pour voir son visage nettement, mais ce que j'imagine, c'est un désespoir passif, un mélange de mépris et d'indifférence qui projette du silence mais qui est prêt à incinérer tout ce qu'on lui offre. Par ce temps oppressant – neige dans l'air, vent soutenu –, elle est plus isolée que jamais. C'est un coin de la ville agité, fiévreux, un quartier de voyous, pauvre et solitaire. De l'autre côté de la rue, il y a *Honest Ed*, un immense discount excentrique aux sols irréguliers ne proposant que des articles en soldes, des pinces à linge aux postes de télé. Mais la position de Norah exclut tout ce qui l'entoure, comme si rien n'était réel à part sa tête et son cou baissés. Le fait qu'elle ne me voie pas – que je ne sois pas vue – est étrangement réconfortant, comme si je lui donnais quelque chose de précieux, alors qu'il ne s'agit en fait que de mon angoisse permanente, résolue, inutile. J'erre dans les magasins du quartier et l'observe à travers les vitrines. Je fais des allées et venues dans la rue et compte combien de personnes passent devant elle, combien lui donnent une pièce ou deux. Parfois, j'ai l'impression qu'elle sent ma présence. Quand je finis par m'approcher d'elle avec un colis de nourriture, elle ne lève pas les yeux.

À midi, je me rends à l'appartement de Rosedale où habite Danielle Westerman et je mange de petits sandwiches à une table dressée dans sa véranda, de magnifiques sandwiches au crabe, à l'artichaut, au poulet, préparés par un traiteur. Ces temps-ci, je suis presque la seule personne à lui rendre visite. Une belle nappe recouvre la petite table, et des petites serviettes très féminines, nettoyées par un professionnel, se dressent en cônes raides. Nous buvons du thé très fort dans des verres russes ; c'est l'un des maniérismes de Danielle. Ses cheveux ont été teints si souvent qu'ils sont devenus un doux turban rouille et violet. L'une de ses mains touche ses cheveux, qui s'échappent de leurs barrettes et menacent de lui tomber dans les yeux. Autrefois, il y a des années, elle coiffait ses cheveux lissés en arrière et retenus en un chignon brillant, ce qui est la façon dont je me coiffe aujourd'hui ; un hommage (et pas du tout inconscient) à la jeune Danielle, à l'ancienne Danielle, cette femme-enfant vibrante qui avait réinventé le féminisme. Aujourd'hui, elle porte de minuscules chaussures blanc et or qui ressemblent à des pantoufles, et ses jambes nues sont très marquées d'ecchymoses et de taches. Sa jupe et son cardigan gris font partie de son uniforme quotidien, et c'est ainsi depuis des années. Où trouve-t-elle des cardigans aussi affreux ? Je m'émerveille du nombre d'années emprisonnées dans son corps, de tout ce qu'elle a vu et pensé, de tous les mots qu'elle a alignés sur la page, du temps qu'elle a enduré, des amants qu'elle a rencontrés, des souffrances pendant la guerre. Nous parlons du quatrième tome de la traduction, dont je ne m'occupe pas, à sa grande consternation, puis après quelques instants nous discutons des problèmes d'Alicia et Roman dans mon nouveau roman, qui est enfin sur la trajectoire qu'il devait suivre. Nous levons nos verres pour la millième fois à M. Scribano, et Danielle se demande pour la millième fois si Scribano pouvait être son véritable nom ou s'il l'avait adopté quand il avait trouvé sa vocation. Je me lève enfin, me penche pour serrer son corps fragile contre moi, et insiste pour qu'elle ne me raccompagne pas jusqu'à la porte. Je vois qu'elle est en train de piquer du nez.

Ensuite, je passe une fois de plus lentement en voiture devant Bloor et Bathurst avant de me diriger vers l'autoroute et de reprendre le chemin de la maison, cherchant ce valeureux corps familier dans son caban bleu marine, cette tête baissée, enroulée à présent dans une écharpe, m'autorisant ce plaisir facile auquel les gens ont recours quand rien ne s'est amélioré mais qu'au moins rien n'a changé. Toujours là. Toujours là. Un réconfort hésitant qui contrebalance la gravité de l'affliction. Je me moque que la voiture derrière moi klaxonne impatiemment. Je prends mon temps.

Malgré

Tom et moi faisons encore l'amour (l'ai-je déjà dit?) même si notre fille aînée vit dans la rue, telle une épave. Cela se produit une ou deux fois par semaine. Nous sommes en fait allongés ensemble sur notre grand lit; il est minuit, la maison est silencieuse, nos visages sont près l'un de l'autre, le creux feutré et chaud sous la mâchoire de Tom contre ma joue, son souffle. Devant la familiarité de son corps, je demeure immobile, comme si je guettais un signal. Il tend la main vers moi; je réagis, parfois lentement, ces derniers temps très lentement. Des spirales de transcendance dérivent en moi tels des brins d'ADN, s'élevant toujours vers le haut. Concentre-toi, concentre-toi; oui, la concentration aide. Bientôt, nous nous balançons ensemble comme un couple de fous asthmatiques et, après, l'un ou l'autre se met à pleurer. Parfois, nous pleurons tous les deux. Notre besoin persistant de sexe repose entre nous comme quelque chose que nous n'osons pas ramasser. C'est comme si nous avions lutté pour pénétrer dans une chambre calfeutrée où la capacité de souffrir aurait disparu. Le bourdonnement dans nos oreilles est notre propre histoire, et ce bourdonnement ne s'arrête jamais.

Est-ce que nous nous aimons encore ? Sûrement, puisque nous faisons encore l'amour après plus de vingt ans. Bien sûr, nous avons nos querelles, mais jamais rien d'irréversible. La question de l'amour n'est pas pertinente dans notre cas, pas pour le moment. Elle peut être remise à plus tard. Nous vivons à l'abri l'un de l'autre ; nous nous emboîtons. Nous sommes ensemble après tout ce temps ; voilà ce qui compte. Quand nous allons nous promener tous les deux, il me tient par le bras, et sa main tient la mienne. Comme je mesure plusieurs centimètres de moins que lui, cela exige que je relève légèrement l'épaule et que lui se voûte un peu. Nous nous emboîtons de cette manière. La partie sexuelle de notre vie est aussi une question d'ajustement et d'accommodation minutieux. Nos habitudes sont si familières ; elles sont comme l'intérieur de deux maisons sans rideaux, la nuit, un coin rassurant baigné d'une lumière familière, l'angle d'une corniche de plafond bien connu, un mur de livres, le haut d'un fauteuil à oreillettes, toujours là, dans la même disposition.

« Comme c'est étrange, lui ai-je dit après des ébats amoureux particulièrement agressifs (mi-novembre, la nuit de la première vraie tempête de neige de la saison).

– Étrange ?

– Qu'on continue à faire ça.

– Je sais.

– De la même façon qu'on entretient le jardin.

– Et qu'on paie les factures.

– Tu arrives à oublier, Tom ? Dis-moi. Est-ce que tu arrives parfois à l'oublier ? »

Un silence, puis :

« Je ne crois pas. Pas complètement. Jamais. Et toi ?

(Je l'aime vraiment. Quand je lui pose une question, il me la pose à son tour.)

– Non. »

Nous avons dû sombrer dans le sommeil après cette conversation. (Alors, voilà : nous faisons régulièrement l'amour et nous arrivons, la plupart du temps, à dormir. C'est presque de la négligence de notre part, pour deux parents qui ont le cœur brisé ; pourtant, d'après les apparences, nous sommes capables de continuer nos vies.)

Une centaine d'éléments de la culture d'aujourd'hui me révoltent, particulièrement l'irresponsabilité facile des gens qui revendiquent le droit à la « spiritualité », mais je demeure à jamais reconnaissante pour la belle époque d'agitation et de libération dont Tom et moi sommes issus, les années soixante-dix. « Être jeune, c'était le paradis même », chantait le vieux Wordsworth, et nous avions ce paradis, un avant-goût de celui-ci, en tout cas, son *authenticité*. Nous avons fait l'amour le soir où nous nous sommes rencontrés, Tom et moi ; étudiants tous les deux, nous étions assis côte à côte à un rallye pour les droits de l'homme dans Nathan Phillips Square, à Toronto. Nous nous sommes mis à discuter, puis à marcher dans les rues du centre-ville, puis nous sommes allés à l'appartement de Tom, dans Davenport, avec son canapé marron aux coussins de velours qui sentaient mauvais, dont chacun avait un gros bouton brun dur au centre. Je n'ai pas téléphoné chez moi. Je n'ai pas téléphoné à la résidence universitaire. C'était une époque où je ne semblais pas vraiment jouir d'une véritable vie, et tout à coup j'étais là, étendue à côté d'un homme que je venais de rencontrer. Deux étrangers collés l'un à l'autre dans une période où l'on criait qu'il fallait sauver la planète. La main de Tom était restée sous mon sweat-shirt depuis le centre-ville de Toronto. Je prenais la pilule, il n'y avait pas à discuter, rien n'aurait pu nous arrêter, nous avions l'impression de voler. Je me souviens, après, d'avoir étudié son visage, pour tenter de voir ce que la passion avait accompli, et regrettant juste l'espace d'un instant le fait qu'il n'y aurait plus, qu'il ne pourrait plus y avoir un autre événement à la hauteur de celui-ci, pas même si je devais vivre jusqu'à cent ans.

Notre vie ne nous « tombe » pas vraiment dessus; nous tendons à nous élever vers l'invention, l'adaptation. C'était le printemps. J'étais « amoureuse ». Mais je poursuivais mes études (j'étudiais à présent le francique ancien) et, parmi ces voyelles étranges et ces consonnes floues, j'ai tourné une vaste portion de ma vie vers cette personne, ce Tom Winters. Le son des années soixante était « dou-ouap ». Mais les années soixante-dix disaient : foyer, fondez un nouveau foyer, créez un foyer à vous, habillez-vous dans des tons chauds, couleur terre, retournez à la terre, prenez racine dans votre vie. Les gens recommençaient à faire des bébés.

À différentes reprises, j'ai parlé à chacune de mes filles de la contraception. Norah, à dix-sept ans, a posé une main sur mon poignet et m'a dit avec un sourire : « Je sais déjà. » Chris a ri et répondu mystérieusement : « Ok, ok, j'ai pigé. » Natalie (c'était il y a un an seulement, quand elle avait quatorze ans) a répondu en baissant le menton : « Y a pas de souci, je m'en occuperai quand le moment viendra. »

Mais je dois commencer à penser sérieusement à la vie sexuelle d'Alicia et Roman. Je dois me montrer plus courageuse cette fois-ci. Une horrible délicatesse de jeune fille imprègne les pages de *My Thyme Is Up*, une pruderie qui n'a rien à voir avec le sexe du XXIe siècle. Ils *couchaient* ensemble, Roman et Alicia. Ils fondaient dans les bras l'un de l'autre, le corps luisant et sucré. Ils avaient bel et bien cherché à atteindre une harmonie céleste lors de leur premier rendez-vous. Il n'y avait pas eu de geste maladroit avec des préservatifs, ni d'un côté ni de l'autre, pas de culpabilité, pas de comptes actuaires, pas de position trois, quatre ou cinq soutenue à l'aide de poutres et de cordes, seulement deux corps humains qui montaient et descendaient en bourdonnant la gamme musicale de la peau, des os, des plis, des ombres, d'une façon propre, chantante et bêtement comique. Mais les véritables sécrétions corporelles de l'amour étaient absentes. On devinait que rien de tout cela n'avait coûté d'effort quelconque. On entendait à peine respirer Alicia et Roman. Leurs baisers avaient une saveur de récurage, comme du savon et de l'eau. Accessibles. Décents ! Fin prêts pour l'extase mais incapables de l'atteindre. L'étincelle était là, et Alicia et Roman étaient bien disposés. Peut-être ne maîtrisaient-ils pas suffisamment ce lâcher-prise qu'exigent les bons ébats amoureux, le désir et puis le retrait du désir.

D'autres écrivains savent évoquer des scènes de sexe hautes en couleurs. Ils établissent une chronologie, d'abord le langoureux déshabillage, un slow, peut-être, sur un vieux disque de Sinatra, puis les mordillements, les frottements, les suçotements, les odeurs, les goûts, les ordres aboyés et les cris de capitulation, oui, oui, et puis, enfin, « il la pénètre ». *Eh bien, entre, mon bon ami, et mets-toi à l'aise.*

J'ai trois filles ; naturellement, je redoute l'idée de les embarrasser avec mes publications. Les gens d'Orangetown dévisageront Tom si je déraille et que je fais entrer en scène des fouets, du cuir et des choses semblables ; ses patients, soupçonneux, iront peut-être consulter d'autres médecins. C'est ce que je ferais, en tout cas. De plus, je ne sais pas tant de choses que ça sur les déviations sexuelles. Mon imagination tend à ne pas dériver dans cette direction.

Eh, décoincez-vous, Mme Winters !

Le langage du sexe est affreusement galvaudé, voilà le problème. Nous l'avons tous appris au cinéma, et c'est le cinéma qui l'a inventé. *Fais-moi n'importe quoi. Prends-moi. Comble-moi. Je jouis. Comment c'était pour... ?*

Je ne peux pas, je ne peux pas. Je suis prise de dégoût, pas pour le sexe, mais pour le vocabulaire du sexe. Par ailleurs, les romans grand public ne se prêtent pas à un exposé progressif sein-pénis-vulve-clitoris-anus. Alicia est une femme sensuelle qui comprend son corps, mais qui ne s'étend pas sur le sujet de ses poils pubiens. Les poils pubiens ne sont pas à leur place dans ce genre de littérature. Roman a le droit d'avoir un côté athlétique au lit ; un homme qui joue du trombone, après tout, en sait long sur la façon de darder sa langue et sur les questions d'embouchure. Alicia et Roman veulent tous les deux, ils désirent tous les deux. Un mot ridicule, désir. *Tu désires quelque chose* ?* Effacer.

Mais ils veulent de la tendresse autant qu'ils veulent de la passion, ils réclament la caresse duveteuse de la délicatesse, de la douceur. Ils aspirent (et c'est ce que je n'arrive pas à faire accepter à mon traitement de texte) à être attachés l'un à l'autre, charitables, doux et cléments. À être beaux tout nus aux yeux l'un de l'autre.

Et à présent, en ce jour de novembre, ployant sous le vent et l'inquiétude, pendant que les arbres agitent leurs branches dénudées devant ma fenêtre, j'éteins mon ordinateur pour la journée, rechignant à cette heure – cinq heures, déjà nuit – à leur donner ce qu'ils n'ont pas l'intelligence de définir.

Sur ce

Au début de chaque mois, désormais, je m'assois au bureau de Tom et je libelle un chèque à l'ordre du *Promise Hostel* de Toronto. Je m'autorise à verser quelques modestes larmes pendant que je plie le chèque et le mets dans une enveloppe, la ferme, et écris l'adresse de Bathurst Street. Je pleure encore en collant un timbre, je pleure encore en descendant la route jusqu'à la boîte aux lettres. Les larmes expriment ma gratitude vis-à-vis de l'extrême bonté de la congrégation anglicane de Toronto qui, il y a quelques années, a transformé une école du voisinage en refuge pour les sans-abri. D'où est venue une telle bonté ? Je sais qu'il a dû y avoir des réunions de comité interminables, un appel de volontaires, la création d'un conseil officiel, des repas pour lever des fonds, des confrontations avec le conseil municipal et les résidents locaux, toute cette inévitable paperasse et cette bureaucratie qui vont avec chaque projet d'initiative publique ; mais où a commencé la bonté, le germe de la bonté, l'idée originelle d'offrir le gîte et le couvert à des inconnus ?

En suivant l'exemple du Christ, pourrait répondre la communauté anglicane, même si j'en doute en ces temps œcuméniques. Il est plus probable que ce soit une question de responsabilité sociale, mais même cela revient à délicatement associer ce qui est, en réalité, une puissante marée de vertu montant des veines d'hommes et de femmes qui ne seront guère récompensés, ni même reconnus pour leurs efforts. Frances Quinn, la directrice, est payée, mais les dortoirs du *Promise Hostel* sont balayés et lavés par des gens qui font la navette entre le foyer et leurs bureaux, leurs adresses professionnelles, leurs maisons à plusieurs millions de dollars dans Forrest Hill, Rosedale ou l'Annex. Ces mêmes gens, qui chantent des litanies à l'église, font aussi la lessive, nettoient les vitres, ramassent l'urine et le vomi, et préparent des centaines de tourtes au poulet dans l'immense cuisine en sous-sol.

Dès que nous avons découvert où Norah passait ses nuits, nous nous sommes rendus sur place, Tom et moi, avec Chris et Natalie. Nous avons téléphoné au préalable. C'était un samedi après-midi, au début du mois de mai dernier. Il pleuvait à seaux depuis une semaine et, quand nous sommes arrivés dans le centre-ville, deux hommes étaient accroupis sur le toit, en train de réparer un trou. À l'intérieur, Frances Quinn était au téléphone, mais elle a fait signe à un bénévole, un homme d'une cinquantaine d'années, de nous faire visiter les lieux. Il nous a montré, sans la moindre manifestation de piété réprimée, la petite chapelle qui se trouvait au rez-de-chaussée, ainsi qu'un dortoir pouvant accueillir vingt femmes, une rangée de lits de camp, bien nets, un mur de casiers et une salle de bains commune. Norah habite ici, me suis-je dit, elle dort dans cette pièce. Une serviette de toilette propre était pliée au pied de chaque lit. La salle était immaculée, mais des grains de poussière flottaient néanmoins dans les rayons de lumière qui venaient des fenêtres, le genre de poussière qu'il est impossible de supprimer. Le plancher nu craquait sous nos pas. Quarante hommes dormaient à l'étage dans un dortoir semblable. Au sous-sol, il y avait la cantine et la cuisine, où quatre femmes étaient réunies autour d'une table industrielle en bois et en acier, élaborant ensemble une liste quelconque. Elles semblaient cordiales, gaies, simples, parfaitement à l'aise, et chacune d'elles portait un tablier de barbecue noir où était imprimé le mot *PROMISE*, « promesse ». Les dons de nourriture étaient livrés par l'entrée de service, nous a expliqué l'une d'elles ; aujourd'hui, elles avaient reçu un carton de tomates en boîte, toujours les bienvenues, et il y avait de nombreux dons de la part d'hôtels et de restaurants du centre-ville, même si ceux-ci étaient souvent faits à la dernière minute et exigeaient de la créativité de la part des cuisiniers volontaires qui arrivaient sur place à quatre heures de l'après-midi. Une odeur de pommes de terre et de moisi persistait dans les coins de la pièce, mais toutes les surfaces étaient parfaitement récurées. Une autre odeur, de produit vaisselle ou d'un détergent plus fort, perçait dans l'air. Les femmes racontaient qu'elles passaient énormément de temps à se demander comment ramollir du pain de la veille – elles avaient plusieurs astuces – et, pour une raison quelconque, évoquer cela leur a fait piquer un fou rire qu'elles étaient seules à comprendre. Elles nous ont montré le nouveau poste de télévision installé dans la cantine, un cadeau d'une grosse compagnie immobilière de la ville. Les portes du foyer ouvraient à six heures le soir ; cinq heures pendant les mois d'hiver. L'extinction des feux se faisait à onze heures et tout le monde était censé être dans la rue à huit heures et demie après un petit déjeuner chaud. L'alcool et la drogue n'étaient pas autorisés mais, bien sûr, certains enfreignaient le règlement. À l'étage, une femme jouait du piano et chantait d'une voix enjouée : « Es-tu las, te languis-tu ? » Elle a répété ces deux premières phrases plusieurs fois, s'arrêtant pour recommencer. À ce moment-là, Christine a glissé sa main dans la mienne, comme une petite fille.

Après la visite, nous sommes retournés à la voiture et nous sommes montés à l'intérieur. Il pleuvait encore. Les filles, sur la banquette arrière, étaient silencieuses. Je ne pouvais pas supporter l'idée de tourner la tête pour les regarder. Tom était assis au volant avec sa ceinture de sécurité, mais il n'a pas démarré tout de suite. Nous sommes restés assis à regarder la pluie ruisseler sur le pare-brise. Nous regardions la longue rue étroite bordée de maisons avec leurs petits jardins et leurs poubelles de recyclage bleues. Les arbres de la ville commençaient tout juste à avoir des feuilles, de ce vert pâle vaporeux que j'aime tant. Du bout des doigts j'ai effleuré légèrement le genou de Tom. Il a fait un geste brusque, se couvrant le visage dans les mains. À l'arrière, Natalie s'est mise à sangloter, et nous l'avons tous imitée.

Malgré

Je continue, malgré tout, à travailler sur mon roman. Il y a toujours des décisions à prendre. Est-ce qu'Alicia a un chien, un chat, ou rien du tout ? Je me décide pour un chat baptisé Chestnut. Un vieux chat borgne. Alicia n'est pas une véritable inconditionnelle des félins, cependant ; elle néglige Chestnut et Chestnut le sait.

La secrétaire de M. Scribano a téléphoné pour m'annoncer avec le plus grand sérieux à quel point ils étaient impatients de voir mon manuscrit et à quel point M. Scribano comptait dessus pour illuminer le catalogue de l'année prochaine. Ils aimeraient pouvoir le mentionner dans le catalogue de printemps : juste le titre et une brève description. Une accroche, elle appelle ça. Il n'y avait aucune raison de craindre que la mort de M. Scribano mette en danger une maison aussi ancienne et bien établie. Un nouvel éditeur allait être nommé. Elle promettait de me tenir au courant.

Nous continuons aussi à écouter les informations. Tom et moi avons des opinions sur l'actualité, que nous exprimons, même si nous savons à quel point le déroulement des événements politiques est inconséquent. Les gens entrent et sortent du monde, voilà les véritables nouvelles. Le reste est un résidu, une croûte abandonnée dans les replis de l'œil ou de la bouche. Le résultat des élections américaines a déconcerté tout le monde. Dans cette grande nation gangrenée, la décision présidentielle s'est en fait réduite à deux cents personnes habitant dans l'État de Floride. Deux cents personnes ; elles pourraient toutes tenir dans la bibliothèque municipale d'Orangetown, serrées épaule contre épaule. Comment est-ce possible ? Qu'est devenue la vieille et fière Constitution américaine avec son système de balances et de contrepoids dont elle s'enorgueillit ? Janet Reno passe à la télévision pour s'exprimer sur le fait que chaque vote compte réellement et que cela prouve le bon fonctionnement de la démocratie. Mais attendez une minute. Elle ne fonctionne pas, cette démocratie, Mme Reno. Ça mérite discussion, tous ces bavardages autour des perforations et indentations litigieuses sur les bulletins de vote magnétiques. Natalie cherche *indentation* dans le dictionnaire et, oui, le mot est bel et bien là, il est là depuis toujours. « Un bon mot, mais trop long pour le Scrabble », déclare Chris.

Elles révisent toutes les deux pour leurs examens. Le fait que leur sœur aînée mène une vie d'épave ne veut pas dire qu'il n'y aura pas d'examens. Français, histoire, maths, sciences du langage. Ceci est monstrueux : le fait que les examens soient programmés, que George W. Bush existe, que M. Scribano soit tombé dans l'escalier, que les gens réservent des vols pour leurs vacances de Noël, que Danielle Westerman m'accuse de ne pas éprouver assez de chagrin, que je sois calmement en train d'essuyer les plans de travail de la cuisine après un dîner composé de hachis Parmentier et de salade d'épinard, alors qu'au même moment je trame ce qu'Alicia va dire à

Roman sur la nécessité d'annuler le mariage ; j'observe qu'il neige dehors, que les congères dressent d'épais murs sculptés contre la façade nord de notre maison, et Tom s'installe dans son fauteuil préféré avec un nouveau livre sur les trilobites arrivé au courrier de ce matin. Le vent souffle en permanence. Je suis toujours moi, même s'il est de plus en plus difficile de prononcer ce simple pronom en gardant mon sang-froid.

Tout le temps

Au début, nous avons pensé que le problème de Norah était un problème de petit copain. Ben Abbot n'est pas encore un homme, avec son visage de garçonnet et son allure dégingandée ; c'était ce qui plaisait à Norah au départ, je présume, la maigreur parfaitement innocente de ses épaules, de son cou, de ses côtes saillantes à peine recouvertes de peau, au-dessus de son jean. S'il avait une aura, elle serait colorée par l'état de béatitude. À trente ans, il aura acquis souplesse et maturité sexuelle, mais à présent il est tout en nerfs et en vivacité, et il semble toujours prêt à être gêné par son propre corps, considérant la maladresse de celui-ci comme un cadeau de la jeunesse. Je ne l'ai jamais vu se renverser dans un fauteuil, détendu. Il se perche, l'œil aux aguets, la bouche à peine entrouverte, la bouche d'un garçon avide, observateur.

Nous vivons dans une période où l'enfance est longue, et personne n'attend de l'héroïsme de la part d'un gamin de vingt-trois ans encore étudiant, qui continue de recevoir des chèques mensuels de ses parents vivant à Sudbury, et qui habite toujours dans un appartement d'étudiant désordonné. Ses notes en philosophie sont remarquables. Une tâche plus dure l'attend, mais il semble aveuglé par les ténèbres que le travail représente réellement, et prêt à repousser aussi longtemps que possible l'idée de passer un doctorat, puis peut-être d'occuper un poste de chercheur.

Norah l'a rencontré à la soirée d'un ami peu après ses dix-huit ans, et il a tout de suite été attiré par elle. Norah était intelligente, jolie et séduisante. Il suffisait de la regarder pour savoir qu'elle faisait partie des gens privilégiés. C'est comme ça que vivent les gens privilégiés : ils appartiennent à une famille aimante, bénéficient d'une éducation de qualité, sont reconnaissants plutôt que gâtés, capables de placer leurs points de repère en dehors d'eux-mêmes si bien qu'ils échappent à la névrose, s'intéressent aux livres, aux chevaux, au basket, au piano ou même à la cuisine. Les gens privilégiés ne sont pas obligés de cultiver la ruse. Le bon sens et l'équilibre leur sont naturels. Quand ils sont finalement confrontés à la vie sexuelle, ils l'acceptent comme une greffe, comprenant tout de suite qu'il s'agit d'une offrande et de l'un des plus beaux cadeaux qu'ils pourront recevoir.

Ben et Norah se sont vus deux ou trois fois, et ensuite ils sont devenus inséparables.

Après la disparition de Norah, après ces jours d'avril effrayants où nous avons découvert qu'elle avait établi résidence à l'angle de Bathurst et Bloor, je suis allée voir Ben. Tom et moi étions fous d'inquiétude, et Ben semblait selon toute logique la personne à aller voir. Je n'ai pas téléphoné avant ; je suis simplement allée à Toronto, j'ai garé la voiture dans une petite rue, et j'ai appuyé sur la sonnette de son appartement en sous-sol.

Pourquoi un jeune homme de vingt-trois ans serait-il à la maison au milieu de l'après-midi, à trois heures? Qui sait, mais il y était. Il est venu ouvrir la porte avec un air ébouriffé, comme si je l'avais tiré de son sommeil. Nous ne nous sommes pas serré la main ni rien. Nous nous sommes juste regardés droit dans les yeux. Ensuite, il s'est écarté maladroitement en me faisant signe : entrez, entrez.

Une brume flottait dans l'air et seule un peu de lumière naturelle pénétrait par les minuscules fenêtres situées au niveau de la rue. La pièce était intemporelle; ça aurait pu être un appartement d'étudiant de ma propre génération, un endroit plein de vinyle déchiré, de tissu chenille usé, de posters scotchés aux murs, de piles de livres et de papiers, de tourbillons de poussière. Il s'est laissé tomber dans le vieux divan affaissé de l'Armée du Salut, a posé ses coudes sur ses genoux, joignant le bout de ses doigts, ces doigts arrondis, soignés, dont l'aspect curieusement charnel m'avait frappée lors de notre première rencontre.

Je me suis surprise à regarder Ben d'un air désapprobateur, cherchant à repérer ses meilleurs sentiments, puis je me suis dit : il est jeune et il vient de goûter à la déception; il a une petite amie qu'il aime ou n'aime pas, et qui l'a quitté pour aller vivre dans la rue. Ils ont investi l'un dans l'autre plus d'un an de sentiments, de fusion, de fantasmes. C'est bon pour les vieux grincheux, pas pour un jeune homme avec un désir de satisfaction de jeune homme et la conviction qu'il obtiendra ce qu'il mérite. Il a abordé l'amour avec l'émerveillement et la gratitude de la jeunesse, pour s'apercevoir ensuite qu'on le lui avait retiré brutalement.

« Elle a changé, m'a-t-il dit. En quelques semaines. Fin janvier, février, mars. Elle était irascible. Ensuite, elle est devenue silencieuse. Son professeur, le docteur Hamilton, elle le détestait pour je ne sais quelle raison. Je lui ai demandé ce que ce type lui avait fait, s'il lui avait fait des avances ou quelque chose comme ça, et elle était furieuse que j'aie pu penser une chose pareille, que ce soit ce qui m'était venu à l'esprit, une histoire de sexe. Elle a commencé à me lancer ces... vous savez, ces longs regards durs. Des regards inquisiteurs. Comme si elle s'était subitement aperçue que j'étais un connard, ou un truc comme ça. Ensuite, elle est partie. Un après-midi, la semaine dernière. J'ai cru qu'elle était simplement allée chez *Honest Ed*, mais elle n'est jamais revenue. La plupart de ses affaires sont encore ici. Elle a cessé d'aller en cours en mars, elle se contentait de traîner dans l'appartement, lisait, ou restait là le regard perdu dans le vague. Je vous aurais bien téléphoné après son départ, mais je pensais qu'elle était rentrée chez elle, qu'elle était avec vous. Elle pensait au bien et au mal, au tort qu'on faisait à la terre, ce genre de chose. Et ensuite, il y a à peine deux jours, une fille que je connais m'a dit qu'elle avait vu Norah faire la manche à l'angle de Bathurst et Bloor, et je n'arrivais pas à y croire. J'y suis allé et je l'ai vue : elle était avec cet écriteau, assise sur le trottoir. Je suis allé vers elle et je lui ai dit : "Qu'est-ce que tu fais, Norah, qu'est-ce que ça veut dire ?" »

Je l'ai regardé se renfoncer dans les coussins déchirés du canapé, et il s'est mis à sangloter sans retenue. Il a mugi pendant si longtemps et de façon si éloquente que je ne l'oublierai jamais. Des larmes ruisselaient sur son visage, et il ne faisait aucun effort pour les essuyer. Ses mains étaient ouvertes inutilement sur ses cuisses revêtues de jean. J'avais envie de lui caresser la main mais je ne pouvais pas, je ne l'ai pas fait. Je savais que ce n'était pas sa faute, à ce pauvre gamin, mais je me suis sentie me durcir. J'ai senti une forte vague de rancœur monter en moi.

Je suis simplement restée assise là à le regarder pleurer. J'ai senti mes espoirs s'effondrer et m'écraser sous leur poids. Je savais désormais que c'était vrai. Je ne pourrais rien faire pour sauver Norah d'elle-même.

Suivant

Quel âge a Alicia, l'héroïne de mon roman ? Cette question est critique. Elle vit dans la grande ville de Wychwood. Elle est assistante de rédaction pour un magazine de mode. Elle est fiancée à Roman, trente-huit ans, et le mariage est prévu dans deux semaines. C'est son second mariage, et elle a vécu pendant de courtes périodes avec deux autres hommes. Je veux qu'elle reste sérieuse et intelligente, et pourtant encore assez jeune pour susciter de la passion. Elle est pleine d'entrain plutôt qu'effrontée, une femme lucide qui comprend déjà que l'univers est d'une insuffisance suprême. Elle avait trente-quatre ans dans le premier roman, il y a deux ans, si bien qu'elle en a trente-six dans celui-ci. La quarantaine approche, et elle en est parfaitement consciente, sans en être effrayée. Elle dépense peut-être trop d'argent en produits cosmétiques haut de gamme, même si elle sait qu'il s'agit d'une grosse arnaque Il y a quelque chose d'hermétique dans son caractère, mais elle ne le sait pas vraiment, pas encore.

Est-ce qu'elle raconte sa propre histoire ? En d'autres termes, va-t-il s'agir d'un roman à la première personne ? Oui. Pour la bonne raison que *My Thyme Is Up* employait la première personne, et qu'une suite doit être logique dans ces domaines. Sa voix est ironique et railleuse, relâchée mais d'une intimité saisissante. Elle n'a pas du tout honte d'être coupée de vastes pans de la culture populaire. Elle pourrait dire « merde » si elle tombait et s'égratignait le genou, mais elle ne décrirait jamais, dans aucune circonstance, une personne ou la nature de quelque chose comme étant « merdeuse » ou « merdique ». C'est là que se manifeste sa délicatesse : dans son vocabulaire. Certaines personnes pourraient appeler cela de la pruderie. Elle est vaguement musicienne, joue un peu de piano et maîtrisait jadis raisonnablement la flûte. Elle a passé un diplôme de journalisme, à Columbia. Avec une mention bien. (Elle aurait pu faire mieux si elle avait moins aimé les hommes.) Elle porte des vêtements qui ressemblent à des châles, d'amples vestes souples, de longues jupes tombantes, de la soie lourde, de fins bijoux en argent, des boucles d'oreilles recherchées.

Elle ne peut pas être d'une beauté renversante ni posséder une silhouette de rêve, et cela a été clairement établi dans le premier roman. Le genre de littérature dite « grand public » interdit la perfection physique. Nous n'avons pas le droit de parer nos hommes et nos femmes d'atouts exceptionnels. Les romans d'amour, en revanche, peuvent remplir leurs pages de douzaines de femmes remarquablement belles, et les romans littéraires permettent à une héroïne d'être d'une rare beauté, mais à une seule. La littérature grand public, étant plus proche de la vraie vie, s'en garde bien. Il doit y avoir une imperfection quelconque, et en général elle réside dans un nez légèrement trop long ou un menton plus petit que la moyenne. Il n'est pas nécessaire d'attribuer de désavantages tels que des hanches énormes ou des épaules masculines, et certainement pas un œil plus grand que l'autre, bien que les seins puissent être assez petits ou plus généreux que la normale. Une beauté passable est ce que je revendique pour Alicia, élaborée sans trop de détails.

Croit-elle en Dieu ? Non, en dépit de son éducation presbytérienne. Dieu et son Fils sont des métaphores, représentant peut-être la création et le renouveau ; cette révélation lui a certainement fait l'effet d'une balle en étain dans la poitrine alors qu'elle avait une vingtaine d'années et était assise sur un banc d'église avec ses parents, en train de réciter le credo de Nicène. Elle n'en parle presque jamais, tant la question de croire ou ne pas croire est sans importance dans sa vie, et Roman et elle n'ont pas vraiment abordé le sujet. Il y a beaucoup de choses qu'ils n'ont pas abordées, et cela commence à l'inquiéter un peu.

Veut-elle des enfants à elle ? Oui, assurément. Mais cette envie reste vague. Se voit-elle en train de déboutonner son corsage et d'offrir son sein à la bouche béante d'un bébé ? Eh bien, non, elle n'est pas allée jusque-là dans sa réflexion. Une petite fille, ce serait charmant. Ou un petit garçon. Cela n'a pas beaucoup d'importance. Elle présume qu'elle continuera à travailler pour le magazine après avoir passé un court moment à la maison, environ six mois. Elle vient de commencer une nouvelle série d'articles mensuels sur les accessoires, et elle fait à présent des recherches sur l'histoire du sac à main. C'est fascinant, vraiment. Tout a commencé avec la châtelaine du Moyen Âge, car cette maîtresse de maison nomade avait besoin de quelque chose pour transporter ses clés et les comptes des domestiques. Il est vrai que l'on voit souvent des tableaux où la Vierge Marie a un petit sac à main posé par terre au pied de sa chaise, mais il s'agit surtout d'un anachronisme, comme Alicia l'a appris hier à Roman pendant qu'ils dînaient chez Maurice, autour d'un steak-frites et d'une bonne bouteille de vin rouge.

« Un quoi ? » a-t-il répondu d'un air ahuri. Il ne l'avait pas écoutée. Elle lui a lancé un long regard sévère.

« Laisse tomber », a-t-elle dit, fâchée. Ensuite, elle a tendu le bras pour lui caresser la main. Travaillant comme tromboniste dans un orchestre symphonique (note à moi-même : chercher d'autres renseignements sur les trombones ; j'ai été assez obscure sur la vocation de Roman la première fois), il se plaint parfois que le monde littéraire d'Alicia est étroit et replié sur lui-même, oubliant que lui et ses collègues musiciens forment un sous-groupe excessivement fermé et nombriliste.

Je n'ai que trop conscience de nager dans des eaux incestueuses, une femme écrivain qui écrit l'histoire d'une femme écrivain qui écrit. Je sais parfaitement que je devrais écrire des histoires sur des dentistes, des chauffeurs de bus, des manucures et les gens qui conçoivent les lits de drainage pour les autoroutes à huit voies. Mais non, je me concentre sur les émois de l'élan d'écriture, ou la « longue petitesse » – pour reprendre l'expression de la poétesse Frances Cornford – d'une vie passée à coller des petits mots sur de grandes pages vides. On peut prétendre le contraire mais, pour beaucoup d'écrivains, ceci est le territoire le plus riche qu'on puisse imaginer. Il y a des romanciers qui prennent la peine de revêtir leurs héros d'habits croisés, les transformant en peintres ou en architectes, mais personne n'est dupe. Recréer un monde insoutenable avec la plume d'un stylo est important ; tellement important que je n'arrive pas à m'arrêter.

À peine

Non que j'écrive avec un stylo. Ni que je connaisse quelqu'un qui le fasse aujourd'hui. Mais une petite bouffée de romantisme reste attachée à l'idée du stylo et de l'encre, et atteste, faussement, de l'indépendance et des libertés essentielles de l'écrivain. Personne n'est tout à fait prêt à renoncer au poids métaphorique du stylo et du papier. J'étais en train de penser à cela quand le téléphone de la cuisine a sonné, de bonne heure un matin de novembre.

« Je voudrais parler à Mme Reta Winters, s'il vous plaît, a annoncé une voix d'homme sonore.

– C'est moi-même. »

Je tenais le téléphone de la main gauche et déchargeais le lave-vaisselle de l'autre.

« Est-ce que je vous dérange ? a demandé la voix. Vous n'êtes pas en train de prendre le petit déjeuner ?

– Non, ai-je dit en cessant de malmener les assiettes. Vous ne me dérangez pas du tout.

– Je téléphonais simplement pour me présenter, a repris la voix grave de baryton avec son registre de notes musicales plus légères. Je m'appelle Arthur Springer, de chez Scribano & Lawrence, et j'ai le grand honneur, Mme Winters, d'être votre nouvel éditeur.

– Oh, ai-je répondu, sincèrement ravie ; une telle civilité professionnelle était impressionnante. Eh bien, c'est très gentil à vous de téléphoner pour vous présenter, M. Springer.

– J'espère que vous m'appellerez Arthur lorsque nous nous connaîtrons.

– Eh bien, dans ce cas, vous devrez m'appeler...

– Reta. Ce serait un plaisir, Reta. Je suis si heureux que vous me le demandiez. Cela nous permettra de partir du bon pied. Je tiens à vous dire tout de suite que je n'ose même pas espérer pouvoir remplacer un jour l'inestimable M. Scribano.

– Une véritable tragédie...

– Je peux vous dire, Reta, que notre cher M. Scribano était ravi que vous travailliez sur un deuxième roman, la suite de *My Thyme Is Up*. Il me l'a dit à peine quelques jours avant sa chute.

– Vraiment ? Il s'est toujours montré très gentil et très encourageant...

– Je n'avais que du respect pour lui en tant que personne et en tant qu'éditeur. Je travaille dans l'entreprise depuis le début de l'an dernier, et j'ai eu la chance d'apprendre beaucoup avec lui. Même si, bien sûr, nous représentons des générations différentes et avons chacun notre approche. Ma propre approche repose énormément sur le dialogue. J'ai fait mes études à Yale, à l'origine. Puis à Berkeley.

– Eh bien, oui...

– Bien, avez-vous déjà une idée, Reta, d'une date où vous prévoyez de venir à New York ?

– Eh bien en fait...

– Je pense qu'il est essentiel que nous puissions nous asseoir et revoir le manuscrit ensemble. J'aime bien prendre les choses point par point quand il s'agit de préparer un texte, et, contrairement à beaucoup de mes contemporains, je n'accorde pas une grande confiance aux communications par e-mail ni même au téléphone.

– Mais il n'y a pas de manuscrit, en un sens. » J'ai repris ma tâche consistant à vider le lave-vaisselle, mais en silence à présent, prenant les assiettes une par une avant de les empiler en douceur sur l'étagère.

« Enfin, le manuscrit avance, mais très lentement.

– En termes de pourcentage ?

– Désolée, je ne...

– En êtes-vous à la moitié, Reta, ou au trois quarts ? Ou encore...

– Ah ! Eh bien, je ne sais pas trop. Mais quoi qu'il en soit, je n'ai pas prévu de me rendre à New York dans l'immédiat.

– Très bien, très bien. Alors, envoyez-moi ce que vous avez fait jusque-là.

– Mais je ne crois pas que ce soit possible. Vous comprenez, ce qui est sur le papier, ou sur disquette, en fait, est encore très, vous savez, incertain...

– Oh, je vous assure, Reta, je comprends parfaitement le fait qu'un brouillon est un brouillon. C'est une des premières choses que doit comprendre un éditeur.

– Je ne vois pas comment je pourrais...

– Écoutez, Reta, je vais vous donner notre numéro chez UPS. Vous avez de quoi noter ? Tout ce que vous avez à faire, c'est imprimer les pages et les mettre sous pli. Je téléphonerai pour que quelqu'un passe les chercher. Que dites-vous de cet après-midi ? Nous espérons une publication à l'automne, ce qui signifie qu'on doit avancer très vite. Vous verrez que je suis un éditeur capable d'apprécier les bonnes choses. J'aime faire sortir le meilleur de ce qu'il y a chez un écrivain. Avez-vous lu *Darling Buds* ? C'était l'un de mes écrivains.

– *Darling Buds* ?

– Je vous en envoie un exemplaire sur-le-champ.

– Oh, ce serait...

– Il y a juste une chose que je voudrais ajouter, Reta, avant de nous dire au revoir. J'adore Alicia. Votre Alicia. Je tiens à vous dire que ma dévotion envers elle est immense. Je suis énormément attiré par son côté réfléchi. J'ai lu *My Thyme Is Up* plusieurs fois, à présent, et chaque fois je l'aime un peu plus. Elle a quelque chose de doré. Comme une feuille d'automne dorée parmi d'autres qui le seraient moins. J'ai beaucoup réfléchi à ce qui m'attirait chez votre Alicia. Ce n'est pas sa sensualité, non qu'elle en soit dépourvue, pas du tout. La façon qu'elle a de rester assise immobile sur une chaise. D'être simplement assise. Sa générosité, ça en fait partie. Sa tolérance, aussi. Mais ce qui me donne vraiment envie de la prendre dans mes bras, c'est sa bonté.

– Pardon ? Je n'ai pas très bien entendu ce que vous avez dit, M. Springer, Arthur. Avez-vous dit... ?

– Sa bonté. Sa profonde bonté humaine.

– Oh. Sa bonté.

– Oui, sa bonté.

– C'est bien ce que je croyais avoir entendu. »

Puisque

« Débrouille-toi pour la faire kidnapper, me disaient les gens quand nous avons trouvé Norah à l'angle de Bathurst et Bloor, et ensuite fais-lui subir un lavage de cerveau par un professionnel. »

Sally m'a conseillé :

« Demande à la police de l'embarquer pour lui poser des questions. Ils ont vu beaucoup de cas comme ça et savent comment s'y prendre. »

D'autres amies – Lynn, Annette – m'ont dit :

« Utilise un peu la force. Si Tom et toi, vous la mettez de force dans la voiture et que vous la remmenez chez vous, le choc lui fera retrouver ses esprits. C'est ce qu'il lui faut pour briser le charme, un choc. » En fait, j'ai bel et bien essayé cette méthode, un jour ; je me suis garée en double file dans Bathurst, aussi près d'elle que possible, je suis descendue de la voiture, et je l'ai attrapée par la main. Elle s'est mise à pousser des cris horribles et s'est dégagée de mon emprise. J'ai senti son gant me rester dans la main. C'était comme si elle avait été un objet en flamme, du charbon ardent. Les gens ont commencé à se rassembler, et je suis remontée dans la voiture en vitesse – pardonne-moi, Norah, pardonne-moi – avant de partir.

Frances Quinn, du *Promise Hostel*, nous a dit :

« Elle est en bonne santé pour le moment. Elle semble saine d'esprit, mais assez déterminée. Je lui ai proposé une aide psychologique, bien sûr, mais elle semble certaine de savoir ce qu'elle fait. Elle n'a pas encore vingt ans. Le temps est de son côté. J'ai vu des cas difficiles, déjà, et ils finissent par céder, en général. »

Une amie – ou plutôt une connaissance – m'a dit :

« Tu te fais du souci pour rien. Ce n'est pas un drame, un gamin qui passe une saison dans la rue. Ça arrive. »

Le docteur David McClure, le psychiatre que nous consultions, prônait la non-interférence.

« Ses actes indiquent qu'elle se donne quelque chose à elle-même. Un cadeau de liberté, pourrait-on dire, le droit de faire l'école buissonnière dans sa propre vie. Vous ne le pensez peut-être pas, mais elle a pris des dispositions pratiques pour rester en vie. Le vagabondage peut être réfléchi ou insouciant, et elle a choisi la première formule. Mais elle est intelligente. L'intelligence l'aidera à traverser cette crise. Je dis crise, mais ce n'est pas vraiment le mot que j'aurais dû employer. Cela tient plus de l'interlude comportemental par lequel elle tente soit d'échapper à quelque chose d'insoutenable soit d'embrasser l'ineffable.

– Lequel pensez-vous que ce soit ?

– Ah, ça, c'est impossible à dire. »

Notre fille Chris a dit :

« Qu'est-ce qui s'est passé ? Quelle chose terrible a bien pu lui arriver ? Il doit bien y avoir quelque chose. »

Natalie a dit :

« Je n'y crois pas, je n'y croirai jamais, elle ne ferait jamais ça si elle était dans son état normal. »

Loïs, ma belle-mère, a dit :
« Je ne le supporte pas. Pas Norah, pas Norah. »
Willow Halliday a dit :
« J'ai toujours entendu dire que les gens qui faisaient la manche dans la rue étaient des escrocs. Qu'ils se faisaient un paquet de fric, deux cents dollars par jour. Certains ont des téléphones portables, je l'ai vu, de mes propres yeux, à Toronto. »
Ai-je exprimé à quel point je trouvais pénible Willow Halliday, la mère d'une des amies de Norah ? Willow est une cuisinière hors pair, et elle m'a répété une douzaine de fois (j'exagère, mais seulement un petit peu) qu'elle lisait les livres de cuisine comme d'autres lisent des romans. « Mais est-ce que vous ne seriez pas moins ennuyeuse si vous lisiez des romans ? », voilà ce que je meurs d'envie de lui dire, mais bien sûr je m'abstiens.
Tracy Halliday, une sorte de grand cheval mais une fille populaire auprès de ses camarades, est une amie d'enfance de Norah. Tracy et une autre amie ont fait l'expédition jusqu'à Bathurst et Bloor, où elles ont offert à Norah un énorme pot rempli de billes. (Natalie et Chris étaient là et nous ont ensuite rapporté l'incident, à Tom et moi.) Tracy s'est agenouillée et a expliqué en criant à l'oreille de Norah que chaque bille représentait un samedi, et que si elle vivait jusqu'à quatre-vingts ans, elle aurait le bonheur incroyable de passer quatre mille cent soixante samedis. Bien sûr, à presque vingt ans, elle en avait déjà épuisé une certaine quantité, mais il lui en restait encore trois mille six cents. Si elle enlevait une bille par semaine, elle verrait sa réserve diminuer lentement et en viendrait à mesurer la valeur du temps et de sa propre vie.
Quand j'essaie d'imaginer Tracy en train de regarder Norah, je comprends qu'elle ne voit personne.

Pendant une minute, j'ai été Norah. Norah l'anachorète, Norah la paria. J'ai tremblé à l'idée de ce que Tracy pouvait penser de moi.

La vraie Norah n'a pas réagi, elle est restée assise toute la journée avec le pot de billes à côté d'elle, et l'a laissé là quand elle est retournée au foyer le soir. Le matin, il avait apparemment disparu. Je ne suis pas sûre de savoir que penser de cette tentative. Quelqu'un m'a dit que l'idée des billes était en vogue sur Internet. Les gens errent sur Internet à la recherche de distraction, et au lieu de cela ils reçoivent une avalanche de faits concrets et une bourrasque d'inspiration concernant le caractère merveilleux de la vie. Est-ce que cet exercice consistant à compter des billes est une recette pour savourer le temps ou un rappel inéluctable que le temps ne peut pas, aussi fort qu'on puisse le souhaiter, revenir en arrière ?

Je peux passer des mois sans voir Emma Allen, qui est journaliste à St. John, en Terre-Neuve, mais cinq minutes avec elle suffisent à me persuader qu'elle est la seule personne au monde à qui je peux tout raconter.

« Norah est vivante, m'a dit Emma alors qu'elle était de passage la semaine dernière (ma chère Emma, dont le fils est mort d'une overdose d'héroïne à l'âge de vingt-deux ans). Ses membres sont intacts. Elle ne s'est pas mutilée ni rasé les cheveux. Elle n'est pas saoule, ne se drogue sans doute pas. Elle ne crie pas d'obscénités et ne crache pas sur les passants. Vous, ses parents, vous savez précisément où elle se trouve et vous connaissez un peu ses habitudes. C'est ce qu'il faut garder à l'esprit, vous êtes toujours liés à elle dans le temps et dans l'espace. »

Le professeur Hamilton, qui assurait le cours sur Flaubert que suivait Norah a dit :

« C'était une excellente étudiante, jusqu'à ce qu'elle cesse de venir en cours. C'était peu de temps avant les examens. Le vingt-huit mars, elle était au cours du vingt-huit mars, j'en suis quasiment certain. Mais vous savez, beaucoup d'étudiants décrochent quand il commence à faire beau. Elle était toujours curieuse et en éveil. Eh bien, oui, nous avons eu une ou deux altercations, vous savez comment ça se passe, aujourd'hui. Flaubert pouvait-il vraiment se mettre dans la peau d'une femme ? La classe était partagée sur cette question, ça se produit tous les ans. Norah voyait Madame Bovary comme une femme idéalisée par Flaubert avec une certaine hypocrisie, et réduite à une bouffée de romantisme, capable de rien d'autre que de pétrir son propre cœur tendre. L'opinion de votre fille, et il s'agit d'une opinion parfaitement viable, était que Madame Bovary était forcée de céder sa place en tant que centre moral du roman. Les autres, inutiles de le dire, n'étaient pas d'accord. »

Tom ne le dit pas, mais il laisse parfois entendre que Norah nous manipule. Ou alors, qu'elle nous punit pour une raison quelconque. Je résiste à cette interprétation. Tom va la voir tous les vendredis matin en se rendant à sa réunion de recherches sur les trilobites (c'est le seul membre « laïque » de ce petit groupe) à l'Université de Toronto. Il a renoncé à parler avec elle. Désormais, il reste simplement assis à côté d'elle une demi-heure, sur un pliant qu'il emporte à cette fin, et il lui donne de l'argent dans une enveloppe. Du liquide, pas un chèque. Norah vit en dehors du royaume des chèques, des banques et des signatures, bien qu'il y ait une banque à l'angle de la rue où elle s'assoit et une autre en face. Est-ce que c'est lorsqu'il compte les billets de vingt dollars que Tom pense : manipulation ?

Une vieille amie d'école, Gemma Walsh, membre actif de l'Église Unie, m'a écrit pour me dire que le nom de Norah avait été ajouté à une liste de prière concernant tout l'Ontario. Je lui ai envoyé mes sincères remerciements, et ils étaient vraiment sincères. J'ignorais avoir autant de sincérité au fond de mon âme. Je pensais que la sincérité avait disparu de notre génération, chassée par la désillusion et l'économie de marché post-années soixante.

Marietta Glass, l'ex-femme de Colin Glass, m'a écrit de Calgary, citant Julian de Norwich : « Tout ira bien, tout ira bien, toute forme de chose ira bien. » Ce qui signifie que tout va bien pour le moment, pour le moment qui suit et le moment d'après.

Danielle Westerman, avec son assurance dure comme un diamant, n'a pas voulu démordre de son opinion selon laquelle Norah a simplement pris conscience de son impuissance et qu'elle ne sait pas quoi en faire.

« La subversion de la société n'est tolérable que pour quelques-uns ; l'inversion est la tactique plus commune pour les impuissants, une retraite de la société qui frôle la catatonie » (*Pour vivre*, 1987, p. 304). Je n'étais pas encline à croire cette affirmation quand je l'ai traduite, mais à présent j'y crois dur comme fer : l'hypothèse de Danielle a fait son chemin dans mon corps, où elle occupe de plus en plus de place.

Seulement

2 décembre 2000

Cher Dennis Ford-Helpern,

J'ai récemment terminé votre livre, The Goodness Gap *(Le Fossé de la Bonté), et j'ai ressenti le besoin de coucher mes impressions sur papier. Il m'a fallu longtemps pour lire ce livre et le digérer. (J'ai dû le faire prolonger deux fois à la bibliothèque municipale.)*

J'ai été stupéfaite, pour le moins, par votre théorie selon laquelle la bonté serait une façon de résoudre un problème. De la manière dont j'interprète votre texte et votre épilogue, vous considérez que les dilemmes surgissent comme des tables et des chaises sur le trottoir, poussant encore plus rapidement, nourris par les avancées technologiques et l'affaiblissement de l'écosystème. Les solutions aux questions morales sérieuses restent inévitablement en retard sur les problèmes qui émergent, d'où votre terme de « fossé ». Vos quatorze chapitres esquissent des exemples de solutions ayant ou non fonctionné. Combler le fossé dépend de la vitesse de résolution, des réflexions parallèles, de la créativité générale. Toutes les personnes qui parviennent à trouver une solution à leurs problèmes dans vos exemples sont des hommes, tous les quatorze. J'ai consulté l'index et je me suis aperçue que les femmes étaient à peine mentionnées.

Cela semble être un dilemme moral en soi, vous ne trouvez pas ?

Écoutez-moi, voilà que je me mets à bavarder, exactement comme... exactement comme une femme ; et cette façon d'exagérer mes fantasmes de persécution ! Il se trouve que je suis une femme, mère d'une fille de dix-neuf ans (vingt ans en mai) profondément perturbée. Elle vit en marge de notre famille et de la société. Nous ne savons pas la cause du malaise de Norah, mais je suis de plus en plus persuadée qu'elle réagit – sur le plan de la morale et de la responsabilité, de la seule façon qu'elle peut – à un univers fermé. Ce qu'elle voit est une interminable série d'obstacles, une enfilade de portes closes. Pourtant, la bonté est exactement ce qu'elle recherche, la nature de la bonté, comment nous pouvons apprendre à être bons et ce que cela signifie.

Je ne pense pas que vous cherchiez à vous montrer décourageant dans votre livre. Je pense que vous avez simplement négligé ceux qui sont habituellement négligés, c'est-à-dire la moitié de la population mondiale. Au fait, vous ne parvenez peut-être pas à saisir le ton de cette lettre, mais j'essaie d'élever mes objections en douceur. Je ne suis pas en train de vous crier après, contrairement à ce que vous pourriez penser. Je ne suis même pas en train de gémir, et certainement pas en train de trépigner avec mes petits pieds. C'est plutôt une sorte de chuchotement. La dernière chose que je souhaite, c'est être possédée par une sensation de préjudice si délicatement raffinée que je manifesterais de l'indignation sur une base quotidienne. La colère n'est pas humanisante. C'est une répétition pour un spectacle qui ne vient jamais. Essayez d'imaginer mon royaume personnel de sentiments en cette période de trouble, et ma certitude qu'il existe un lien entre votre approche philosophique et le fait que ma fille ait démissionné de sa propre vie, qu'elle s'enlise dans le dysfonctionnement. Vous considérerez sûrement la présente comme une lettre excentrique d'une de ces femmes qui ne cherchent qu'à être scandalisées, mais vous devez comprendre que je tente de protéger Norah et ses deux sœurs cadettes, Christine et Natalie, qui aspirent seulement au droit d'être pleinement humaines. Et je tiens à vous dire qu'en écrivant ces mots, je tremble comme une feuille.

Cordialement,

Rita Orange d'Ville

À moins que

« La vertu est une comédie, ai-je dit à Danielle Westerman mercredi pendant que nous déjeunions dans sa véranda. Une sorte de jeu d'acteur. Quelqu'un a dit quelque chose comme ça, mais je ne me rappelle plus qui.

– Yeats, je pense, a-t-elle répondu d'un ton rêveur en s'étirant sur sa chaise.

– Oui, Yeats. »

C'est une femme qui possède vingt-sept diplômes honorifiques, et elle a offert au monde une étagère entière de livres. Elle a donné ses pensées, son schéma pour construire un monde nouveau meilleur et juste.

Il y a un lycée, dans l'Ontario, qui a pris son nom, et en France, dans la petite ville de Mâcon, il y a un square Danielle Westerman, un espace public d'une beauté étonnante avec des tilleuls et des allées pavées où, quand Tom et moi allions nous promener en mars dernier, nous avions l'impression d'évoluer dans les courants d'un printemps perpétuel, comme si les gens qui nous croisaient, les familles, les personnes âgées, n'avaient jamais connu un moment de mélancolie ou de honte durable, n'avaient jamais vécu en dehors du bourdonnement apaisant et protecteur du soleil chaud.

Ces dernières années, Danielle est devenue maniaque, même avec moi, sa traductrice. Elle me soupçonne d'avoir abandonné le « discours », comme elle dit toujours, pour l'activité indigne consistant à écrire un roman. Elle a une façon particulière de relâcher la mâchoire quand elle aborde ce sujet, et ses yeux semblent humides de déception. Elle possède une telle force de persuasion que je me retrouve souvent d'accord avec elle ; quelle est vraiment l'utilité d'écrire un roman face aux hurlements et aux contorsions d'un monde injuste ?

Les romans nous aident à apaiser notre propre « discours » intérieur mais, à moins qu'ils puissent proposer un chemin alternatif plein d'espoir, ils ne sont que des miettes narratives. À moins que, à moins que : *Unless.*

Unless est le mot d'inquiétude de la langue anglaise. Il vole comme un papillon de nuit près de votre oreille, on l'entend à peine, et pourtant tout dépend de sa présence haletante. *Unless* : c'est le petit minéral subjonctif qu'on transporte dans le pli de sa poche. Il est toujours là, ou bien pas là. (Si on ajoute un S majuscule à *unless,* on obtient *Sunless,* c'est-à-dire *Sans Soleil,* un film de Chris Marker très étrange.)

Unless... À moins d'avoir de la chance, à moins d'être en bonne santé, fertile, à moins d'être aimé et nourri, à moins d'être sûr de son orientation sexuelle, à moins d'avoir accès à ce à quoi les autres ont accès, on sombre dans les ténèbres, dans le désespoir. *Unless* vous fournit une trappe, un tunnel vers la lumière, c'est le revers de « pas assez ». *Unless* vous empêche de vous noyer dans les conventions établies. De façon ironique, *unless,* le levier qui fait finalement basculer la réalité dans une nouvelle perspective, n'est pas vraiment traduisible en français. Son équivalent, *à moins que**, n'a pas tout à fait le même poids ; *sauf** manque de raffinement. *Unless* est un miracle de la langue et de la perception, dit Danielle Westerman dans son dernier essai, *The Shadow on the Mind* (L'Ombre sur l'esprit). Ce mot nous rend inquiets, rusés. Rusés comme les loups qui pullulent dans les contes de fées les plus angoissants. Mais il nous donne de l'espoir.

À quatre-vingt-cinq ans, elle n'a pas tout à fait perdu sa foi superstitieuse dans la mauvaise et la bonne fortunes. Elle a eu assez de l'une et de l'autre, si bien que, même occupée à changer le monde, elle a l'air d'une presbytérienne à l'ancienne mode, acceptant son lot mitigé de bon et de mauvais. Son nouveau livre se vend bien partout, loué pour son originalité et sa solide analyse. Pas de tournée de promotion, presque aucune publicité, mais une énorme réaction. Nous parlons aujourd'hui des critiques devant notre saumon poché et nos œufs à la diable. Oh, tout un tas de critiques foisonnantes, dont l'une évoquait le débit « incantatoire » de sa prose (cela me plaît) et une autre prétendait que Danielle était un trésor « national » – une épithète qui la fait se tortiller légèrement sur son siège mais qui, pour moi, indique qu'elle a acquis de l'autorité. Au bout d'un moment, nous abordons le fait que nous avons tous une double histoire dans la tête, ce qui est et ce qui pourrait être, et que nous devons tenter d'empêcher l'une et l'autre de se stimuler ou de s'anémier mutuellement.

Elle a effacé les racines de sa vie, ou feint de l'avoir fait. Papa travaillait à la poste de Mâcon, maman dans un bar à La Roche-Vineuse. Leur *appartement** dans cette ville se résumait à trois pièces dans une maison située rue des Allemagnes. Elle refuse de parler de cette époque (même si elle n'hésite pas à recommander La Roche comme destination touristique). Elle a accumulé toute l'énergie réprimée dans son enfance et a décidé d'aller la dépenser ailleurs. Il doit bien y avoir un jour, un moment, où elle a pris cette décision. « Ils sont morts », dit-elle, en voulant parler de ses parents ou de ses jours de jeunesse. Et elle ajoute : « Pour moi, ils sont morts. » Ses mémoires commencent quand elle a dix-huit ans, à Paris. Elle avait passé son bac, pris un train, puis s'était inscrite à la Sorbonne. C'est tout pour l'enfance. Miraculeusement, elle s'en est tirée avec cette vie à peine esquissée, du moins jusqu'ici.

Je lui demande aujourd'hui : « Comment est-ce que vous le supportez ? » Je lui ai déjà parlé de l'éditeur new-yorkais qui m'a forcée à lui envoyer mon manuscrit à demi terminé. Je lui ai dit que quand j'ai vu Norah tôt ce matin, au lieu d'être assise sur le trottoir, elle était debout et faisait des allers et retours entre la bouche de métro et l'arrêt de bus, aller et retour, aller et retour, les mains enfoncées dans les poches de sa veste, la tête rentrée dans les épaules pour se protéger du froid, son panneau BONTÉ accroché de guingois à une ficelle autour du cou. Je lui ai dit que samedi dernier, Natalie et Chris avaient décidé de ne pas aller voir leur sœur à Toronto ; il faisait trop froid, ont-elles dit, d'un ton un peu trop dégagé, et il y avait un tournoi de volley à Orangetown. Et finalement, je lui ai parlé de l'amère déception que j'avais ressentie en lisant *The Goodness Gap*, et de la lettre que j'avais écrite à son auteur, un homme rétrograde.

« Et vous avez posté cette lettre ?

– Eh bien, non.

– Ah ! »

Je lui explique que parfois, je ne crois pas à ce que j'écris. Je ne peux pas me fier à mes propres traits d'esprit et à mes locutions, ni à mes réactions face aux circonstances immédiates et dévastatrices. Souvent, le lendemain, en regardant ce que j'ai écrit, je reste tremblante en mon for intérieur : qui est cette harpie geignarde auteur de ces mots, qui est cette personne capable d'écrire des lettres aussi pitoyables à des inconnus? La semaine dernière, à une soirée, on m'a présentée à Alexander (Sandy) Vaulkner, à qui j'avais « écrit » une lettre furieuse, et je me suis aperçu que c'était un homme humble, courtois et gentil.

Alors, qui est cette folle qui construit un fantasme vacillant d'exclusion de la femme et l'épingle sur sa fille? Souvent – je ne le dis pas à Danielle –, je ne prends même pas la peine de coucher mes mots sur le papier : je *pense* mes lettres ligne après ligne, les compose dans ma tête pendant que je fais la poussière sous les lits. Cela suffit à maintenir mon équilibre mental. Pourtant, j'ai besoin de savoir que je ne suis pas seule dans ce que j'appréhende, cette imperfection terrible qui vit en moi depuis tout ce temps mais dont je n'ose prononcer le nom. Je ne suis pas prête à me dévoiler.

Est-ce que Danielle comprend vraiment cela? Je le pensais, mais à présent je n'en suis plus aussi sûre.

Elle a ce beau haussement d'épaules. Des épaules fines, plutôt étroites, un gilet en laine bleue tricoté qui mériterait d'être remplacé. Un bracelet en argent sur un poignet qui semble taillé dans de la vieille cire, trois bagues également en argent, trop grandes sur ses mains osseuses. Ses ongles magnifiquement entretenus sont longs et écarlates. Comment le supporte-t-elle? Tous ces mots qu'elle a écrits, toutes ces années enfouies en elle ? À quoi équivaut son étagère de livres, quel impact ont ces livres sur le monde ?

Comment supportez-vous ça ? J'attends une réponse, mais aucune ne vient. Dites-moi, dites-moi, donnez-moi une réponse. Donnez-moi une idée qui soit aussi pleine d'élégance et aussi utile que le verger de pommiers derrière ma maison, quelque chose dont je puisse tirer un peu de courage. Elle hausse à nouveau les épaules. Pendant une fraction de seconde, j'interprète ce haussement d'épaules comme une capitulation. Mais non. À ma surprise, elle affiche soudain un large sourire, ses fausses dents brillant comme du carrelage. Et puis, lentement, en décrivant un arc gracieux dans le vide, elle porte un toast dans ma direction avec son verre de thé.

Vers

Par une matinée de décembre, je suis allée me promener main dans la main avec Tom au cimetière d'Orangetown ; Dieu sait ce que nous y cherchions ; peu importe, nous étions là, ensemble, en train de discuter en marchant. Le temps s'était radouci, et le sommet des vieux monuments en calcaire, tachetés de soleil et en rangs bien nets, brillait de neige fondue. Nous portions des vestes légères et des bottes en caoutchouc. Les rangées de pierre murmuraient : silence, s'il vous plaît. C'est quelque chose que nous faisons souvent le dimanche après-midi, pas par un quelconque attrait morbide, mais parce que nous recherchons un endroit tranquille. Nous sommes presque toujours seuls, là-bas. Il y a des années, les gens se rendaient régulièrement au cimetière, ils entretenaient les tombes et apportaient des fleurs commémoratives, saluaient ceux qui reposaient sous terre, comme s'ils croyaient que les morts étaient vraiment présents, à quelques centimètres seulement, et qu'ils espéraient un peu de conversation avec des humains. Le cimetière d'Orangetown, que la pierre rafraîchit même par la journée la plus chaude, est célèbre pour ses pelouses magnifiquement entretenues et ses gravures excentriques. Voilà un inventaire des reliques, de la mode, et une approche sentimentale de la mort, évoquant ce qui pourrait très bien être les moments les plus riches d'une existence, le tombeau des larmes et d'un passé douloureux. Les gens sont surpris de trouver un bloc de granit taillé représentant un nourrisson grandeur nature, couché sur le dos et souriant aux nuages en gazouillant. « Notre petit Jack, dit l'inscription, parti pour le Bonheur éternel. » La vue de ce bébé de granit a toujours ému mes filles aux larmes. Elles insistaient toujours, quand elles étaient plus jeunes et qu'elles venaient se promener avec moi au cimetière, pour aller rendre visite au petit Jack, savourant leurs propres larmes tandis qu'elles caressaient ses boucles de pierre. Quelle tragédie. Un enfant bien-aimé, enlevé aux bras de ses parents. Voilà l'endroit où la mémoire s'est cassée, a volé en éclats, pour être remplacée par un chérubin figé palpant l'air avec un ravissement éternel.

Sur une autre pierre, laide, énorme et impressionnante, est gravé : « Mary Leland, 1863-1921. » Dessous, les simples mots : « Elle a pris grand soin de ses poulets. »

Cette inscription est déconcertante, ce qui explique pourquoi elle attire les gens. Les mots anglais pour poulets et enfants, respectivement *chicken* et *children*, étant proches, le marbrier avait dû vouloir écrire l'un pour l'autre. C'est ce que pensent certaines personnes : le ciseau avait légèrement dérapé, imprimant un message erroné. Mais peut-être n'y avait-il pas eu d'enfants pour Mary Leland; peut-être n'avait-elle pas autre chose que des volailles pour servir et promouvoir sa charité. Ou peut-être qu'un mari, rendu amer par la négligence de sa femme, avait voulu se moquer d'elle dans sa tombe. Plus tard, j'ai tenté de focaliser mes pensées sur l'immensité plutôt que sur le particulier. Cela exige de la volonté. J'écarte mes pensées des poulets de Mary Leland et, au lieu de cela, me concentre sur les rangées de ruines bossues et de dalles en granit penchées, trois arpents en tout. Tant de gens sont morts.

Il y a des gens que l'instabilité fait vivre. Un bail à court terme est le seul engagement qu'ils admettent vis-à-vis d'un quartier ou d'un logement particuliers. Mais Tom est différent. Il se terre dans l'idée du foyer. Je l'ai su dès le début, depuis notre première rencontre, même si je n'étais pas capable, à ce moment-là, d'exprimer ma pensée.

Il est faux de dire que les personnes mariées depuis longtemps se dissolvent l'une dans l'autre, deviennent un être unique. Je touche le coude de Tom, la manche de sa veste couleur havane ; il met ses longs bras autour de moi, et ses mains prennent mes seins de la façon la plus amicale possible. Nous sommes deux personnes sur une photographie, mais avec quelques coupes nous pourrions exister chacun sur la nôtre. Mais ce n'est pas ce que nous voulons. Maintenir le cadre intact, nous contenir, tous les deux ensemble, voilà ce que nous demandons. C'est tout ce qu'il faut pour empêcher le monde d'exploser. Il y a sa veste couleur havane, un coupe-vent avec son zip et ses microfibres douces, rien qui n'attire en soi l'attention, le plus générique des vêtements. D'un autre côté, il y a des hommes, les hommes sereins et bruyants de Bay Street, qui choisissent des couleurs vives, bleu-vert ou mandarine, pour leurs tenues du week-end, ou alors des peaux d'animaux, chèvre, mouton, etc. Ce sont des hommes bardés d'épaulettes, de barrettes, d'étiquettes et d'insignes, les violeurs désinvoltes des pubs pour *Nautica* ; l'air cool et criminel dans leurs popelines, laqués de lumière, ils ont cependant conscience d'être déguisés, d'avoir fait un effort que les autres hommes, les hommes comme Tom, ne sont pas tenus de faire.

Mon mari ne reproche qu'une seule chose à son enfance : le fait que sa mère ait été une piètre femme d'intérieur. Une fois par an (peut-être), elle se décidait à récurer le porte-savon de la salle de bains. Il se souvient de quelle façon le morceau de Palmolive suait des bulles crasseuses, un objet si dégoûtant qu'il refusait de le toucher. Personne, cependant, ne remarquait le fait qu'il évitait le savon. Cela avait duré des années. Personne ne trouvait important que ses yeux s'arrêtent chaque jour sur une bouillie infâme. Il m'a raconté cela au début de notre rencontre, voulant me faire comprendre sa méticulosité vis-à-vis de la salle de bains, inquiet que je le prenne pour un de ces hommes ridiculement névrosés qu'on trouve dans les romans. À moins d'avoir eu une mère comme ça, on ne pouvait pas comprendre. Et à moins d'avoir eu la chance de voir ce qu'était un foyer ordonné, on s'en moquait. Il fallait connaître l'existence de cette barre soyeuse posée proprement sur sa petite soucoupe en porcelaine pour savoir qu'un tel objet pouvait exister. N'importe quelle enfance peut s'avérer handicapante si on la répète, si on la rejoue et la considère sous un certain jour, mais Tom, pour une raison quelconque, s'est entièrement remis de sa peur des porte-savons sales, et aujourd'hui sa mère est devenue obsédée par la propreté domestique, et elle utilise même un désinfectant bleu dans ses toilettes.

Nous parlions de sa mère en avançant entre les pierres tombales. Loïs Winters, née Maxwell, veuve depuis maintenant douze ans. Elle idolâtre son fils, Tom, son seul enfant, et elle adore ses trois petites-filles. Elle m'aime bien, je pense, mais d'immenses fossés venteux s'étendent entre nous. Elle conserve mes livres, par exemple, tous dédicacés, empilés sur sa table basse en verre, mais n'en a jamais lu un seul. C'est quelque chose qu'un écrivain sent immédiatement. Une barrière de protection se dresse autour d'elle quand elle entend parler d'un de mes livres. Je comprends parfaitement son refus, et la raison de celui-ci. Il n'a rien à voir avec le rejet et tout à voir avec le fait que je sois la mère de ses petits-enfants et l'épouse de son fils. Elle ne supporte pas que cet état de fait puisse être mis en danger par mes hobbies, mes passe-temps, ma vie professionnelle, ma passion.

Elle a changé depuis que Norah vit dans la rue, comme si son cerveau avait traîné trop longtemps telle une feuille de laitue dans de l'huile et du vinaigre, subissant une lente détérioration. Comme elle vient dîner chez nous tous les soirs (elle apporte le dessert, quelque chose de sucré fait maison), nous avons pu observer son repli graduel sur elle-même jour après jour. Il y a eu une période, pourtant, où elle prenait une part active à la conversation, demandait aux filles si elles aimaient leurs professeurs, comment se portait l'équipe de natation. D'un naturel susceptible, elle avait des opinions politiques plutôt conservatrices, il est vrai, mais des opinions quand même, et elle écoutait la radio, se tenait au courant des affaires publiques.

« Où est Norah ? demandait-elle sans cesse. Quand est-ce que Norah rentre à la maison ? » Finalement, Tom lui a expliqué, transformant soigneusement cette tragédie en un épisode marginal : Norah a abandonné l'université, elle a quitté son petit ami, est en quête de bonté spirituelle – ce que nous ne comprenons pas vraiment –, elle se détache du reste de la famille, dort dans un foyer, et, oui, elle fait la manche à l'angle de Bathurst et de Bloor dans le centre-ville de Toronto, mais tout le monde garde espoir de la voir redevenir la Norah que nous connaissions et que nous aimions, elle va se remettre de la désillusion qui l'a accablée, nous faisons tout ce que nous pouvons pour elle et en tant que grand-mère Loïs ne doit pas s'inquiéter.

Mais naturellement elle s'inquiète pour l'aînée de ses petites-filles, sa préférée, à vrai dire, sa Norah chérie. Elle est devenue de plus en plus passive à table, puis silencieuse. Ces dernières semaines, son silence est devenu le reflet effrayant du silence de Norah, sa posture est aussi vaincue que celle de Norah. Je me demande parfois si nous ne sommes pas tous devenus – Tom, Natalie, Chris, Loïs – des acteurs dans la pièce lugubre de notre fille aînée, si pendant ces derniers mois nous ne sommes pas devenus las, circonspects, furieux, attendant qu'on nous rende ce que nous avions autrefois, chacun de nous gelé jusqu'à la moelle et consigné dans un endroit où rien ne change jamais. Même Pet fonctionne au ralenti, sa tête affable de retriever drapée dans l'assentiment.

Mais cela ne s'applique pas à la vie hors de la maison. Je regarde autour de moi et je vois toute sorte de changements, dont certains sont étonnants. D'abord, nos amis Colin et Marietta Glass sont à nouveau ensemble ; c'est la dernière chose à laquelle nous nous attendions. Elle a dit au revoir à son amant d'Alberta. Les Glass se sont pardonnés l'un l'autre pour Dieu sait quelles transgressions, et ils ont aplani leurs différences. C'est incroyable, un tel renversement émotionnel. Colin se montre tendre et affectueux avec elle (je dois reconnaître que c'est une joie de le voir l'aider à s'asseoir à table) et elle, en retour, lui lance des regards aussi doux et sereins qu'une jeune fille.

Et Chrétien est de retour au pouvoir avec une

majorité écrasante, bien que les résultats des élections américaines soient toujours retardés. Margaret Atwood a bel et bien remporté le Booker Prize. Nous allons bel et bien avoir de la neige à Noël, c'est garanti. Norah a remplacé son écriteau crotté par un nouveau, proprement écrit à l'encre ; même cela est réjouissant.

Et Cheryl Patterson, la bibliothécaire d'Orangetown, a épousé son dentiste de Bombay, Sam Sondhi. Son divorce a été prononcé plus rapidement que prévu, et une cérémonie civile a eu lieu samedi dernier, après quoi nous avons organisé une réception chez nous, un repas composé de sandwiches et de champagne pour trente amis de Cheryl ainsi que des amis à nous, tout cela dans une humeur festive. Qui n'aime pas les mariages ! Dans la richesse et dans la pauvreté, pour le meilleur et pour le pire. Tom avait fait du feu dans le salon et le bureau, et bien sûr il y avait un arbre de Noël dans l'entrée, dressé avec quelques jours d'avance cette année en l'honneur du mariage de Cheryl et Sam. Toute la maison débordait d'une atmosphère pétillante. Dans ma longue jupe en velours fauve, je faisais circuler des tranches de cake aux fruits sur un plateau d'argent, un plateau que je ne descends du haut de l'étagère que pour Noël. J'avais un petit ornement planté dans mon chignon, *une épingle à cheveux**, un cadeau que Tom m'avait offert quelques années plus tôt. Je souriais, je souriais, tout en circulant, oui, n'était-ce pas un miracle que deux personnes divorcées se soient trouvées dans un endroit comme Orangetown, dans l'Ontario, sur le vaste continent scintillant de l'Amérique du Nord. Je souriais en disant : Je vous en prie, goûtez ce cake, c'est ma belle-mère qui l'a fait, il est merveilleux, une vieille recette de famille. Tom ouvrait la porte en grand pour accueillir un nouveau groupe d'invités. Il a jeté un coup d'œil dans ma direction en m'adressant un large sourire. L'amour de ma vie. Sur la table du buffet, il y a un saumon rose et sans peau. Parfois, sans aucune raison – l'odeur du bois de pommier brûlant dans la cheminée –, je suis convaincue que tout va bien se terminer.

Et puis tout à coup, je suis éjectée de ce périmètre de sécurité, transpercée de douleur avec une sensation de fracture dans le cône de ma conscience, qui est habitée, dans sa moindre circonvolution, par la certitude (cette piètre ressource) que Norah, dans le froid et la neige du centre-ville de Toronto, est partie aussi loin qu'elle pouvait partir. Aussi loin qu'il est possible de partir.

Arrête. Retourne aux murmures et aux lumières tamisées maintenant, tout de suite. Prends du cake. Il y a du café dans la salle à manger. J'entends la voix dans ma tête qui dit : attention, fais attention.

Nous ne sommes enracinés dans le temps qu'en apparence. Partout, si vous tendez l'oreille, vous entendrez les crépitements inquiétants du fusible de l'avenir. En dépit de mon angoisse, mon roman, *Thyme in Bloom*, est presque achevé. Alicia et Roman déconstruisent leur relation par des querelles élaborées et de mauvaises attitudes de part et d'autre. Parfois, ils mangent, boivent et font l'amour, mais la plupart du temps ils détruisent systématiquement ce qui avait jadis existé entre eux, broyant le cœur de l'amour sous leurs disputes philosophiques, de sorte qu'il ne reste plus rien que du riz brûlé : ceci sort d'une scène où ils essaient de façon touchante et désespérée de préparer un repas grec dans l'appartement de Roman. Alicia devient mielleuse, lubrique, et presque belle dans son indépendance. Elle se fait de plus en plus observatrice, pendant que

Roman révèle un côté bouffon ennuyeux (ces chaussettes jaunes rayées par exemple). Son menton déjà proéminent prend encore plus d'ampleur, et son appétit sexuel devient plus vorace. Quand il répète sur son trombone hors de prix, il fait de grands trous déchiquetés dans le vide. Il pense à haute voix, et souvent à sa famille restée en Albanie avec laquelle il a perdu contact, et il la pleure, regrette ce qu'elle a dû traverser ; pourtant, que peut-il faire ? Il est allé à Tirana en 1986 pour tenter de renouer, mais il a succombé au découragement. Il a failli atterrir en prison, s'est fait menacer, cracher dessus, et pourtant il a aimé ce satané endroit.

Il reste deux, peut-être trois chapitres de *Thyme in Bloom* à écrire. Puis le dénouement : celui-ci prendra un tour inattendu qui ébranlera à coup sûr la bonne foi de n'importe quel lecteur, mais je suis décidée à aller jusqu'au bout. Je travaille en direction de ce moment, qui déborde d'invention. Comment est-ce possible ? Comment une femme ayant perdu sa fille et qui souffre d'une angoisse de séparation aiguë est-elle capable d'écrire une comédie romantique ?

Je dois cependant préciser que M. Springer, mon nouvel éditeur, ne partage pas mon opinion sur le fait que *Thyme in Bloom* soit une comédie romantique. *Au contraire**.

Quoique

Le soleil du milieu de matinée inondait la cuisine, et le téléphone sonnait.

« Allô ? Pourrais-je parler à Mme Reta Winters, s'il vous plaît ?

– C'est moi-même.

– Oh, Reta, je suis vraiment désolé. Je n'ai pas reconnu votre voix.

– Je suis un peu enrhumée.

– C'est Arthur. Arthur Springer.

– Arthur ?

– De New York. De chez Scribano et...

– Oh, bien sûr, comment allez... ?

– J'espère que vous avez passé un joyeux Noël. Vous et votre famille.

– Eh bien, oui, oui. Merci. Et vous... ?

– Je tiens à m'excuser de vous appeler chez vous.

– Chez moi ? Ce n'est pas grave. En fait, c'est là que je...

– Et je m'excuse d'autant plus de vous téléphoner pendant la semaine de Noël. C'est la seule période de l'année où nous devrions tous mettre le travail de côté et faire de la gaieté notre première préoccupation.

– Eh bien, oui...

– En fait, Scribano & Lawrence est officiellement

fermé jusqu'à la nouvelle année, par tradition, mais je suis tellement enthousiasmé par votre manuscrit que je voulais entrer tout de suite en contact avec vous, et je me suis dit que vous auriez peut-être la bonté de me pardonner d'interrompre vos vacances de façon aussi grossière, d'autant que j'ai sans doute appelé à une heure indue.

– Oh, non, nous sommes en fait dans le même fuseau horaire que...

– *Thyme in Bloom* ! Par où puis-je commencer !

– Eh bien, je...

– J'ai fini de lire le premier jet inachevé hier soir. J'ai à peine dormi. Alicia et Roman occupaient tellement mes pensées, des êtres instinctifs, qui pesaient sur ma conscience, tout ce qu'ils ont enduré, leur courage personnel, le sens de leur être propre au fur et à mesure que s'accroît leur finesse psychologique, leur vision intérieure, aussi perçante qu'un laser, vous pouvez imaginer mon... mon chagrin quand... et pourtant mon émerveillement devant... Je me suis réveillé en pensant : voilà ce qu'est la vie, personne ne nous a jamais promis qu'on ne souffrirait pas en faisant notre chemin, nos attentes sont vouées à la déception...

– Mais, Arthur...

– Et Alicia : sa bonté persévérante. Je vous l'ai dit la dernière fois que nous nous sommes parlé, n'est-ce pas ?

– Oui, en effet. Ça m'a fait vraiment plaisir. J'essaie de comprendre ce qu'est la bonté, en fait, son essence, et...

– Une telle bonté d'âme, de cœur ! Elle est intégrale, vous n'avez même pas besoin de faire des remarques à son sujet, ou de mettre de petits guillemets autour. Vous comprenez pourquoi je devais vous appeler tout de suite. Même si c'était la semaine de Noël, même si...

– Mais, Arthur...

– Et Roman. Cet homme. Roman, Roman.

– Oui ?

– Indescriptible. Le seul mot qu'un écrivain ne doive jamais employer, mais pour nous éditeurs, eh bien, nous ne pouvons que penser : quel personnage indescriptible ! Sa complexité, je veux dire.

– Vraiment ?

– Indescriptible ! Je n'arrive pas à imaginer comment nous allons le présenter sur la jaquette, mais nous allons y travailler.

– Vous savez, M. Springer, Arthur, ce n'est pas le manuscrit complet. Il me reste au moins trois chapitres à terminer, et même ce que vous avez lu n'est qu'un premier jet...

– Je sais, je sais, Reta, je me souviens de notre conversation. Je sais que ce que je viens de lire est un premier jet et un premier jet inachevé, qui plus est. Mais, et c'est ce qu'il y a de si merveilleusement effrayant, je vois où vous voulez en venir. N'allez pas mal interpréter mes paroles. En fait, je sais et je ne sais pas. Vous n'avez rien laissé échapper, vous êtes restée étonnamment sévère et stricte avec le lecteur, ne l'autorisant qu'à recourir au flair et à la conjecture. Cependant, la forme, et je parle de la forme dans son sens esthétique universel, est solidement présente, tout comme le sentiment que la forme se complétera d'elle-même de la seule façon possible.

– Je suis si contente que vous pensiez...

– Je vous téléphone du bureau. M. Scribano se retournerait dans sa tombe s'il savait que la semaine de Noël a été violée, mais il fallait que je vienne jeter un coup d'œil sur les critiques de *My Thyme Is Up*. J'imagine que j'aurais pu les trouver sur Internet, mais je voulais en sentir le poids dans mes mains. Et écouter, réellement écouter, ce que les critiques avaient dit à l'époque. Je suis certain, Reta, que vous en avez lu certaines.

– Toutes, je pense.

– Excellent, excellent. Je n'ai jamais été d'accord avec ces écrivains qui refusent de lire les critiques qui les concernent. Et d'en tenir compte. Ça me semble être une attitude des plus arrogantes. Même si faire face aux critiques est parfois douloureux, le bon sens exige de savoir si on a réussi à créer un lien avec le lecteur. Et à quel niveau. Et c'est ce dont j'avais hâte de vous parler, Reta. Le niveau, le ton, l'intention du livre.

– Eh bien, mon...

– Si bien que j'ai lu toutes les critiques concernant votre premier roman. Le *New York Times*, le *Washington Post*, etc. Vous avez eu une excellente couverture pour un premier roman, je pense. Vraiment, je suis sincère, une excellente couverture.

– Oui, j'ai été surprise de toutes...

– Je les ai là, étalées sur mon bureau, ça fait une heure que je suis assis à souligner et entourer, et j'ai une question à vous poser, Reta. Qu'avez-vous ressenti devant l'accueil réservé à votre livre ?

– J'ai été contente. Étonnée, en fait.

– Bien. Donc, vous avez senti que l'intention de ce livre avait été comprise par le lecteur critique ?

– Je... Je pense. Oui.

– Alors, quelle est votre intention dans ce second roman, *Thyme in Bloom*?

– Vous voulez dire, à quoi je veux en venir ?

– Exactement.

– Eh bien, c'est une suite. Donc, je suppose que mon intention, comme vous dites, est très semblable.

Les mêmes personnages, la même toile de fond de Wychwood, le problème persistant de...

– Le problème, Reta, c'est que vous écrivez à présent un pèlerinage. J'ai toujours été profondément attiré par l'idée du pèlerinage. Toujours. Vous avez écrit – et je n'ai pas oublié qu'il s'agissait d'un premier jet – un roman sur l'aspiration humaine. Vous savez à quel point c'est rare ? Votre roman précédent était – et j'espère que vous me pardonnerez de le dire de cette façon –, c'était une comédie romantique légère sur des gens assez ordinaires.

– Je me souviens que l'un des critiques m'avait qualifiée de barde du banal. Et cela était inclus dans un article par ailleurs assez élogieux. Ça nous a vraiment fait rire.

– Oui, oui, c'est vrai. Vous comprenez, n'est-ce pas, Reta, que cela pose un problème, de présenter votre nouveau roman comme une suite.

– Mais c'est bel et bien une suite. Il y a Alicia et Roman, et leur projet de mariage, et...

– Quoi qu'il en soit, je vous téléphonais pour savoir quand vous pourriez venir à New York. La semaine prochaine si possible.

– Oh ! Je ne peux pas faire ça, aller à New York.

– Il est absolument crucial que nous parlions, tous les deux. Avant que vous finissiez votre premier jet, avant que vous alliez plus loin.

– Je regrette, mais je ne peux pas quitter la maison en ce moment, Arthur. Il y a des considérations familiales qui...

– Je me souviens que M. Scribano avait évoqué des problèmes avec une de vos filles, mais vous pourriez certainement vous absenter un jour ou deux.

– Non. Ce n'est pas possible.

– Alors, c'est moi qui viendrai ! À Orangetown.

Est-ce que c'est près de Montréal ? Je connais très, très bien Montréal.

– C'est près de Toronto.

– Ah, Toronto, oui. Je peux facilement me rendre à Toronto. Je prendrai un taxi jusqu'à votre lieu de résidence.

– Il vaudrait peut-être mieux louer une voiture.

– Ça nous prendra au moins deux jours, Reta, pour revoir le manuscrit. Est-ce qu'il y a un hôtel dans le village d'Orangetown ?

– Il y a l'*Orangetown Inn*. C'est assez...

– Je regarde mon calendrier, je l'ai juste sous les yeux. Est-ce que le 2 janvier vous conviendrait ?

– Voyons voir, est-ce que c'est un lundi ? Je ne sais plus quel jour on est, vous savez ce que c'est, pendant la semaine de Noël. Si c'est un mardi ou un mercredi, je ne pourrai...

– Le 2 janvier. Je prendrai le premier vol disponible. L'*Orangetown Inn*. Ne vous inquiétez pas, je vais téléphoner immédiatement et réserver pour deux nuits, le 2 et le 3. Libérez-vous ces deux jours. Nous avons tant de choses à discuter.

– Vous êtes sûr que nous avons besoin de... ?

– En fait, c'est une excellente idée, de partir de New York pour aller à la campagne, bien plus profitable à tout point de vue. Tranquillité, tran-quil-li-té. Et si vous me permettez, une telle rencontre sera une splendide façon de débuter l'année. Bonne et heureuse année, Reta.

– Bonne année à vous. Arthur ? Allô ? Vous êtes là ? »

N'importe quel

Le 31 décembre 2000

Chère Emily Helt,

Pour des raisons évidentes, je ne lis pas régulièrement le Chicago Tribune, *mais mon éditeur de New York (Scribano & Lawrence) m'a envoyé une critique littéraire qu'il a trouvée sur Internet, votre longue critique du livre de Susan Bright intitulé* An Imperfect Affair *(Une Liaison imparfaite), un roman, je l'avoue, que je n'ai pas lu. Il était enchanté de voir que vous aviez cité mon nom dans votre introduction, croyant, je suppose, que toute publicité est bonne à prendre. On l'entend souvent, et c'est peut-être vrai.*

Les femmes écrivains, dites-vous, sont les miniaturistes du roman, des brodeuses de « beaux sentiments ». Au lieu de peindre une vaste toile de la société comme le font Don DeLillo ou Philip Roth, qui interprète les relations à travers la « loupe du désir sexuel », les femmes écrivains telles que – et là, vous dressez la liste d'un certain nombre de noms féminins incluant le mien – trouvent des vérités universelles dans les « petites vies individuelles ». Ceci, poursuivez-vous, est une « affaire délicate », qui ne fonctionne que rarement.

Je me plie à votre jugement concernant mon propre roman My Thyme Is Up. *Vite écrit, vite lu, sans aucune vaste toile de fond et seulement un geste en direction du désir érotique. Très bien, très bien. Je ne suis pas du tout offensée. J'essaie d'être objective quant au mépris* justifié *; c'est seulement le mépris* désinvolte *qui me rend... comment dirais-je... qui me rend folle, même si personne, pas même ma famille et mes amis proches, ne le soupçonne. Il y a longtemps, au lycée, nous avons appris que les thèmes majeurs de la littérature étaient la naissance, l'amour, la compréhension, le travail, la solitude, les relations, et la mort. Nous pensions que les lecteurs de romans représentaient eux-mêmes de « petites vies individuelles », et les écrivains aussi. Ceux-ci ne souffraient pas, ainsi que vous le donnez à entendre, d'un manque d'étendue dans les sujets abordés. Ces vies appréhendaient le vaste monde dans lequel elles baignaient, et depuis leurs fauteuils d'écrivains elles tambourinaient au rythme du désir sexuel, mais leur regard était essentiellement posé sur la conscience verrouillée de leur être individuel, humain, vivant, et la façon dont chaque individu interprète tout cela était soit bienveillante soit malveillante. Il n'y avait pas de règles sur le bien et le mal, et pas de Règle d'Or. Il semble juste que notre espèce soit plus heureuse quand nous sommes bons. Ceci est un phénomène observable, quoique difficile à prouver par des textes.*

Il se trouve que je suis la mère d'une fille de dix-neuf ans qui a été exclue du monde par la suggestion qu'elle était condamnée à la miniaturisation. Sa stratégie est le sacrifice de soi. Je sais ce qu'elle ressent. Elle peut avoir « la bonté mais pas la grandeur », pour citer le célèbre docteur Danielle Westerman. C'est, comme vous dites, une « affaire délicate ». Et elle est tombée dans le piège.

Cordialement,

Xeta d'Orange

Ou si

Danielle Westerman a intégré, au plus haut degré possible pour elle, au plus haut degré *tolérable* pour elle, le paradoxe de la subjugation. Elle est sans doute arrivée au point où elle sait qu'elle ne pourra jamais prétendre à mieux. Elle n'a pas la force nécessaire pour un autre élan de résistance, mais elle ne va pas se rendre non plus. Elle refuse, par exemple, d'embrasser le culte voué à la sagesse des anciens. Une telle sagesse n'a jamais existé, dit-elle, il y a juste l'apaisement, la divagation, des miettes.

« Quelle vie terrible elle a eue ! s'écrie Sally.

– Non, dis-je, elle a eu une vie remarquablement satisfaisante.

– Ce n'est pas comme si elle détestait les hommes, intervient Lynn.

– Loin de là.

– Ce qui ne surprendrait personne, remarque Annette. Si elle détestait les hommes, je veux dire.

– C'est seulement, dis-je, hésitante, ne voulant pas parler à la place de Danielle, qu'elle espérait sans doute le grand pas en avant. Et non tous ces petits pas législatifs qui ne mènent pas à grand-chose. »

Annette et Lynn hochent la tête, mais Sally paraît stupéfaite.

« Mon Dieu, dit-elle. Le simple fait d'avoir une machine à laver et un sèche-linge est un progrès. Le simple fait d'avoir l'eau courante. Vous êtes allées en Afrique. Vous avez vu des femmes ne rien faire d'autre de la journée que porter des seaux d'eau. »

Sally ne comprend pas. Je ne suis pas sûre que Lynn comprenne non plus. Annette oui, je pense. Peut-être parce qu'elle est noire en plus d'être une femme.

Annette hoche lentement la tête.

« Je sais.

– Quelle misère ! »

Nous sommes mardi matin, le 2 janvier 2001. J'ai téléphoné au bureau de M. Springer, à New York, et j'ai laissé un message étonnamment catégorique disant que je ne serais pas disponible avant le vendredi cinq janvier. Le mardi, je prends le café avec mes amies à l'*Orange Blossom Tea Room*, et le mercredi je vais à Toronto ; je n'ai pas pris la peine d'expliquer les détails à Adrienne, la secrétaire, mais elle m'a rappelée aussitôt après pour me dire qu'Arthur était d'accord. Il ne pouvait pas se libérer le 5, mais il arriverait le vendredi 19, serait devant chez moi à trois heures de l'après-midi, et il attendait avec impatience de passer un week-end à la campagne.

« Un week-end à la campagne ? dit Lynn Kelly de sa voix rêveuse. Qu'est-ce qu'il imagine, à ton avis ? Des chevaux et tout ?

– J'imagine que je pourrais organiser une soirée, dis-je. Mais j'ai la flemme.

– Une soirée rustique ?

– À la fortune du pot ?

– Tu pourrais l'emmener au marché du samedi matin. Il s'est beaucoup amélioré ces derniers temps. Il y a une femme qui fabrique des perles à partir de pétales de roses séchés...

– Oui ! Et elles sont censées rester parfumées à vie. Elle les compacte d'une certaine façon.

– C'est comme ça qu'étaient faits les rosaires, au départ...

– Vraiment ! Je n'avais jamais fait le rapprochement.

– Et il y a un type qui fabrique des chaises en brindilles hallucinantes qui...

– Sur lesquelles on ne peut pas s'asseoir.

– Ce sont des sculptures, selon lui, pas des meubles. Et il y a un nouveau, un type avec des cheveux longs jusqu'à la ceinture, qui prend des morceaux de bois dans lesquels il taille des petits tiroirs secrets, et à l'intérieur de ces tiroirs il en taille encore d'autres.

– À ton avis, à quoi il ressemble ? demande Sally. Ton Arthur Springer avec son...

– Je ne sais pas, dis-je. Mais j'ai terriblement peur qu'il soit... je ne trouve pas le mot exact, mais...

– Un peu new age ?

– Un peu new-yorkais.

– Un mec froid ? Bardé de diplômes ? »

Je secoue la tête.

« J'ai peur qu'il soit lèche-bottes.

– Oh, bon sang !

– Ne le laisse pas faire.

– Tu n'as qu'à faire pareil avec lui.

– Pompeusement pontifiant, comme ces...

– Il va falloir que je l'invite à dîner, et j'ai l'impression que Tom va grimper aux rideaux. Les filles aussi. Elles sont formidables. Elles ont ce nouveau mot : grave. Ça veut dire nul ou quelque chose comme ça. T'es grave, c'est ce qu'elles se disent mutuellement. Elles surnomment Tom le « chef Gravos », et il adore ça. Il leur adresse un petit salut en claquant des talons. Natalie fait des imitations méchantes de...

– Tu peux compter sur les adolescents pour percer à jour les véritables lèche-bottes...

– Surtout les lèche-bottes de New York. Ou les gens graves, en l'occurrence. Quand on était là-bas...

– Je lui ai parlé deux fois au téléphone, et je n'ai pas pu m'empêcher de remarquer qu'il m'interrompait toujours juste au moment où j'allais...

– On s'interrompt tout le temps. Tu as remarqué comme nous quatre...

– C'est différent. Ce n'est pas grave de s'interrompre quand il n'y a pas de hiérarchie pour...

– Vraiment ? Tu crois vraiment que... ?

– C'est comme ça que marche la conversation, comme ça qu'elle se construit, brique après brique, mais avec ces petits morceaux écaillés de...

– Mais toi et Arthur Machin-Chose, vous avez réellement un lien hiérarchique, Reta.

– Cet homme est ton éditeur.

– Non, c'est l'assistant d'édition, pas son éditeur.

– Mais il peut décider de ce qui va être publié, de ce qui est acceptable pour...

– Il peut sans aucun doute influencer le roman de Reta.

– Si tu le laisses faire.

– Au moins, tu seras sur ton terrain. On dit toujours que pour le foot, jouer sur son propre terrain a une importance...

– Tu sais, Reta, le simple fait qu'il ne « puisse » pas venir le 5, comme tu l'avais proposé, et qu'il ait remis ça au 19...

– Est assurément un coup stratégique.

– Absolument.

– Pour avoir le dernier mot.

– Je l'ai déjà fait moi-même.

– Comment ça avance, Reta ? Le roman ?

– Lentement. J'ai un peu ralenti.

– La pression de New York ne doit pas aider. Et si peu de temps après Noël, quand on a tant de mal à redémarrer.

– Tu as raison. Le simple fait de penser à lui me fait réfléchir sur ce que j'ai écrit. Plus il m'abreuve de compliments, plus je doute. »

C'est vrai. Je n'ai pas regardé le manuscrit depuis deux jours. Avant le coup de téléphone d'Arthur Springer, celui-ci avait été mon chouchou, ma plus grande distraction. Le seul moyen efficace que j'avais de pallier mon inquiétude à propos de Norah était de me fondre dans une autre réalité, de me précipiter jusqu'au centre-ville de Wychwood City, avec son quartier des affaires, sa salle de concert, ses statues, ses coins de rues et ses espaces complexes lumineux. Et à présent, j'en ai peur, je n'ose pas cliquer sur l'icône de *Thyme in Bloom.* Au lieu de cela, j'ai fait des recherches sur les trombones, étonnée de trouver une quantité d'informations non négligeable à ce propos sur le Net. Les trombones semblent d'une simplicité stupide, mais en fait ce sont des sujets de légendes, d'histoires d'amour et même d'exploits. Une autre distraction. Je pense à ces instruments en cuivre de la façon dont je regarde dans le marc d'une tasse de café, oisivement, l'inclinant de façon à ce que le cercle qui se trouve au fond de la tasse s'élargisse pour devenir un lac ovale. Il y a tant à savoir.

Pendant ce temps, le roman semble figé par la procrastination qui imprègne ses propres pages. Alicia essaie de trouver ce qu'elle peut faire pour se sauver elle-même. Elle ne veut pas blesser Roman, son cher Roman, avec son épaisse tignasse en bataille et son odeur musquée évoquant celle d'un morceau de fromage moisi. Mais elle doit lui dire bientôt ce qu'il aurait dû comprendre depuis longtemps. Sa mère se lamentera, son père ronchonnera, la famille de Roman pensera du mal d'elle, tout le monde sera embarrassé. Mais elle doit assurer sa propre survie. Pourtant, cela semble égoïste. Elle veut se libérer de son engagement, mais elle veut aussi vivre en ayant bonne conscience. Il y a sûrement un genre de jugement éthique dont elle peut s'inspirer. Partout sur cette terre, il existe des amants qui rompent leurs fiançailles ; ce n'est pas vraiment un crime. Alicia sait qu'elle et Roman survivront, mais ce sera elle, elle qui aura tout détruit, brisé leurs promesses, qui passera pour une sans-cœur, une méchante, causant des dommages irréparables dans une existence étayée jusque-là par une bonté naturelle. Amour, mariage, enfant, un nid dans lequel se blottir. Le confort d'une telle vie, cette rondeur naturelle à laquelle nous nous accrochons.

Chaque fois qu'Alicia pense à la bonté idéalisée, l'image du granit lui vient à l'esprit, surfaces polies, pierre imperméable. Mais la pierre peut être broyée, assez facilement, en fait. Alicia a visité la carrière près de Straw Hill. Elle a vu les engins géants au travail. La bonté n'est pas garantie. Une vie de principes exige de la pratique et, bien qu'on ait saisi une grande partie de la moralité contractuelle, les gens continuent à commettre des erreurs. Ensuite, la bonté devient simplement une question d'intentions. D'opportunités. Voyons les choses en face, la bonté n'a aucune force ; aucune. La décadence, la transgression et les promesses brisées, tout cela arrive, tout le temps, en fait. Elle a essayé d'expliquer ses sentiments à Roman, mais il est préoccupé par d'autres problèmes.

D'abord, il veut aller passer sa lune de miel en Albanie ; il s'est montré particulièrement insistant. Il a acheté une carte. Il a envoyé des e-mails à sa famille à Tirana et découvert que même dans ce coin très défavorisé de l'Europe, le réseau Internet est puissant. Alicia a du mal à admettre cette idée de lune de miel, sans parler du mariage en lui-même. L'Albanie lui fait l'effet d'une punition. Néanmoins, Roman brise peu à peu sa résistance. Ils ne semblent jamais se décider à avoir une véritable discussion sur leur avenir commun. Roman ne comprend toujours pas que le mariage ne va pas avoir lieu. Il a le cœur trop tendre pour encaisser ce fait. Ou alors, trop dur.

De plus, il s'est brouillé avec la bassoniste du Wychwood Symphony. La chaise de la bassoniste se trouve juste devant celle de Roman, et elle – Sylvia Woodall – se plaint que le son du trombone de Roman lui casse les oreilles. Elle se plaint aussi de recevoir de l'eau quand il humidifie sa coulisse avec son petit vaporisateur, et que ses cheveux, naturellement frisés, deviennent crépus comme ceux d'une sorcière, ce qui lui fait perdre son sang-froid et ses repères quand elle est absorbée dans la musique. Elle veut qu'il recule sa chaise de cinq ou six centimètres, et Roman refuse. Il n'y a pas de place, affirme-t-il. Que peut-il faire ? « Eh bien, dit Sylvia Woodall, alors, tu n'as qu'à modifier l'angle de tes pulvérisations.

– Je ne peux pas, répond Roman, que l'on pourrait facilement accuser de posséder un sentiment de bon droit un peu excessif ; c'est impossible. »

Les deux amants, Alicia et Roman, ne vont nulle part, et la date du mariage approche. Et moi, qui dirige cette histoire d'amour comique, j'ai atteint les limites de ma réflexion. Le récit doit arriver, à ce point précis, à un certain apogée, et celui-ci m'échappe sournoisement. Je m'arrête sans cesse pour tenter de tirer de ces querelles d'amoureux les petites illuminations qui s'emboîtent telle une prise mâle dans une prise femelle, mais tout ce que j'en tire, c'est de la colère. Je traverse une sérieuse période *d'énervement** consécutive aux fêtes de Noël. Y a-t-il une activité moins réjouissante que d'enlever les décorations d'un sapin ? Oui et non. J'attends toujours que les filles retournent à l'école et Tom à la clinique ; on ne peut pas leur confier la tâche ennuyeuse de décrocher les fragiles ornements, de les emballer dans du papier, et de les ranger dans leur boîte respective, puis de coucher le sapin sur le flanc pour le traîner dehors par la grande porte de devant, et enfin de balayer des montagnes d'aiguilles et de les enlever une par une du plancher. Toute une matinée de labeur méthodique et décourageant.

Mais voilà ; c'est fait ; je suis heureuse de ne plus le voir. J'apprécie cet espace défriché. Maintenant, je peux réfléchir.

J'essaie de reconstruire ma conversation téléphonique avec Arthur Springer, mais seuls quelques fragments survivent. Il a fait allusion à un pèlerinage, ce qui n'a absolument aucun sens. Je me dis à présent qu'une menace scintillante pendait au-dessus des mots qu'il avait prononcés. Mais la cuisine était particulièrement bruyante le matin où il avait téléphoné. Natalie et Chris, en vacances de Noël, s'étaient levées tard et préparaient des crêpes devant la cuisinière, où elles tentaient de former leurs initiales avec de la pâte. Elles avaient mis la radio à fond, une station de rock particulièrement bruyante. Le lave-vaisselle tournait. Tom descendait l'escalier à pas lourds. Mon cœur battait. C'est incroyable que j'aie pu entendre quoi que ce soit.

Toujours

Natalie et Chris ont repris leurs visites à Bathurst et Bloor, et juste avant Noël elles ont apporté à Norah un énorme paquet de jolies choses, toutes magnifiquement emballées : un survêtement bleu douillet avec une doublure en Thermolactyl, du savon parfumé, une brosse et un peigne, un bas rempli de fruits et de chocolats. Nous pensons tous qu'elle a redistribué ces cadeaux, immédiatement, à des inconnus, mais nous parvenons à l'accepter, nous devons l'accepter, puisque nous ne pouvons nous empêcher d'y penser.

Ce que j'aimerais, c'est une lobotomie, un travail propre, le sommet de mon crâne scié nettement et le contenu voulu retiré. Je me débarrasserais de cette semaine du printemps dernier où nous ne savions pas où était Norah. J'extrairais le sang coulant du front de Natalie il y a des années, le jour où sa chaise haute avait basculé dans le jardin et heurté la barrière. Toutes les blessures physiques, en fait, seraient retirées, y compris les croûtes, que j'ai vues sur les poignets de Norah la semaine dernière, ce petit centimètre de peau entre sa moufle et la manche de son manteau, un anneau de blessures rouges. J'enlèverais toute la bande originale de *My Fair Lady* et le souvenir de ma mère en train de peindre de la porcelaine après avoir été placée en maison de retraite parce qu'elle ne s'en sortait plus toute seule, incapable de se souvenir seulement de son prénom après la mort de mon père. Également, ce jour où j'avais eu mes premières règles dans le train pour Ottawa; évidemment, je portais mon nouveau tailleur-pantalon blanc. Et cette crise de cystite que Chris avait eue quand nous étions en France, quand pendant cinq minutes j'avais été incapable de me souvenir du mot français pour désigner la vessie. Et cette dispute que Tom et moi avions eue pour le troisième anniversaire de notre rencontre dans Nathan Phillips Square, pour une raison dont je ne me souviens plus, quand nous avions tous les deux dit trop de choses et de façon trop cruelle. Aucun de nous n'osait revenir sur ce moment où nous avions failli nous déchirer, si bien que pendant des jours nous étions restés tremblants, murmurant dans les bras l'un de l'autre toute la nuit.

Tom est resté perplexe quand je lui ai décrit les croûtes rouges aperçues sur les poignets de Norah. Des gerçures, a-t-il pensé, ce mal étrange presque dickensien provoqué par une exposition à un climat rude.

« Tu ne crois pas qu'elle a pu prendre un rasoir et...

– Non, a-t-il répondu en secouant la tête. Tu as dit que ça ressemblait plus à de l'urticaire. »

Il avait lui-même jeté un coup d'œil le vendredi, alors qu'il était à Toronto, et à présent il n'était plus aussi sûr; mais il avait hésité à s'approcher trop près d'elle tandis qu'elle faisait les cent pas à son angle de rue. Il ne voulait pas qu'elle pense qu'il *l'espionnait.* Songeant à un eczéma sévère, il avait laissé un pot de crème à la cortisone près du carré de carton qu'elle occupe, et, achetée chez *Honest Ed*, une énorme paire de gants en peau de mouton qui lui arriveraient aux coudes si elle avait le bon sens de les porter.

À quel jeu de devinette jouons-nous avec notre enfant? Elle n'a pas reçu une telle attention parentale depuis sa naissance, mais cette fois-ci tous nos efforts sont basés sur des conjectures.

Il y a des anthropologues de la danse (c'est Annette Harris qui m'en a parlé) qui tentent de reconstruire les ballets perdus de Nijinsky, en se fondant sur des fragments de musique, des critiques, l'état d'esprit du début du XXe siècle, et une demi-douzaine de notes chorégraphiques succinctes griffonnées dans la marge d'un journal intime. Cela doit être un travail accablant, voué à l'échec, pourtant l'exercice est très semblable à ce que Tom et moi faisons lorsque nous nous consultons à propos de Norah : sa santé, son équilibre mental, l'éruption sur ses poignets, son alimentation, le voile qui lui donne l'œil vitreux, ce que ses sœurs nous rapportent, et ce qu'il se passe dans sa tête quand elle se rend chaque matin à son angle de rue et retourne le soir au foyer. Et pourquoi?

Tom en est venu à croire qu'elle souffre d'un choc posttraumatique. Le problème, dit-il, est d'identifier le trauma et de le faire apparaître. Une révélation brutale; mais l'authentification peut faire passer cet événement de l'état d'une réalité se répétant perpétuellement en un simple souvenir, dont le cerveau peut s'accommoder. Il a tout abandonné à part ses trilobites pour mener des recherches sur le stress et le trauma. Il reste courbé devant son ordinateur tous les soirs, plongé dans Internet, surfant à l'aveuglette sur la thérapie du trauma, le stress du trauma, les archives historiques du trauma. Dans notre chambre, nous avons une pile de livres et de revues sur le sujet.

Enfin, il est médecin. L'idée du diagnostic et de la

guérison lui vient de façon naturelle, un arc rythmique de cause à effet qui comporte ses satisfactions intrinsèques, et cet état d'esprit est, pour moi, particulièrement enviable. Si simple, si net. Je regrette à présent de ne pas avoir fait de Roman un médecin plutôt qu'un tromboniste, mais il est trop tard. Je n'arrive pas à le voir sans ce cuivre étincelant dans les bras et sans une bouche pompant sans arrêt ; de plus, il était tromboniste dans le premier roman, si bien que je ne peux pas arbitrairement l'envoyer suivre des études de médecine pendant quatre ans, sans parler de l'école préparatoire et du fait qu'il s'agisse d'une vocation débutant à la naissance.

Je crois avec ferveur qu'un romancier doit donner du travail à ses personnages. Les hommes et les femmes fictifs tendent selon moi à s'effondrer, à moins d'être observés en train d'exercer leur métier, d'être engagés dans leur occupation, l'architecte vu dans un état de concentration devant sa table à dessin, la danseuse en train de penser chaque pas au moment où celui-ci est accompli, le programmateur informatique traçant un chemin entre l'information et l'accès. Emma Allen pense que la grande joie des romans policiers est de regarder le héros travailler sans une minute de répit ; le travail, dans les romans criminels, est toujours visible : c'est ce qui en fait tout l'intérêt.

J'ai lu des romans sur des professeurs qui ne mettent jamais les pieds dans leur classe. Ils sont toujours en congés sabbatiques ou partis à une conférence à Hawaï. Et j'ai lu des romans sur ces héros-artistes qui ne prennent jamais un pinceau, tant ils ont à faire au café du coin, ou sont préoccupés par leur vie amoureuse, leurs envies ou leur chagrin. La brillante jeune botaniste avec ses cheveux dorés tirés en arrière, une mèche folle dans le cou, gravit-elle une colline verdoyante pour remplir ses poches d'espèces rares ? Non, nous ne la voyons qu'après le travail ou en week-end, quand elle se rend à des soirées et rencontre de jeunes avocats de roman qui n'ont aucune affaire sur laquelle plancher, aucun dossier, pas de bureau, pas de salle d'audience où démontrer leur talent. Ce jeune et costaud ouvrier en bâtiment s'accouple uniquement entre deux changements d'équipe, et avec une blonde diplômée de Mount Holyoke pour partenaire : qu'est-ce que vous dites de ça ? Juste une fois, j'aimerais le voir avec le marteau-piqueur contre son corps, qui le secoue jusqu'à l'hébétement. Mais que se passe-t-il si le romancier est un diplômé de Yale, comme son père avant lui ? Que connaît-il de la façon dont le marteau tressaute, bondit en transmettant ses secousses jusqu'aux os et au ventre de l'être humain ? On aura peut-être la chance de voir ce pauvre type essayer de comprendre l'humanisme, découvrir Shakespeare à l'occasion de festivals en plein air ou le cinéma français, quelque chose comme ça, mais il y a peu de chances pour qu'on le voie *travailler*.

J'adore le travail. Quand je rencontre des gens, j'ai toujours envie de leur demander ce qu'ils font, mais Lynn Kelly m'a dit que l'on ne pouvait plus lancer de telles sondes dans une conversation, aujourd'hui. Il y a trop de gens sans emploi ou honteux de ce qu'ils font : travailler à la chaîne dans une usine de préservatifs, par exemple, ou exterminer les cafards. Le travail peut être affreux. Le travail est une question sensible. La dernière fois que j'ai demandé à une femme ce qu'elle « faisait » (c'était pendant une soirée de Noël il y a deux semaines), elle m'a regardée en disant : « Je ne fais rien. » Ensuite, elle a intensifié son regard pour ajouter : « Et je ne fais pas d'études non plus. » (Quand ce sera le moment de ma lobotomie, c'est l'un des incidents que je prévois de faire enlever.)

Mais pourquoi ai-je décidé que Roman serait tromboniste alors que j'ignorais tout des trombones au départ ? Parce que je me trouvais dans mon petit débarras, coincée sur un paragraphe dans un chapitre du début, et que je retournais oisivement un trombone français entre mes doigts. Quand nous étions en France – je reconnais que c'est de l'affectation –, j'ai acheté une grosse boîte de trombones, lesquels sont pointus à un bout au lieu d'être arrondis. Ils sont différents de nos trombones nord-américains, ils font chic, ils font français. Et ce mot « *trombone** » est un de ces mots tendres que les Français aiment bien donner aux objets. C'est ainsi que Roman a hérité de sa vocation dans le monde des cuivres, par un hasard d'association d'idées, parce que moi, l'écrivain coincée sur son premier roman, je me trouvais un après-midi en train de tordre *un petit trombone** dans ma main tout en me disant que je devais donner à mon personnage masculin un véritable métier.

Horst Raasch, le héros et professeur de Roman, clamait que le trombone devait prétendre à un son assez semblable à celui du violoncelle, sortant en longues pulsations lentes. Raasch lui a appris à attaquer la note en douceur mais avec précision, à la tenir de façon régulière. « La beauté tonale » était le but ultime. Roman a commencé des études sérieuses à quatorze ans sur un Kruspe Modell Weschke que sa famille n'avait pas vraiment les moyens de s'offrir ; son grand-père avait économisé des pièces dans un pot à conserves pour pouvoir acheter cet instrument. C'est le *Concerto* de Sachse qui avait été choisi (Roman ne se souvient pas pourquoi) pour son examen de mi-trimestre, qu'il avait brillamment réussi.

Il aimait l'idée d'être brillant et s'était mis à s'entraîner de plus en plus pour pouvoir l'être tout le temps. Il avait appris, finalement, à jouer avec précision les croches, les triolets, les doubles croches et les quadruples croches. Il avait acquis un excellent registre. Pendant son temps libre, il s'aventurait dans le jazz : « *Sleepy Lagoon* », « *Stardust* », « *I'm Getting Sentimental over You* », mais il devait cacher cette facette-là aux puristes. Il était bon, plus que bon, comme le confirmait sa place au sein de l'orchestre symphonique de Wychwood.

Le trombone est un instrument difficile à maîtriser, car l'ajustement entre les coulisses intérieures et extérieures est si précis qu'il requiert une lubrification. À un moment donné, la crème Pond's était la lubie de Roman, mais récemment il s'est mis à utiliser des produits faits sur mesure comme des gouttes de silicone, appliquées chaque semaine et diluées avec un savon liquide onctueux. La plupart des trombonistes ont également besoin de pulvériser de l'eau de temps en temps à l'aide d'un vaporisateur, afin de maintenir le mécanisme humide et lubrifié. L'extension de la clé de *fa*, inutile de le dire, a apporté une énorme différence aux trombonistes d'orchestres symphoniques, surtout parce qu'elle ajoute quelques notes dans les graves, et Roman aime les notes graves. Il est conscient de sa chance d'être employé par un orchestre célèbre, mais il brûle de partir en ce moment, et ses « différends » avec Sylvia Woodall, la bassoniste, atteignent des sommets ; il déteste cette femme. De plus, il aspire à aller visiter l'Albanie, la terre de ses ancêtres.

En tant que romancière, je suis assez surprise par la complexité de la vocation de Roman, et je me demande tous les jours comment j'ai pu me fourrer dans une telle complexité.

Quant à Alicia, je l'ai fait travailler dans un magazine de mode anonyme, et cela aussi je le regrette. Mon idée d'ambiance de magazine vient de la télévision ou du cinéma. Je ne sais pas du tout à quoi ressemblent les locaux d'un magazine de mode, ni comment les gens du magazine collaborent entre eux. J'aime à croire qu'Alicia voit au-delà de l'escroquerie de la mode, ou qu'elle élève la mode au niveau du style, et le style au niveau de l'imprimatur, tout cela empilé nettement sous une élégante et judicieuse rubrique intitulée « *être* ». Je prétends, quand elle rédige un article sur les gants, les sacs à main ou les chaussures, qu'elle recherche l'histoire ou la *philosophie** de ces objets. Elle les considère avec amusement, mais avec respect ; sinon, par dégoût, elle s'inscrirait à l'Université de Wychwood pour passer un doctorat, disons, en poésie chinoise féminine de la seconde moitié du XIXe siècle. Mais un changement d'orientation professionnelle de cet ordre est cataclysmique, et je doute de pouvoir rendre ce changement plausible aux yeux de lecteurs assez satisfaits de traîner dans la salle de réunion et les couloirs lisses et parfumés du magazine X. Il faudrait quelque chose pour déclencher cet élan, quelque chose de *traumatique* pour que la loyale, travailleuse, sérieuse et sincère Alicia abandonne le monde de la mode pour celui de l'académie. Et ensuite, il faudrait qu'elle écrive une thèse, et je deviendrais une femme qui écrit à propos d'une femme qui écrit à propos des femmes qui écrivent, et cela mènerait tout droit à une régression se répercutant à l'infini comme dans une chambre sonore, une vision multipliée, mais selon une perspective décroissante. Non.

Le problème, c'est que je ne suis pas sûre de croire au coup de tonnerre du trauma. Un écran tenace de bon sens ne cesse de se dresser en travers de mon chemin et d'oblitérer le filigrane de cette théorie bien ficelée. Notre espèce n'est-elle pas plus intelligente que ça ? Quelque part, branché à l'intérieur de notre cerveau, il doit bien exister un petit paquet de nerfs en forme de haricot qui détecte *l'importance* relative des événements et fait la distinction entre l'expérience exceptionnelle dont nous pouvons nous débarrasser justement parce qu'elle est exceptionnelle d'une part, et la lente accumulation régulière de connaissances progressives d'autre part, laquelle est en fait ce qui nous entraîne au bord du gouffre, le sang d'une petite blessure coulant dans une autre jusqu'à ce que le système entier bascule.

Je ne révèle pas le fond de ma pensée à Tom tandis qu'il fouille le sujet du trauma, espérant sauver – ou du moins comprendre – Norah en traquant cette « chose » qui s'est emparée d'elle au printemps dernier et l'a rayée de sa vie. Je ne veux pas le décourager dans ses recherches, qui, même si elles ne mènent nulle part, lui apportent au moins une distraction. Tant qu'il trouve des exemples similaires, il parvient à croire encore. Il est certain que sa propre mère, par exemple, a été traumatisée par l'attitude de Norah. Il soupçonne que Danielle Westerman souffre d'un trauma remontant à sa lointaine enfance et qui, à l'âge de quatre-vingt-cinq ans, continue de se répercuter en elle où il provoque un sentiment de honte, de perte ou de chagrin d'un genre tout à fait spécifique.

Parce que Tom est un homme, et parce que je l'aime profondément, je ne lui ai pas dit ce que je pensais : que le monde est coupé en deux, entre ceux qui reçoivent le pouvoir à la naissance, pendant la gestation, encodé dans un déterminant chromosomique apparemment aléatoire qui leur ouvre toutes les portes, et les autres – comme Norah, comme

Danielle Westerman, comme ma mère, comme ma belle-mère, comme moi, comme nous toutes –, qui sont tombées de l'autre côté de cette barrière génétique, dans un endroit où le pouvoir de s'affirmer et de revendiquer sa vie a été remplacé par une compulsion à fermer son corps et sceller ses lèvres, à n'être quasiment rien en comparaison des feux d'artifice, des étoiles filantes et de la lumière aveuglante du Big Bang. Voilà le problème.

Ce cri est exagéré ; je révise des textes pour l'édition, après tout, et je sais reconnaître un morceau de bravoure quand j'en vois un. Le sentiment est excessif, grossier, sauvage, féminin. Mais je tiens à le lâcher, même si ce n'est que pour moi. Lâcher est une forme de courage. Je viens juste de le comprendre. Avec un train de retard, comme d'habitude.

D'où

Le 10 janvier 2001

Cher Peter (« Pepe ») Harding,

Alors, comme ça, vous êtes mort. J'ai lu votre notice nécrologique dans le Globe and Mail *ce matin, assise dans un coin ensoleillé de ma salle de séjour; vous n'aviez même pas envie de savoir le temps qu'il fait dehors aujourd'hui; c'est tellement dommage que la météo à la radio se soit lancée dans la poésie en qualifiant ce que nous connaissons de « froid mordant », une expression qui semble tirée d'une vieille épopée anglo-saxonne. Il y a également un vent cinglant, plus mesquin qu'un chien de ferrailleur, comme dit la vieille chanson de Turner Cassidy.*

Il y a des années, j'appartenais à un petit groupe d'écriture, et le chef de notre groupe, une femme du nom de Gwen Reidman, nous conseillait de lire les notices nécrologiques parce qu'elles comportaient, comme des gènes serrés dans leurs chromosomes respectifs, des petits noyaux de narration. Ces petits glapissements d'activité (Gwen les désignait toujours sous le terme de « mastic ») sont si personnels, si authentiques et si étranges qu'ils peuvent renforcer le fin tissu d'un récit prévisible et le tordre pour lui faire prendre des formes improbables. J'ai par exemple lu récemment la nécrologie d'une femme âgée qui avait été cham-

pionne de crosse du Manitoba en 1937. Imaginez ça : cette femme avait conservé son titre pendant toutes les années de la Deuxième Guerre mondiale, pendant les émeutes des années soixante, pendant la longue période où Pierre Elliott Trudeau, Ronald Reagan et Margaret Thatcher étaient au pouvoir, jusqu'à la fin des années quatre-vingt-dix, où ses petits-enfants – je le suppose – avaient acheté un ordinateur avec accès à Internet, sur lequel ils avaient trouvé, après quelques minutes de recherches, un certain nombre de pages web dédiées au sport de crosse, qui n'existe pratiquement plus, et un nom, celui de leur grand-mère ; c'était incroyable ! Ce nom scintillait toujours là-bas, dans les détritus du temps, le nom d'une championne, d'une battante.

J'ai été navrée d'apprendre que vous aviez lutté si longtemps contre votre cancer, mais « courageusement », comme le dit l'article, jusqu'à la fin. Quelle vie intéressante vous avez menée ! Je suis sûre que vous n'imaginiez pas, quand vous étiez enfant dans une rude ferme du Saskatchewan, obtenir la bourse d'études Douglas McGregor, finir à Toronto comme professeur apprécié dans le très privé et très élitiste Upper Canada College, et donner toujours le « meilleur de vous-même » à vos étudiants, de sorte qu'à votre départ en retraite en 1975 ils se sont réunis pour organiser un barbecue à Hart House, un événement d'une telle cordialité et un tel hommage que l'on en parle encore aujourd'hui. Vous allez manquer à Kaye, votre femme, et à vos enfants, Gayle et Ian, ainsi qu'à vos trois petits-enfants, et à vos anciens collègues qui vous rendaient visite à l'hôpital, assis bien raides dans ces fauteuils en acier inconfortables que l'on voit dans les hôpitaux.

Vous avez trouvé du réconfort pendant les derniers jours de votre vie, conclut la notice nécrologique, dans cette pile de livres posée sur votre table de chevet. Vous ne vouliez pas vous en séparer. Mark Twain, Jack London, Sinclair Lewis, Fitzgerald, Hemingway, Faulkner, Joyce, Beckett, T.S. Eliot, Leonard Cohen : leurs textes constituaient pour vous un

« univers entier ». Un autre « univers entier » vous a atteint grâce aux écouteurs fournis par l'hospice, et pour lesquels votre famille exprime ses remerciements : Bach, Beethoven, et Mozart; c'est la musique qui vous a bercé dans la mort.

Je traverse une période morose, M. Harding, Pepe. (Adolescentes difficiles, etc., un problème dont vous devez savoir quelque chose grâce à vos années d'enseignement et à votre propre famille.) J'aspire moi aussi au réconfort de « l'univers entier », mais j'ignore comment le rassembler, tout comme l'aînée de mes enfants, une fille. J'ai l'impression qu'il y a quelque chose d'incomplet dans cette organisation, comme un moulage en bronze qui se fend à la fonderie, un objet façonné destiné par quelque défaut invisible à se casser. J'ai également peur d'avoir quelque chose en moins, que Norah ait quelque chose en moins.

Au revoir, reposez en paix. Partez bien, comme on dit au Swaziland, où mon amie Sally Bachelli a passé un an à apprendre aux femmes des villages comment se confectionner des robes toutes seules. Des robes « quatre heures », on appelait ça; c'est le temps qu'il fallait pour fabriquer une robe sans machine à coudre, d'après le patron de Sally.

Je vous pleure aussi.

Rita Hayworth
Orange Blossom City

Aussitôt

« Reta !

– Arthur.

– J'espère ne pas être trop en retard. Il y avait une circulation terrible et ensuite le taxi s'est perdu, pensant que je voulais me rendre à Orangeville, pas Orangetown. Il semble y avoir une grande différence entre les deux.

– Un peu plus de vingt kilomètres, on se trompe très facilement, mais ne restez pas dans le froid. Tenez, laissez-moi prendre votre manteau. Je vous imaginais un peu plus vieux.

– J'ai trente-neuf ans. Et vous quarante-quatre : j'ai regardé dans le dossier de presse.

– Presque contemporains. Mais pas tout à fait.

– Quelle maison magnifique ! Du feu de bois, je sens une odeur de feu de bois. Ah, et voilà le feu, la source de cette odeur merveilleuse.

– J'ai pensé que nous pourrions nous asseoir...

– Il n'y a rien de tel qu'un feu de bois. Qui crépite. À New York, seuls les plus fortunés ont accès au... Et le prix du bois de chauffage ! Dix dollars les quatre petites bûchettes, bien sûr, pour du très, très bon bois de chauffage, du noyer blanc... Quelle pièce splendide, Reta... ces superbes fenêtres... Grand

Dieu, il commence déjà à faire sombre... il n'est même pas quatre heures et demie... bien sûr, vous êtes beaucoup plus au nord... c'est ce qui doit faire la différence.

– Voulez-vous du café ? Je viens d'en...

– Du café, hmm.

– Ou, puisque vous venez de descendre d'un taxi glacial... peut-être... il est tôt, mais peut-être aimeriez-vous un verre de vin rouge.

– Je ne voudrais pas vous faire ouvrir une bouteille juste pour moi.

– Je suis sûre que nous en avons une ouverte. Je vais juste...

– Alors, c'est ici que vous travaillez.

– Eh bien, pas dans cette pièce même. C'est le salon. J'ai un petit coin au deuxième étage que j'ai...

– Oh, bon sang !

– J'espère que vous n'êtes pas allergique aux chiens.

– Non, j'ai juste été... surpris.

– Il est totalement inoffensif, hein Pet... et d'une nature extrêmement obéissante, même s'il a fallu une éternité pour lui apprendre à être propre. C'est comme ça qu'on l'a appelé. Pet.

– Et votre famille ? Personne n'est là pour le moment ?

– Les filles seront de retour dans une heure environ. Elles ont piscine après l'école, aujourd'hui. Et mon mari, Tom, va revenir bientôt. Nous espérons que vous pourrez rester dîner, juste un simple...

– J'en serais ravi. Je suis flatté d'être accueilli aussi chaleureusement. Je ne veux pas être un fardeau mais... cette vue avec la lumière déclinante, ce soupçon de rose dans le ciel derrière les arbres, ce doit être une source de calme et, eh bien... je déteste le mot inspiration, c'est devenu un tel cliché, mais dans ce cas précis j'ai l'impression de pouvoir y croire, le fait de vivre ici, dans une paix pareille, avec ces chênes et ces érables, le rythme de chaque journée qui s'impose doucement... ah, merci beaucoup... les saisons qui passent... hmm... un bon rouge léger, il n'est jamais trop tôt dans l'après-midi pour un vin comme celui-ci. Laissez-moi porter un toast au nouveau manuscrit – à Alicia et Roman ! – et maintenant, dites-moi, où ça en est ?

– Je l'ai imprimé ce matin. C'est terminé, enfin, en grande partie.

– Faites-moi voir. Hmm. Le poids est en lui-même impressionnant – trois cents pages –, dites donc, Reta, vous en avez ajouté un bon morceau depuis que je l'ai lu en décembre. Un sacré morceau.

– Il me reste encore mille choses à faire. Quelques petits raccommodages et ajouts par-ci par-là. Et le dernier chapitre.

– Ah, oui, le dernier chapitre. Crucial, le dernier chapitre.

– Le plus difficile, en un sens.

– Je suis tout à fait d'accord. Que doit faire le romancier ? Fournir une clôture au lecteur ? Ou ouvrir le récit vers l'éther ?

– Vous voulez dire...

– Je considère le dernier chapitre comme un four à céramique. Vous avez fabriqué le pot, Reta, l'argile est encore malléable, mais la façon de le terminer durcit vos mots pour en faire quelque chose de durable et de beau. Ou alors, quelque chose de beau et d'éthéré.

– Quel point de vue intéressant. Je pensais l'autre jour à la façon dont un moulage en bronze se casse parfois de façon inattendue dans la forge. Et voilà que vous parlez de pots dans un four...

– C'était une métaphore.

– Moi aussi.

– Je savais que nous étions des frères et sœurs spirituels, Reta. Même si je dois vous dire que je suis d'avis, dans votre cas, de ne pas proposer de fin. Cela risquerait, vous comprenez, de rendre triviale la quête d'identité de Roman, qui est continue, quelque chose d'éternel.

– Puis-je vous servir un peu plus de vin ?

– Avec plaisir. Bon et sec, ce rouge, juste ce qu'il fallait pour notre première rencontre en chair et en os. Le genre d'entrevue qui peut être difficile.

– Je veux que vous sachiez, M. Springer, que je suis entièrement ouverte à vos suggestions.

– Arthur, je vous en prie. C'est fantastique de savoir que vous ne refusez pas l'aide éditoriale. J'ai cru comprendre que M. Scribano n'avait pas vraiment revu *My Thyme Is Up*. Il en était l'éditeur, bien sûr, nominativement, mais il n'est pas vraiment intervenu, d'après mes sources, dans la façon de retravailler le texte.

– Il m'a demandé de couper un très long paragraphe en deux, et j'ai trouvé qu'il s'agissait d'une excellente suggestion. J'ai été heureuse de...

– Je crois vous avoir dit au téléphone que j'aimais avoir une approche beaucoup plus pratique avec mes auteurs. Dans leur intérêt. Et dans l'intérêt de Scribano & Lawrence. Ce que nous voulons, éditeur comme écrivain, c'est le meilleur livre possible, n'est-ce pas votre avis, Reta ? Avez-vous lu *Darling Buds* ? Pour moi, ce livre, sur lequel je suis fier d'avoir travaillé, est un exemple de roman comique qui ne perd pas un seul instant de vue son image centrale.

– Qui est... ?

– Qui est la poursuite de l'identité. L'i-den-ti-té.

– L'identité peut être...

– L'identité est le mystère dominant de notre vie,

la question numineuse du soi, et elle ne peut faire autrement que de se soumettre à sa propre et ironique destinée. Qui est la suivante : le soi ne peut jamais être connu. Voilà la tragédie de notre vie, ce simple fait, et c'est la raison pour laquelle *Darling Buds* est une affirmation de l'être aussi profonde. En tant que livre, c'est *un succès d'estime**, je l'admets. C'est une expression française. Ça signifie...

– Oui, je sais.

– Ce n'est pas un best-seller, c'est vrai. Une nation de gloutons télévisuels ne peut pas prendre l'art au sérieux, pas tant qu'une nourriture de fast-food sera disponible. Mais je parle sérieusement, Reta. Je veux que vous sachiez que moi, votre éditeur, je me soucie sincèrement de la littérature et de son affirmation suprême. Et je crois que vous aussi. En fait, je sais que vous aussi.

– Peut-être m'autoriserez-vous à remplir à nouveau ce verre.

– Merveilleux, ce vin. Vous comprenez... laissez-moi vous expliquer... Je vais vous le dire franchement. Scribano & Lawrence – et je suis heureux de pouvoir l'affirmer – n'a pas besoin de publier de méga best-sellers.

– Mais vous devez bien garder un œil sur la rentabilité du livre et sur les lecteurs qui...

– Nous nous trouvons dans une position très favorable en ce moment. Vous avez entendu parler de John Lord Morgan ? Et de Wilfred Laranzo ?

– Vaguement, mais je n'ai en fait...

– Ils sont tous les deux chez nous. Morgan écrit des histoires de procès. Laranzo fait dans la fantaisie intergalactique. Nous sommes heureux de les avoir dans nos tablettes. Ils rapportent gros, assez pour permettre à nos autres auteurs d'être viables. Nos auteurs de littérature sérieuse. Nos auteurs de premier ordre.

– Vous êtes en train de dire que...

– Je dis, Reta, que nous sommes compétitifs en matière de roman de qualité.

– Par opposition à...

– Par opposition au roman populaire.

– Oh.

– Nous voulons publier votre manuscrit. Nous sommes prêts à le faire. Je ne veux pas que vous vous mépreniez sur ce point...

– Mais...

– Mais vous devez comprendre que *Thyme in Bloom* pourrait être l'un des livres phares de notre époque. C'est tout à fait possible. Votre manuscrit pourrait devenir un monument. Tout est là, et avec simplement deux ou trois changements de perspective vous pourriez passer du roman populaire à l'œuvre d'art.

– De premier ordre.

– Exactement. Je savais que vous comprendriez tout de suite. Vous êtes une femme intelligente, après tout, et ce manuscrit est si près de la perfection que ce serait une tragédie de ne pas faire quelques transformations. Nous avons cette chance, Reta. C'est pour ça que j'ai fait tout le chemin jusqu'ici, dans le Nord. Pour vous dire que votre nouveau roman n'est pas du même acabit que votre premier livre. *My Thyme Is Up* était une entreprise entièrement différente.

– Mais j'ai obtenu le Prix Offenden.

– Exactement.

– Mais le nouveau livre est la suite du premier.

– C'est la première chose que nous pouvons changer. Je reprendrais volontiers un peu de vin. Hmm, parfait. Saviez-vous qu'une suite fait, en moyenne, seulement les deux tiers de l'argent qu'a rapporté l'original ?

– Mais je croyais que vous aviez dit que l'argent n'était pas un problème...

– En effet. Et vous avez rapporté pas mal d'argent avec votre premier roman. Pas des millions, bien sûr, mais c'est ce qu'on pourrait appeler un tirage très correct. Et le format de poche a assez bien marché, lui aussi. Mais votre travail en cours est d'une envergure complètement différente. Ce manuscrit, ces pages qui sont là devant nous, traite de la position morale au centre du monde contemporain. Je pense qu'il est de première importance de ne pas le présenter sous le titre que vous avez suggéré, *Thyme in Bloom*. Personnellement, je préfère *Bloom*[1] tout court.

– Juste... *Bloom* ?

– Quel mot fantastique. Suggestif mais pas littéral. Et vous voyez comme il suggère le Bloom d'*Ulysse*, Leopold Bloom, ce grand monsieur Tout-le-Monde.

– Mais mon nom est associé à...

– Une littérature grand public. C'est pour ça que, durant ces deux dernières semaines de réflexion, j'en suis venu à pencher pour l'emploi d'un pseudonyme. Le problème est de trouver le bon. Quel était votre nom de jeune fille, Reta ? Vous avez un deuxième prénom ?

– Reta Ruth Summers.

– Merveilleux, j'adore Summers. Ça colle parfaitement avec *Bloom*, n'est-ce pas ? La saison des fleurs, et cetera. Le mois de juin. Il y a un genre de trait d'union surnaturel là-dedans, si on parvient à mettre le doigt dessus. Nous, Scribano & Lawrence, pourrions vous présenter sous le nom de R. R. Summers. Ça me plaît. Ça fait solide. Et frais en même temps.

1. *Bloom* : fleur, au sens propre comme au figuré. *(N.d.T.)*

Un nouvel écrivain, une nouvelle découverte : R. R. Summers.

– Le fait d'utiliser des initiales, pourtant, pourrait faire penser... vous savez... que je suis un homme.

– Quelle importance ? Vous abordez des thèmes universels. Vous avez dépassé le monde sexué.

– Mais ce livre... eh bien, Alicia pense énormément en terme de sexe, du moins à sa propre façon un peu éthérée.

– Éthérée, hmm. C'est vrai, c'est absolument vrai, mais même à ce stade nous pouvons donner au livre un mouvement de torsion pour le faire basculer dans l'universel. J'ai un certain nombre d'idées à vous exposer, Reta. La première est...

– À vous entendre, on dirait que nous allons réécrire entièrement le livre.

– Juste l'arranger, c'est tout. Tout est là, Reta. Tout est magnifiquement là.

– J'avais pensé... je pensais que le livre était... presque fini. J'allais écrire la scène de conclusion après...

– Non, n'en faites rien, je vous en prie. N'y touchez pas. Pas avant que nous ayons abordé quelques idées de révision. Je vous en supplie. Nous pouvons faire de ce texte un des grands livres du nouveau siècle.

– Mais j'essayais de...

– Vous essayiez d'écrire une comédie romantique. Mais vous avez produit quelque chose de tout à fait différent. Vous avez créé un exposé littéraire, quelque chose pour les futures générations de lecteurs, et ce serait une *catastrophe** si à présent vous...

– Qu'est-ce qu'il faudrait faire ?

– J'ai dressé une liste de choses. Voilà. D'abord, il y a le problème de Roman. Son rôle a besoin d'être creusé. Son intériorité. Son désir d'entreprendre un pèlerinage sur la terre de ses ancêtres. Je considère que c'est une partie tout à fait centrale du roman.

– Mais c'est surtout sur Alicia qu'est mis l'accent... Je croyais que vous... enfin, vous aviez dit que vous admiriez sa bonté. Vous l'avez dit au téléphone, vous vous rappelez ?

– Sa bonté, mais pas sa grandeur. Qui a dit ça ?

– Danielle Westerman.

– Vraiment ? Je n'ai pas lu cette brave dame, mais je sais que M. Scribano lui a donné un coup de pouce à un certain moment.

– Elle a quatre-vingt-cinq ans. C'est un auteur très reconnu. Elle est vraiment extrêmement...

– Et je me demandais si ça vous ennuierait beaucoup que Roman soit violoniste au lieu de tromboniste. Le violon semble plus sérieux, en tant qu'instrument, je veux dire, et je ne crois pas qu'un petit détail comme celui-là impliquerait un compromis par rapport à votre original...

– Oh, je ne crois pas que ce soit possible...

– Vous vous dites qu'il était tromboniste dans le premier livre, si bien qu'il doit rester tromboniste. Mais si nous nous sortons de l'esprit cette idée de suite, Reta, il peut être n'importe quoi. Il pourrait même être chef d'orchestre. Ou compositeur-interprète.

– Et Wychwood City...

– Pourrait facilement être resituée à New York. Ou Boston. Chicago ? Eh bien, peut-être Chicago. Même Toronto, bien que cela limiterait le lectorat...

– Oh, je ne pense pas, plus aujourd'hui.

– Tout à coup, arrivé à l'âge mûr, il veut plus. Il aspire à plus.

– Qui ça ?

– Roman.

– Ah !

– Je pense réellement que nous devrions tenter de minimiser certaines des scènes burlesques, même si elles sont assez bien réussies. Comme l'a dit un jour Woody Allen, qu'on ne peut plus citer aujourd'hui, on demande toujours aux auteurs de comédie de s'asseoir à la table des enfants.

– Mais je n'arrive pas à voir Roman comme un personnage sérieux...

– Ses parents étaient des immigrés. Ils ont sacrifié leur langue, leurs racines culturelles. Pensez à ça. Il est parvenu à avoir une éducation, il est devenu musicien. Il plaît énormément aux femmes, avec ses cheveux, son corps très musclé, et son esprit toujours en éveil. Son premier mariage a été un fiasco, et ensuite il a rencontré Alicia, qui travaille, comble du sort, dans le monde de la mode. Tout ce qu'il méprise. Le mariage ne doit pas avoir lieu.

– Je suis tout à fait d'accord avec ça, le mariage ne doit pas avoir lieu, mais...

– Je suis si content que vous soyez d'accord avec moi sur ce point.

– Mais, en fait, c'est surtout Alicia qui s'en rend compte...

– Elle est incapable de comprendre le besoin qu'a Roman de renouer avec sa famille, son héritage. Le véritable amour de notre homme est, bien sûr, Sylvia Woodall, Sylvia, la bassoniste. J'ai bien vu où vous vouliez en venir, à la minute où elle entre en scène. Sylvia et son goût du scandale. Elle correspond au besoin de Roman. Ce besoin transperce l'âme de cet homme. Je suis en train de dire que Roman devrait être le centre moral de ce livre, et qu'Alicia, malgré tout son charme, n'est pas capable d'endosser ce rôle, vous vous en rendez sûrement compte. Elle écrit des articles de mode. Elle parle à son chat. Elle fait du yoga. Elle prépare du risotto.

– C'est parce que c'est une femme.

– Ce n'est pas du tout un problème. Vous comprenez sûrement...

– Mais c'est bel et bien le problème.

– Elle est incapable de prétendre à... Elle est indisciplinée dans sa façon de... Elle ne peut pas se concentrer comme Roman arrive à... Elle change d'avis sur... Elle manque de... Un lecteur, le lecteur sérieux que j'ai en tête, ne l'accepterait jamais comme pivot déterminant d'une œuvre d'art sérieuse qui sert de critique à notre société, tout en se déroulant dans le même temps comme un tapis de choses inévitables, du point de vue narratif.

– Parce que c'est une femme.

– Pas du tout, pas du tout.

– Parce que c'est une femme. »

Comme

« Parce que c'est une femme », ai-je répété, et à ce moment-là trois choses se sont produites plus ou moins simultanément. Arthur Springer a levé poliment la main pour protester et, ce faisant, a renversé la bouteille sur la table basse, inondant de vin rouge le journal du matin (une tache quasi sacrée qui s'étalait, même si la bouteille était heureusement presque vide), et a flanqué une peur bleue à Pet, lequel s'est mis à reculer en crabe sur le parquet pour atterrir dans un coin derrière la petite table en verre où il s'est terré, haletant et tremblant, le museau entre les pattes.

À ce moment-là, Natalie et Chris ont franchi la porte d'entrée. Elles faisaient énormément de bruit, leurs pas me semblaient plus lourds que d'habitude lorsqu'elles ont retiré leurs bottes et jeté leurs livres sur le sol de l'entrée. « Grave », ai-je entendu crier Chris, puis elles ont toutes les deux piqué un fou rire à propos d'une chose ayant un rapport avec notre voisine, Willow Halliday, qui les avait gentiment ramenées à la maison alors qu'elles avaient manqué le bus scolaire et que Tom n'était pas venu les chercher.

J'allais les présenter à Arthur Springer quand j'ai été interrompue par la sonnerie du téléphone. J'ai laissé Arthur éponger le vin renversé avec son mouchoir, un mouchoir en lin blanc, ai-je remarqué du coin de ma conscience (il est rare de voir des gens ayant de véritables mouchoirs). Pet m'a suivie jusqu'à la cuisine, marchant sur mes talons et pressant son flanc tremblant contre ma jambe.

C'était Tom, au téléphone.

« Où tu es ? ai-je demandé.

– Il n'y a pas à s'inquiéter, tout va bien. » Il a dit ces mots si vite que j'ai su qu'il s'était passé quelque chose de terrible.

« Mais... ? » Je me suis affalée dans un fauteuil.

« C'est Norah, elle a une pneumonie, elle va s'en remettre, elle dort pour le moment, mais...

– Où est-elle ? » Je n'arrivais pas à expulser l'air de mes poumons.

« Au *Toronto General*. Ils prennent parfaitement soin d'elle et elle réagit à merveille au traitement.

– J'arrive tout de suite. (Je réfléchissais vite.) Il me faudra une heure.

– Je vais attendre dans sa chambre. C'est la 434, dans l'aile ouest. Malheureusement, il n'y avait pas de chambre simple disponible... »

Ça ne fait rien, ça ne fait rien.

« Conduis prudemment », a-t-il ajouté d'un ton sec.

« Renfilez vos manteaux, ai-je dit aux filles avec la même sécheresse. Norah est à l'hôpital, elle a une pneumonie. Votre père est avec elle. »

À Arthur Springer, j'ai dit... Je ne suis pas sûre de ce que j'ai dit. Quelque chose à propos d'une urgence. Je devais partir immédiatement. (J'avais déjà mon manteau sur le dos et je cherchais mes bottes.) Je lui ai murmuré des mots d'hôtesse précipités à l'oreille, quelque chose comme : restez autant que vous voulez, mettez-vous à l'aise, il y a à manger dans le frigo, des pâtes, c'est le saladier blanc avec du film étirable dessus, il suffit de faire réchauffer, il y a encore du vin dans le placard, plein de bois, je ne sais pas du tout quand on rentrera.

Je n'étais pas inquiète pour lui, pas le moins du monde. Nous étions sur la route en un rien de temps, Christine assise à l'arrière, Natalie à côté de moi, devant. Nous roulions aussi vite que je l'osais sur la route sombre verglacée, entrant dans Orangetown avant de ressortir à l'autre bout de la ville, puis prenant l'autoroute avec son éclat inégal, en direction du sud. La brume rose qu'était la ville de Toronto se trouvait devant nous dans le lointain. Il allait y avoir de la circulation à cette heure. Nous ne parlions presque pas, toutes les trois. Nous n'avons pas pensé à M. Springer, nous n'avons pas réfléchi une seconde à son confort ou à son agrément. Nous avons complètement oublié M. Springer ; nous avons également oublié ma belle-mère, et avons appris seulement plus tard ce qu'ils étaient devenus.

Il s'était bel et bien mis à l'aise. Il avait débouché une autre bouteille de vin. Je rangeais le tire-bouchon dans un endroit improbable de la salle à manger, derrière une superbe poterie locale, mais il l'a quand même trouvé. Ensuite, il a dû regarder la télévision. Il était six heures, l'heure du *Lehrer NewsHour.* Là ! Il a trouvé la télé dans le bureau. Et la télécommande, où elle est presque toujours : sur la petite desserte. Il s'est probablement installé dans le gros fauteuil à oreillettes en velours côtelé avec son verre de vin en se disant : « Mon Dieu. Qu'est-ce que je fais là ? Comment diable ai-je atterri ici ? »

Très graduellement, il a pris conscience que quelqu'un frappait avec insistance à la porte de derrière. Il ne connaissait pas la maison, si bien qu'il lui a fallu quelques instants pour comprendre d'où venait le bruit. Pet, sans aucun doute, était toujours terré dans la cuisine, où il se remettait du bruit qu'avait fait la bouteille de vin, ayant l'impression d'être un étranger dans sa propre maison.

C'était Loïs, avec un plat de gâteau de pain à la main, une de ces cocottes en Pyrex rectangulaires d'il y a cinquante ans.

Elle est entrée dans la maison chaude, expliquant qui elle était, qu'elle avait attendu le signal habituel indiquant que le repas était prêt, la fermeture des rideaux rouges, puis elle avait commencé à s'inquiéter et avait décidé de venir voir ce qui se passait. Elle distinguait le clignotement de la télé, si bien qu'elle savait qu'il y avait quelqu'un à la maison. Elle avait téléphoné, mais personne n'avait répondu. Elle savait, bien sûr, qu'un invité devait venir dîner, c'est pour cela qu'elle avait préparé un dessert plus gros que d'habitude. Elle espérait qu'il aimait le gâteau de pain.

M. Springer a expliqué qu'il avait mis le son de la télé assez fort. Il a également expliqué qui il était, pourquoi il se trouvait dans la maison et où nous étions tous partis. Il se confondait en excuses. Il n'avait pas entendu le téléphone sonner. Il était vraiment désolé. Mais, s'est-il exclamé, il avait le plaisir inattendu de rencontrer la mère de Reta.

Belle-mère, a-t-elle corrigé. Reta était mariée avec son fils, Tom. Enfin, pas tout à fait mariée.

Oh.

Norah avait une pneumonie, a-t-elle réfléchi tout haut. Eh bien ! La pneumonie était autrefois une maladie grave, mais à présent il s'agissait plus d'une question d'antibiotiques, et les gens étaient sur pieds en un rien de temps. Mais elle trouvait tout de même cela extrêmement inquiétant.

M. Springer était certain que Norah allait se remettre.

Loïs a marmonné que Norah n'allait pas bien, qu'elle n'allait pas bien depuis un moment, sa première petite-fille et sa préférée. Ensuite, elle a aperçu Pet. La pauvre bête. Est-ce qu'il avait mangé ?

M. Springer était vraiment confus, il n'avait pas pensé au chien, il ne savait pas vraiment quoi faire. Il n'était pas très doué avec les animaux, ils semblaient avoir peur de lui, et il avait, pour être tout à fait franc, oublié que le chien se trouvait dans la maison.

Comme tous les golden retrievers, Pet est glouton. Il ingurgite son repas avec une joie intense avant de laisser échapper un rot puissant. « Je vais m'occuper de lui », a dit Loïs en accrochant son manteau et en prenant les choses en main. Pet avait l'habitude d'être nourri vers six heures et demie, puis il aimait qu'on le laisse sortir un moment ; il ne s'aventurait jamais hors de la propriété, il savait parfaitement ou étaient ses racines.

« On ne peut pas en dire autant de la plupart d'entre nous », a répondu M. Springer. Il a dit cela avec philosophie.

« Oui, a renchéri Loïs. Oui, parfaitement. » Ensuite, elle a suggéré qu'ils mangent un morceau. Il n'y avait aucun moyen de savoir combien de temps Reta et les filles seraient absentes.

M. Springer s'est souvenu qu'il avait été question de pâtes dans le frigo. Il n'avait pas retenu les détails. Tout était arrivé si vite.

Loïs s'est affairée à réchauffer les pâtes dans le micro-ondes et a renvoyé M. Springer devant la télé. Le repas serait prêt en deux temps trois mouvements.

Il espérait pouvoir l'aider. Il avait regardé les informations, et à présent il n'y avait plus rien d'intéressant. Il y a des jours, mais cela est rare, où il ne se passe rien.

Oui. Loïs était sans aucun doute d'accord avec lui sur ce point.

« C'est comme si Dieu décidait de nous donner un jour de répit », a dit M. Springer, ou quelque chose comme ça.

Loïs, qui a regardé son visage lisse et robuste, a expliqué qu'elle le devinait toujours au premier titre des informations. Si celui-ci concernait de nouvelles normes de sécurité pour les casques de hockey, cela indiquait qu'il ne s'était rien passé de terrible. Pas de bombes, ni de meurtres, d'émeutes ou d'incendies.

« J'adore ces journées vides, a dit M. Springer.

– Moi aussi.

– Elles sont si rares. »

Loïs a proposé qu'ils mangent à la cuisine, comme ils n'étaient que tous les deux.

Une excellente idée. M. Springer a insisté pour l'aider. Si Loïs voulait simplement lui montrer où étaient rangés les couteaux et les fourchettes...

Elle a légèrement baissé la lumière. Elle a expliqué, en servant les pâtes dans deux assiettes chaudes (elle était très douée pour faire réchauffer les plats), que Reta avait préparé sa recette habituelle avec des artichauts et des olives noires, des quartiers de tomates et de l'asiago. Reta préparait toujours ce plat quand elle ne savait pas si ses invités étaient végétariens ou pas. C'était plus sûr. Sauf si c'étaient des gens qui ne mangeaient pas non plus de fromage, des végétaliens, mais ils n'étaient pas trop nombreux, Dieu merci.

M. Springer s'est servi un autre verre de vin, mais il en a d'abord servi un à Loïs, lui demandant avec un sourcil légèrement levé si elle en voulait une larme. Elle a hoché la tête, et ils se sont assis, au même moment, comme si un gong avait retenti.

« Et maintenant, a dit M. Springer en se penchant sur son assiette de pâtes fumantes, racontez-moi tout sur vous, Loïs. »

En commençant

Alors, elle lui a raconté, en commençant par une pièce de théâtre qu'elle avait vue des années plus tôt, elle ne se souvenait plus du titre, ni même si elle l'avait aimée ou pas. Juste devant elle, dans le public, il y avait un jeune couple. La femme était exceptionnellement mince et belle, avec une voix grave et une façon d'incliner la tête en souriant vers le jeune homme. Il avait du mal à détacher son regard d'elle. Il lui avait tenu la main pendant toute la pièce. Il la pétrissait avec avidité. À plusieurs reprises, pendant que les acteurs criaient et se précipitaient d'un bout à l'autre de la scène, il avait porté la main de la jeune femme un long moment à ses lèvres. Loïs n'avait jamais vu une telle tendresse entre un homme et une femme. Elle n'avait presque pas dormi cette nuit-là, et plusieurs fois elle avait porté sa propre main recroquevillée à sa bouche pour y presser ses lèvres. Elle devait avoir quarante ans à l'époque, c'était une femme mariée, mère d'un fils.

Il y a douze ans, elle était devenue veuve, mais

elle n'employait jamais ce mot. Elle disait à la place : « J'ai perdu mon mari en 1988. Je suis seule depuis. » Elle savait exactement à quel point cela semblait pathétique.

Les jours d'hiver, elle se retrouvait souvent dans sa cuisine en train de regarder par la fenêtre le plus gros des vieux chênes sans feuilles. Mais celui-ci n'était pas tout à fait dénudé. Il lui restait une feuille brune, une seule. Le vent soufflait sans arrêt, mais cette petite feuille-là refusait de lâcher prise. Il y avait deux façons de voir cette feuille. Soit elle était d'une force et d'une vigueur exceptionnelles, soit elle avait une déformation quelconque et était incapable de déclencher le mécanisme lui permettant de tomber par terre où toutes les feuilles normales étaient enfouies sous la neige. Cette feuille accrochée était une anomalie; elle souffrait de quelque chose. C'était comme Pet, qui était presque un golden retriever mais pas tout à fait, mesurant à peine cinq centimètres de moins que le chien mâle de référence, alors qu'une différence de la moitié seulement était tolérée pour la race, une chose dont Loïs se fichait éperdument.

Elle espérait que M. Springer aimait le gâteau de pain. Elle avait une liste de cent desserts, classés par ordre alphabétique dans une boîte à recettes, qui commençait par les Amandes aux pommes, passait par le Gâteau aux dates, la Mousse (givrée) aux éclats de noisettes, et se terminait par les Zestes d'orange confits au chocolat; elle les préparait à tour de rôle pendant l'année. Inutile de le dire, les produits de saison signifiaient que les desserts n'étaient pas servis selon l'ordre alphabétique. Une fois, elle avait entendu sa petite-fille Christine se moquer de sa liste de desserts. Elle pouvait le comprendre, d'une certaine manière, mais elle persistait à trouver cette réflexion assez mesquine.

Elle était restée vingt-quatre heures en salle de travail pour accoucher de Tom. Quand elle avait commencé à avoir des contractions, elle avait insisté pour que son mari la conduise aussitôt à l'hôpital. « Toutes les dix minutes ? avait dit froidement la réceptionniste. On ne vous a pas dit de ne pas venir avant que les contractions aient lieu toutes les cinq minutes ? » À ce moment-là, on avait entendu une femme crier depuis un autre étage. « C'est une femme qui accouche ? » avait demandé Loïs à la réceptionniste, laquelle avait répondu en levant les yeux au ciel : « C'est une Italienne qui accouche ! »

Sa première petite-fille s'appelait Norah Charlotte Winters, un beau bébé. On lui avait donné le nom de Charlotte en souvenir d'une amie de Reta morte très jeune dans un accident de voiture. Loïs n'avait jamais rencontré cette Charlotte. Elle-même avait eu un accident, une fois, juste de la tôle froissée, mais un choc terrible. Au point qu'elle avait cessé de conduire.

Une femme dénommée Crystal McGinn vivait autrefois dans la maison d'à côté avec sa très nombreuse famille, quatre enfants, au moins, des adolescents, des jeunes bruyants. Une fois, Crystal avait invité Loïs à venir boire le café et elle lui avait demandé où elle était allée à l'université. Pas *si* elle était allée à l'université, mais où. Mme McGinn était allée à celle du Queen's, où elle avait étudié les sciences économiques. Loïs n'avait pas dit à Mme McGinn qu'elle-même était allée dans une école de secrétariat pendant six mois à Toronto, puis qu'elle avait épousé son mari, un jeune médecin, puis déménagé à Orangetown. Elle avait eu la vive impression que Crystal McGinn avait dépassé les bornes en lui demandant à *quelle* université elle était allée. Ensuite, elles ne s'étaient pas beaucoup revues, rien de plus qu'un signe de la main de temps en temps. Elle le regrette à présent. Elle se rend compte que la question de Mme McGinn n'était pas destinée à être cruelle mais manquait simplement un peu de tact.

Surtout quand on pense que Loïs était l'épouse du médecin. Il y avait un certain prestige attaché à ce rôle, du moins au début. Elle avait pris l'habitude de se le rappeler, debout devant le miroir de l'entrée, en rentrant le ventre et en prononçant d'une voix musicale : « Je suis la femme d'un médecin. »

Elle avait remporté un prix à la foire d'Orangetown, un jour, pour son gâteau allemand au miel. Quand elle s'était inscrite au concours, on lui avait conseillé de l'appeler gâteau suisse au miel. Elle s'était exécutée. Mais quelle importance ? Elle avait gagné de toute façon. On lui avait donné un ruban bleu, que son mari avait jeté par accident un jour où il rangeait le grenier, des années plus tard. Il s'était senti particulièrement coupable.

Elle adorait Oprah Winfrey, l'animatrice de télé. Elle organisait sa journée autour d'Oprah. Elle avait récemment retrouvé du courage en regardant Oprah.

Sa petite-fille Norah, sa préférée (il y avait une douceur charmante au cœur de cette fille), traversait une période difficile. Elle-même comprenait ce qu'était une période difficile. À cinquante ans passés, elle avait cessé de faire de la pâtisserie et était restée au lit pendant deux semaines. Son mari voulait l'emmener à la clinique Mayo ; c'étaient les seuls mots qu'il avait à la bouche, la clinique Mayo. Puis un beau jour, elle s'était levée et avait nettoyé la salle de bains comme celle-ci n'avait jamais été nettoyée. Ce plongeon dans l'hygiène avait semblé la remettre d'aplomb. Depuis, elle arrivait mieux à faire face.

Sauf ces derniers temps. Elle n'arrivait plus à parler. Elle n'avait plus confiance en elle. Des crapauds allaient lui sortir de la bouche. Elle allait froisser les gens. Elle avait son opinion sur ce qui était arrivé à Norah, mais elle ne voulait la révéler à personne. Ils la prendraient pour une folle. Les femmes étaient censées être fortes, mais en réalité elles ne l'étaient pas, on ne leur en laissait pas le droit. Elles étaient désespérément encombrées de fibres, de membranes et de coussinets de tissus malléables ; les femmes étaient facilement blessées ; des blessures fatales. voilà ce qu'on recevait si on ouvrait la bouche.

D'un autre côté, elle savait que tout finirait par s'arranger pour Norah. C'était une question de temps, même si la pneumonie était inquiétante. Elle espérait vraiment que Reta téléphone. Elle était si contente, pourtant, d'être en bonne compagnie par une soirée d'hiver. Du gâteau de pain avec une sauce au citron. Une tasse de thé. Elle lui avait cassé les oreilles. Cela ne lui ressemblait vraiment pas. Elle ne savait pas comment elle avait commencé.

Dans l'ensemble, elle trouvait que les choses avaient tourné pour le mieux. M. Springer n'était-il pas d'accord ?

Déjà

« Ce sont des brûlures », a dit Tom en montrant les mains et les poignets de Norah. Norah dormait, un tube à oxygène dans le nez, Blanche Neige dans son cercueil de verre, et les filles et moi étions réunies autour du lit comme des nains curieux. La peau de son visage était blanche et gonflée. Quelqu'un lui avait brossé les cheveux, si bien qu'ils retombaient proprement sur l'oreiller et les épaules de sa chemise d'hôpital bleue, attachée par un nœud sur sa nuque. Ma Norah chérie. Être assise sur une chaise en plastique moulé si près d'elle était merveilleux, même si ses poumons étaient encore en partie remplis de mucosités.

Elle dormait depuis notre arrivée. La pneumonie était encore présente mais maîtrisée (c'était un énorme soulagement) ; pourtant, j'étais alarmée par ses mains rougies et pleines de cicatrices qui reposaient, exposées, sur la couverture blanche en coton. J'avais l'impression d'être un voyeur, d'avoir pénétré par effraction dans cette pièce, et qu'à tout instant ma fille allait ouvrir les yeux et m'accuser. Mais de quoi ?

« Une combinaison de brûlures graves au second degré », a poursuivi Tom d'une voix que je reconnaissais à peine, avec des inflexions soigneusement modulées, et le ton qu'il employait m'a ramenée à la promenade que nous avions faite une fois dans les bois derrière chez nous : les arbustes avaient leurs feuilles d'été, la terre sèche s'effritait sous nos pas, et il m'avait annoncé que le cancer de ma mère avait progressé, avait atteint les poumons, et qu'il lui restait peu de temps, une semaine environ.

« On voit qu'elle a eu des infections sur le dos des deux mains, a-t-il expliqué avec calme. Il y a un certain nombre de cicatrices, et certaines auraient pu être évitées si elle avait été soignée correctement. »

Quand les brûlures avaient-elles eu lieu ? Pourquoi n'avions-nous pas vu plus tôt l'état de ses mains ? Certaines de ces questions nous ont été posées par le docteur DeVita, qui s'occupait d'elle, et d'autres par Frances Quinn du *Promise Hostel*, laquelle s'était aperçue que Norah toussait depuis quelques jours et avait sans doute besoin d'être examinée. Tom et moi nous souvenions tous les deux d'avoir aperçu ce que nous avions pris pour des allergies ou des gerçures.

« Elle portait toujours des gants, nous a rappelé Natalie. Même l'été dernier, quand il faisait une chaleur à mourir, même en plein mois de juillet, elle portait ces vieux gants de jardinage trop grands.

– Oui, a dit Chris. On trouvait ça bizarre.

– C'est vrai. » Les gants de jardinage : elle les portait le jour où nous l'avions trouvée, en avril dernier, à l'angle de Bathurst et Bloor. Le onze avril, un mardi, un jour que je n'oublierai jamais. J'avais cru qu'elle les portait pour protéger ses mains du trottoir rugueux. Comme elle avait dû souffrir en silence !

Elle dormait avec ses gants, avait dit Frances Quinn à Tom plus tôt dans la journée. Toutes les nuits passées au foyer. Le personnel trouvait cela étrange, mais les clients du foyer faisaient très souvent preuve d'excentricité.

Et quand elle mangeait à la cantine ?

Elle enlevait ses gants pour manger.

Et dans quel état étaient ses mains ?

Rouges. On aurait dit une allergie. En fait, il s'agissait de la destruction des tissus cutanés, une étape dans le processus de guérison. Quelqu'un, un des bénévoles, se souvient qu'elle avait les mains bandées à son arrivée ici, les deux premières semaines.

Et quand était-ce exactement ?

Tout est dans son dossier. Elle est venue au foyer pour la première fois le douze avril, mais Tom et moi le savions déjà. Les gens ordinaires n'ont le droit de rester que trois mois, c'est la règle, mais Norah était si calme, si accommodante. Son séjour prolongé est passé inaperçu. Personne n'a soulevé d'objection.

« Je dirais que ces brûlures remontent au moins à six mois », a déclaré le docteur DeVita, du Pavillon des grands brûlés.

Six mois. Cela nous ramènerait au début de l'été. Ou même au printemps.

« Je me demande si Ben Abbot sait quelque chose à propos d'un feu », ai-je dit. J'avais des difficultés à prononcer le nom de l'ex-petit ami de Norah. Il restait coincé dans ma gorge. C'était plus facile de ne pas penser à lui.

« Je lui ai déjà téléphoné, a répondu Tom. En début d'après-midi. Il n'a pas la moindre idée de la façon dont elle a pu se brûler. Il était catégorique. J'ai été forcé de le croire.

– Est-ce qu'elle souffre encore ? Ses mains, je veux dire.

– Sans doute pas. Mais il va falloir s'occuper de ses brûlures. On voit qu'un phénomène de granulation a commencé par endroits. »

Il était près de minuit. La chambre semblait pleine de surfaces dures, des ombres formaient des arcs dans les coins du plafond, une unique petite lampe brillait au-dessus du lit de Norah, et dans un autre lit, derrière un paravent en tissu, une inconnue remuait et geignait sous ses draps, victime de cauchemars, marmonnant dans une langue que je ne pouvais identifier.

Il m'est alors venu à l'esprit de téléphoner à ma belle-mère pour lui dire que nous ne rentrerions pas ce soir. Norah se remettait bien, mais nous allions rester à l'hôpital. On nous avait trouvé une chambre d'accueil pour les familles au bout du couloir, et les filles n'allaient pas tarder à dormir.

Loïs semblait exceptionnellement gaie, pour une raison quelconque, alors que je l'avais tirée d'un profond sommeil.

« Ne vous inquiétez pas pour Pet, m'a-t-elle dit. Je l'ai nourri et je l'ai laissé sortir un moment. »

J'ai promis de téléphoner dans la matinée. Après avoir raccroché, je me suis aperçu que je n'avais pas demandé de nouvelles d'Arthur Springer. J'avais oublié son existence.

« Toi aussi, tu devrais aller dormir, m'a dit Tom. (Il m'a effleuré la joue du bout des doigts.)

– Non, je ne peux pas. Je vais m'asseoir ici. Au cas où elle se réveillerait. »

Il m'a laissée là. Il avait quelques coups de téléphone à passer, et il parlait de vérifier quelque chose sur Internet.

Une infirmière venait toutes les heures environ prendre le pouls de Norah. Elle entrait et sortait en silence, avec ses chaussures à semelle de caoutchouc. Bien, bien, m'indiquait-elle par signes. Elle va bien.

Je suis peut-être parvenue à somnoler un peu dans

mon fauteuil, mais j'en doute. Deux heures, puis trois. Natalie et Chris dormaient à poings fermés dans la chambre d'accueil, ainsi que Tom. Je restais assise dans mon fauteuil, les yeux rivés sur le visage de Norah. Mes pensées ont brièvement dérivé vers Alicia et Roman et leur projet de mariage condamné à Wychwood City. Je me suis aperçue que je me moquais de ce qui leur arriverait. Leurs vies étaient éphémères ; on pouvait les faire rouler de çà de là, comme des billes de mercure. Je n'avais plus besoin d'eux. Ils ne méritaient l'attention de personne, et encore moins la mienne.

Juste avant trois heures et demie, Norah a ouvert les yeux.

J'ai mis mes lèvres près de sa joue.

« Norah ! »

Elle a envoyé un faible sourire dans ma direction, puis a tendu le bras et couvert mon poignet sous sa main rugueuse.

« Norah, ai-je répété, précipitamment. Tu es réveillée. »

Sa bouche s'est arrondie pour former un mot : « Oui. »

Jusqu'ici

1er février 2001

Cher Russel Sandor,

J'ai récemment lu votre dernière nouvelle dans l'un des magazines mensuels auxquels nous sommes abonnés, l'histoire de ce professeur de philosophie tchèque qui emménage à Los Angeles et découvre à quel point la culture américaine est maigre et mal assimilée, la nourriture des fast-foods horrible, et l'anglais parlé détérioré ; il explique surtout l'affront qu'il ressent en passant devant un magasin de matériel médical de L.A., où il voit dans la vitrine, parmi les autres articles, un soutien-gorge pour mastectomie. L'objet était là, non dissimulé. Il était identifié par un grand écriteau, au cas où il n'aurait pas su ce que c'était : SOUTIEN-GORGE POUR MASTECTOMIE. Placé là afin de scandaliser sa belle sensibilité, devant lui, juste sous son nez. Il se sent dégoûté, puis nauséeux.

Pas de panique, M. Sandor.

Un soutien-gorge pour mastectomie est un soutien-gorge comme n'importe quel autre. Il est propre, bien cousu, généralement en coton. Votre professeur a vécu en Europe, comme vous le répétez à plusieurs reprises, où des soutiens-gorge sont accrochés partout dans les rues sur des cordes à linge ; un soutien-gorge séchant dans la brise méditerranéenne est presque le drapeau national italien. Le drapeau français. Le drapeau portugais. Un soutien-gorge pour mastectomie diffère seulement en ce qu'il possède deux petites poches dans lesquelles on peut glisser la prothèse qui remplace le vrai sein lorsque celui-ci a été enlevé, généralement à cause d'un cancer. Certaines femmes – Emma Allen, par exemple – ont subi une double mastectomie, si bien que les deux poches sont rembourrées à l'aide de prothèses faites de gelée moulée enfermée sous une fine peau de plastique. Emma a perdu un mari (foudre), un fils (suicide), et à présent l'intégrité de son corps. Elle a acquis un capitonnage moral, comme elle dit. Je l'ai accompagnée lorsqu'elle est allée acheter ses nouveaux soutiens-gorge, un noir, l'autre écru. Le magasin était une petite boutique dans le quartier nord de Toronto où l'on pouvait également acheter, si l'on en avait envie, des choses comme de faux poils de poitrine pour hommes.

Le professeur tchèque de votre histoire se demande pourquoi il suffoque en voyant devant lui un soutien-gorge pour mastectomie. Je suggère l'évidence : il déteste les femmes, et sa haine des femmes s'étend à tout ce qui peut toucher le corps féminin – les chaises sur lesquelles elles s'assoient, les vêtements qu'elles portent –, et particulièrement la question de la plume féminine, larmoyante, dépourvue d'humour, exigeante, étouffante, essoufflée.

Je suis extrêmement offensée, et pourtant votre professeur prétend avoir peur d'offenser les gens. Cette année, j'ai écrit plusieurs lettres à ceux qui m'ont scandalisée d'une façon ou d'une autre, mais je n'en ai posté ni même signé aucune. C'est parce que je ne veux pas me faire tuer, comme votre professeur manque de tuer sa femme, tenant un canif au-dessus de son corps endormi. Mais, à présent, je me moque que vous décidiez de me tuer. J'ai traversé une période d'éloignement avec ma fille – elle est maintenant à la maison, hors de danger – et cette période de séparation a été très semblable au fait d'avoir un couteau froid logé dans la poitrine.

Il se trouve que sa vie a coïncidé avec un événement traumatisant; son père soupçonnait que telle était la cause de sa détresse, et il avait en grande partie raison. Il s'agissait de mettre le doigt sur cet événement, de faire correspondre l'incident avec un jour manquant dans la vie de notre fille. Un jour de printemps comme les autres. Sauf qu'il n'a pas été comme les autres. Ça a été un moment historique; on en a parlé dans les journaux, même si nous n'avons pas lu de près les articles pour une raison quelconque; il a été enregistré sur vidéo, si bien que nous avons depuis revu la tragédie et compris comment la force de celle-ci avait pu usurper la vie d'une jeune femme et la propulser sur une orbite de chagrin.

Ma propre théorie – avant d'apprendre l'effroyable événement – était que Norah avait accumulé les expériences décourageantes, qu'elle s'était rendu compte au cours de sa vingtième année de l'isolement dans lequel la plongeait son état de non-appartenance, avait enfin compris à quel point elle n'aurait que peu accès à la parole. Il y avait des signes : elle était agitée, se repliait sur elle-même, reculait comme nous le faisons tous devant ce que nous savons, *découvrait avant de répudier, mais il est également probable que je l'accablais de mes propres peurs, de ma perplexité croissante concernant le monde et son organisation quand j'ai découvert que je me trouvais, au milieu de ma vie, au milieu du continent américain, du côté des défavorisés; il se peut que j'aie partiellement raison et partiellement tort. Ou que Tom ait partiellement raison et partiellement tort quant à sa théorie sur un choc posttraumatique. Ou que Danielle ait vu juste depuis le début. Nous ne saurons jamais pourquoi. Quoi qu'il en soit, Norah a pris la bannière de la bonté – de la bonté, et non de la grandeur. Peut-être parce qu'elle n'avait pas d'autre moyen de manifester son existence. Sur l'horizon indistinct, se fondant dans les couchers de soleil, les élégants bâtiments de calcaire, les rues d'asphalte et les feux de circulation, la minuscule voix flûtée de la bonté passe presque inaperçue, peu importe à quel point elle peut être calme et feutrée. Norah n'avait aucun autre endroit où se tenir debout après « l'événement » ; elle était cloîtrée dans son mutisme, elle, avec sa langue silencieuse et ses mains brûlées.*

La bonté, cette créature docile, n'est pas une chose sur laquelle on peut se reposer, pas encore : je l'ai découvert. Je me suis néanmoins jetée dans sa sphère. La bonté est le respect que l'on a raréfié pour le porter à un niveau plus élevé. Elle est vidée de l'idée de vengeance, qui n'a pas de voix du tout. Je crains de ne pas présenter cela de façon très claire. Je suis encore en train d'éclaircir certains détails. Mais j'essaie de faire partie des croyants, si bien que je signerai mon nom au bas de cette lettre sans cordialité, mais avec exactitude, tel qu'il apparaît dans l'annuaire local.

Reta Winters
6 Corners Road, RR4
Orangetown

Pas encore

La vie est pleine d'événements isolés, mais ces événements, s'ils doivent former un récit cohérent, exigent d'étranges pièces de langage pour les cimenter ensemble, ces petites miettes de grammaire (surtout des adverbes ou des prépositions) qui sont difficiles à définir, puisqu'elles sont des abstractions de lieu ou de point de vue relatif, des mots comme *donc, ou bien, autre, aussi, de cela, jusqu'alors, au lieu de, autrement, malgré, déjà,* et *pas encore.*

Ma vieille amie Gemma Walsh, qui vient d'obtenir une chaire de théologie, m'a dit que la foi chrétienne reposait en équilibre sur les mots *déjà* et *pas encore.* Le Christ est *déjà* venu, mais il n'est *pas encore* venu. Si l'on arrive à superposer ces deux images opposées comme on le ferait dans un stéréoscope, et comme les chrétiens traditionnels rassemblent le Père, le Fils et le Saint-Esprit de la Trinité, on aura compris quelque chose du pouvoir et de la métaphysique de ces mots pêle-mêle pourtant liés les uns aux autres.

Le mot *unless* (et son médiocre équivalent français « à moins que »), avec ses nuances élégiaques, est un terme utilisé en logique, un mot soufflé par ceux qui ont de l'espoir, ou par les romanciers voulant soulever un coin de la réalité pour révéler un autre niveau d'existence, similaire dans ses détails géographiques et peuplé par des gens qui nous ressemblent. Si les poumons de Norah ne s'étaient pas remplis de mucosités, si un bénévole du *Promise Hostel* n'avait pas signalé une nuit de toux à Frances Quinn, et si celle-ci n'avait pas appelé l'ambulance, nous n'aurions jamais trouvé Norah à l'hôpital général de Toronto.

Il s'agissait, par hasard, d'un vendredi, le jour où Tom passe en voiture devant l'angle de Bathurst et Bloor pour l'apercevoir. Elle n'y était pas. Pour la première fois depuis avril, elle n'y était pas.

À moins que, à moins que. Il était allé sonner au foyer où on lui avait dit qu'elle avait été transportée à l'hôpital de bonne heure dans la matinée, mais, comme Norah était majeure, c'est-à-dire qu'elle avait plus de dix-huit ans, Frances Quinn n'était pas autorisée à nous révéler le nom de l'hôpital. Tom avait décidé de les appeler tous. Est-ce qu'une fille de dix-neuf ans avec d'importantes rougeurs aux poignets avait été admise ? Oui (heureusement, au troisième coup de téléphone), elle était entrée ce jour-là.

À moins que. Les romanciers sont souvent accusés de recourir à l'artifice de la coïncidence, si bien que je dois me demander s'il s'agissait d'une coïncidence que Norah se soit trouvée à l'angle où est situé *Honest Ed* quand une jeune musulmane (c'est du moins ce que suggéraient ses vêtements), en avril 2000, s'est avancée sur le trottoir, a versé de l'essence sur son voile et sa robe, puis s'est immolée. Non, il ne s'agissait pas vraiment d'une coïncidence, puisque Norah vivait dans un appartement en sous-sol près de là, avec son ami, Ben Abbot. Elle était allée chez *Honest Ed* pour acheter un égouttoir en plastique, qu'elle tenait à la main quand l'immolation avait commencé. (Pourquoi un égouttoir en plastique, cet objet fragile ? Son achat ne pouvait que résulter d'une bribe éphémère d'enthousiasme domestique.) Sans réfléchir, et avant l'arrivée des équipes de presse, Norah s'était précipitée pour étouffer les flammes. L'égouttoir était devenu un second foyer d'incendie, et avec le sac en plastique dans lequel il se trouvait il avait fondu dans la chair de Norah. Elle avait reculé. Arrêtez ! avait-elle crié, ou quelque chose d'équivalent, et ensuite ses doigts s'étaient enfoncés dans la chair en fusion de la femme (laquelle n'a jamais été identifiée), ses bras, ses poumons, et son abdomen. Ces parties-là avaient cédé. La fumée, l'odeur étaient terribles. Deux pompiers avaient écarté Norah, la soulevant à bras-le-corps d'un unique mouvement en demi-cercle, puis ils l'avaient sanglée pour la maîtriser et conduite aux urgences, où elle avait reçu les premiers soins. Quelques minutes plus tard, cependant, elle avait disparu sans laisser son nom.

Si les pompiers ne l'avaient pas écartée à temps, si la vidéo de surveillance extérieure de *Honest Ed* n'avait pas enregistré et sauvegardé l'image de Norah, en tout cas son dos, ses bras tels des fléaux – que sa famille a tout de suite reconnus – en train de battre les flammes ; s'ils n'avaient pas remis la vidéo à la police, à moins que, à moins que... tout cela aurait été perdu. Mais tout va bien, Norah. Nous savons à présent, Norah. Tu peux oublier cela. Tu as le droit d'oublier. Nous nous en souviendrons pour toi, le souvenir d'un souvenir, et nous le ferons avec joie.

À moins que nous nous mettions à poser des questions.

Si la semaine dernière je n'avais pas demandé de but en blanc à Danielle Westerman ce qui avait interrompu son enfance. Était-ce sa mère ou son père ? Je lui ai demandé sèchement. Sa mère, m'a répondu Danielle. Elle avait dix-huit ans, mais avait vécu dans la peur pendant la plus grande partie de sa vie ; sa mère avait tenté de l'étrangler un soir où elle était rentrée tard. Elle était aussitôt partie de chez ses parents, le lendemain, avec seulement cent francs en poche et un billet de train pour Paris.

« Pourquoi êtes-vous restée aussi silencieuse durant tous ces mois ? ai-je demandé à ma belle-mère, Loïs. Pourquoi ne nous avez-vous pas dit ce qui n'allait pas ?

– Parce que personne ne me l'a demandé, a-t-elle répondu.

– Mais Arthur Springer, lui, vous l'a demandé ?

– Oui. Il s'est penché sur la table de la cuisine, sa chaise raclant le sol, un geste étrangement délibéré et intime, et il m'a dit : "Racontez-moi tout sur vous, Loïs".

– Et vous lui avez raconté ?

– Oui, j'en ai bien peur. Le pauvre homme. Tout ce que je vous ai dit, je le lui ai dit. »

Personne, pas même Tom, ne m'a jamais dit : Racontez-moi tout sur vous, Reta. Personne n'a jamais prononcé cette expression impulsive devant Annette, Sally ou Lynn. Elles le jurent.

J'ai téléphoné à Arthur Springer et je lui ai demandé directement : « Pourquoi avoir posé une question si étrange et si intime à ma belle-mère ? »

« Eh bien », a-t-il répondu (confondu, je suis heureuse de le dire). Hmm, il avait appris cette technique récemment lors d'un atelier d'édition sur les relations personnelles que, hmm, auquel Scribano & Lawrence l'avait envoyé ; ça s'était passé après que l'auteur de *Darling Buds* fut parti à grand bruit pour aller aux éditions Knopf. Une remarque dénuée de tact qu'il aurait faite, une montagne pour pas grand-chose. Mais on lui avait demandé de s'inscrire à un week-end d'immersion sur les relations de pouvoir. Dans le Vermont ; un vieux refuge de chasse ; une demi-douzaine de cadres humiliés. La clé, avait-il appris du chef de l'atelier, était simple. Il fallait simplement demander aux gens – surtout aux écrivains, mais n'importe qui pouvait convenir – de faire le récit de leur vie, et ils tombaient dans le panneau. C'était une stratégie inoffensive, et efficace. Il ne l'avait essayée que quelques fois, mais toujours avec un énorme succès.

« Vous ne m'avez pas posé cette question, ai-je dit. Vous ne m'avez pas demandé de tout vous raconter sur moi.

– Oh. Eh bien, je pourrais. Vous voulez bien ?

– Non. C'est trop tard.

– Je suis navré, Reta. Vraiment, je suis sincère. Je veux tout savoir sur la véritable Reta Winters. Un jour, quand nous aurons le temps. »

Entre-temps – un autre de ces mots de signalisation –, entre-temps j'ai amené *Thyme in Bloom* à une conclusion fantasque (Alicia triomphe, mais à sa façon, légèrement capricieuse), et le livre sera publié au début de l'automne. Tout est nettement emballé à la fin, puisque les conclusions ordonnées sont une convention dans la comédie romantique, comme nous le savons tous. J'ai ramassé à la hâte tous les bouts de récit qui traînaient, mais que signifie une telle application ? Elle ne veut pas dire que tout se passera éternellement bien, amen ; elle signifie que pendant cinq minutes un équilibre a été trouvé en marge du maigre plan textuel du roman ; ou disons cinq secondes ; ou même un millionième de nanoseconde. Le principe d'incertitude ; quelqu'un a-t-il cru que cela finirait autrement ?

Scribano & Lawrence s'attendent à un succès raisonnable. M. Springer a retiré ses réserves éditoriales quand *My Thyme Is Up* a été analysé de façon exhaustive dans un essai pour *The Yale Review* par le docteur Charles Casey en personne, le doyen octogénaire des sciences humaines. L'article, sorti en février, est à la fois une réévaluation et une appréciation surprenante, une rumeur reprise par la presse populaire, même par l'*Entertainment Weekly*. La perspicacité subversive du roman n'avait pas été saisie, semble-t-il, par les critiques originales d'il y a deux ans. Une correction s'imposait. Ce qui était simple est à présent jugé subtil. Un brillant tour de force, dit le professeur Casey, et cette citation apparaîtra, bien sûr, sur la jaquette du deuxième roman. Le nom du docteur Charles Casey sera imprimé en caractères aussi gros que le nom de Reta Winters, mais j'essaie de ne pas penser à ce que cela signifie. Et j'ai remarqué autre chose : le point de vue intelligent du professeur Casey a poussé une partie de mon esprit à s'envoler par la lucarne du débarras, d'où elle me regarde, d'un air moqueur.

Danielle Westerman a perdu toutes ses illusions à mon sujet. Elle a décidé de traduire elle-même son propre livre, et les passages qu'elle m'a montrés sont à la fois précis et charmants, oui, charmants, cette notion que je pensais avoir abandonnée ; mais à présent je comprends que le charme peut être un geste en direction de l'authenticité quand il s'autorise à être pris dans les ailes d'un courant d'air ascendant et quand il se fraie un chemin vers un climat culturel d'un genre différent. Danielle traduit environ une page par jour, qu'elle me faxe pour que je l'arrange ; je la lui renvoie dans l'heure qui suit, pensant à chaque fois que j'appuie sur le bouton : quelle machine élégante, posée dans son coin, si sage, si respectueuse et si serviable comparée à la laideur d'un e-mail ! Danielle procède à certains ajouts à ses mémoires, écrit au sujet de sa mère, admettant enfin que des mémoires doivent avoir une mère quelque part dans leurs replis. Les deux identités qu'elle n'avait jamais réconciliées – fille, écrivain – se rassemblent. La traduction maintient son cerveau en éveil, dit-elle, comme des mots croisés. Une tâche quotidienne à commencer et à finir. Elle vient d'avoir quatre-vingt-six ans.

Je pense déjà au troisième livre de la trilogie : *Autumn Thyme.* Il s'ouvrira sur un large éventail de narration empesée. Je veux que le livre ait le ton grave et plaintif d'un trombone d'orchestre puis qu'il s'élève vers une transfiguration quelconque, dont je dois encore trouver la nature. Je veux que ce soit un livre prêt à exister en huis clos, si nécessaire. Je veux qu'il soit aussi immobile qu'une peinture à l'huile, qu'un tableau intitulé *Femme assise. Femme au repos.* La moitié de mon travail aura déjà été faite pour moi, du moins pour ceux qui ont lu les deux premiers livres. Ces lecteurs seront prêts à accepter le fait que mon Alicia est intelligente, inventive et capable de fermeté morale, les qualités que nous présumons, sans démonstration, chez un héros masculin. Ce sera un livre plus triste que les autres, et plus court. Le mot *autumn,* « automne » en français, nous donne une petite claque sur la tête, souffle une certaine mélancolie, une certaine brièveté, qui sont des airs que je connais un peu. Une certaine dose de résignation, aussi, s'attachera aux pages de ce troisième roman, un cadeau de Danielle Westerman, mais également le poids de la résistance. Nous y voilà : immobilité et pouvoir, tristesse et résignation, contradictions et irrationalité. Presque, pourrait-on dire, les matériaux pour construire un livre sérieux.

Jour après jour, Norah se rétablit à la maison, où elle se réveille atome par atome, et trace timidement son chemin sur une carte hypothétique. Quelle félicité, même si Tom et moi ne nous sommes pas encore autorisés à laisser éclater notre joie. Nous l'observons attentivement, en feignant le contraire. Elle étudiera peut-être les sciences à McGill en automne prochain, ou alors la linguistique. Elle y réfléchit encore. En ce moment, elle dort. Ils dorment tous, même Pet, étendu sur le sol de la cuisine, bien au chaud dans son beau manteau de fourrure. Il est plus de minuit, nous sommes à la fin du mois de mars.

DANS LA MÊME COLLECTION

ANDERSON Alston
Le Tombeur

ASCH Sholem
Marie, mère de Jésus

BERNLEF J.
Chimères
Secret public

BEYER Marcel
Voix de la nuit

BLACKBURN Julia
Daisy et les aborigènes
Le Livre des sortilèges

BLASCO IBÁÑEZ Vicente
Mare Nostrum

BOJER Johan
Le Dernier Viking

BORNEMARK Kjell-Olof
La Roulette suédoise

BOROWSKI Tadeusz
Le Monde de pierre

CANIN Ethan
Le Voleur du palais
Vue sur l'Hudson
La Concordance des ans

ČAPEK Karel
L'Affaire Selvin

COTRONEO Roberto
Presto con fuoco

COWAN James
Le Rêve du cartographe
Le Testament du troubadour

CRUMEY Andrew
Pfitz
Le Principe de d'Alembert

D'ANNUNZIO Gabriele
Laus vitae
L'Enfant de volupté

DESAI Kiran
Le Gourou sur la branche

DJILAS Milovan
L'Exécution

DONLEAVY J. P.
La dame qui aimait
les toilettes propres

DONOSO José
Ce lieu sans limites
Ce dimanche-là
Casa de campo
Le Couronnement
Le Jardin d'à côté

DUNCKER Patricia
La Folie Foucault

ENGEL Marion
Ours

FASCHINGER Lilian
Magdalena pécheresse

FEUCHTWANGER Lion
Le Roman de Goya
La juive de Tolède

FRAZIER Charles
Retour à Cold Mountain

GALSWORTHY John
(Prix Nobel)
La Dynastie des Forsyte

GORENSTEIN Friedrich
Scriabine

GREGOR-DELLIN Martin
Le Réverbère

HAMSUN Knut (Prix Nobel)
Mystères
Le Dernier Chapitre
Victoria
Sous l'étoile d'automne
La Dernière Joie
Un vagabond joue en sourdine
Benoni
Rosa
Sur les sentiers où l'herbe
repousse

Femmes à la fontaine
Enfants de leur temps
La ville de Segelfoss
Pan
Esclaves de l'amour
Rêveurs
Le cercle s'est refermé
Auguste le marin
L'Éveil de la glèbe
Mais la vie continue

HESSE Hermann (Prix Nobel)
Le Loup des steppes
Le Voyage en Orient
Narcisse et Goldmund
Peter Camenzind
Le Jeu des perles de verre
Gertrude
L'Ornière
Rosshalde
Knulp
Le Dernier Été de Klingsor
Enfance d'un magicien
Les Frères du soleil
Berthold
La Leçon interrompue
Une petite ville d'autrefois
La Conversion de Casanova
Le Poète chinois
Fiançailles
Souvenirs d'un Européen
Contes merveilleux
Histoires d'amour

HOFFMANN Gert
Le Bonheur

ISHIGURO Kasuo
L'Inconsolé
Les Vestiges du jour
Quand nous étions orphelins

JAMES Henry
Les Dépouilles de Poynton

JOLLEY Elisabeth
Le Mensonge

KASACK Hermann
La Ville au-delà du fleuve

KAZAN Elia
America America

KOESTLER Arthur
Croisade sans croix
Le Zéro et l'Infini
Les hommes ont soif
La Corde raide
Les Hiéroglyphes
Les Call-girls
Spartacus

KOESTLER Arthur et Cynthia
L'Étranger du square

KOVIC Ron
Né un 4 juillet

KRLEZA Miroslav
Le Retour de Philippe
Latinovicz
Mars Dieu croate

LAWRENCE D. H.
Le Paon blanc
Mr. Noon

LERNET-HOLENIA Alexandre
Le Régiment des Deux-Siciles

LEROI Jones
La Mort d'Horacio Alger
Le Système de l'enfer de Dante

LISH Gordon
Dear Mr. Capote
Le Deuil aux trousses

LODEMANN Jürgen
Lynch

LOGUE Antonia
Double Cœur

McGRATH Patrick
L'Asile
Martha Peake
Spider

MAWER Simon
Le Nain de Mendel

MENEGHELLO Luigi
Les Petits Maîtres

MERAY Tibor
Le Dernier Rapport

MISHRA Pankaj
Une terrasse sur le Gange

MITCHELL Joseph
Le Secret de Joe Gould

MOSSINSOHN Igal
Judas

MULISCH Harry
L'Attentat
Les Noces de pierre

NOOTEBOOM Cees
Rituels
Dans les montagnes des Pays-Bas
Philippe et les autres

OTERO SILVA Miguel
Et retenez vos larmes
Lope de Aguirre, prince de la liberté

OZ Amos
Ailleurs peut-être
Mon Michaël
Jusqu'à la mort
Toucher l'eau, toucher le vent
La Colline de mauvais conseil
Un juste repos
La Boîte noire
(Prix Femina Étranger)
Connaître une femme
La Troisième Sphère
Ne dis pas la nuit
Une panthère dans la cave

PERCY Walker
L'Amour parmi les ruines
Les Signes de l'Apocalypse

PINARDI Davide
L'Armée de Sainte-Hélène

PIRANDELLO Luigi
(Prix Nobel)
Feu Mathias Pascal

RAO Raja
La Chatte et Shakespeare
suivi de *Camarade Kirillov*

RICHLER Mordecai
Gursky

RICHTER Conrad
La Grande Dame

ROBERTS Michèle
Chair de ma chair
Celle qui revient

ROTH Joseph
Le Poids de la grâce

RUESCH Hans
Le Soleil dans la poche
La Soif noire

SCHNEIDER Robert
Frère sommeil
(Prix Médicis étranger)

SCHNITZLER Arthur
Le Lieutenant Gustel

SEGEDIN Petar
Les Enfants de Dieu

SHALEV Meir
Pour l'amour de Judith

SHIELDS Carol
Swann
La République de l'amour
La Mémoire des pierres
(Prix Pulitzer)
Une soirée chez Larry

SIMPSON Mona
L'Ombre du père

SORIANO Osvaldo
Quartiers d'hiver

STINGER Lee
Un hiver à New York

TCHOUKOVSKAIA Lydia
La Plongée

THACKERAY William
Mémoires d'un valet de pied

THEROUX Paul
Mosquito Coast
Escort Girl

VANDERHAEGHE Guy
Le Dernier Cow-boy

WALSHE Robert
L'Œuvre du Gallois

WESCOTT Glenway
Le Faucon pèlerin

WIECHERT Ernst
Missa sine nomine
L'Enfant élu
La Commandante
Le Capitaine de Capharnaüm

WODIN Natascha
La Ville de verre

WOOLF Virginia
Les Vagues

YEHOSHUA Avraham B.
L'Amant
Au début de l'été 1970
Un divorce tardif
L'Année des cinq saisons
Monsieur Mani
Shiva
Voyage vers l'an Mil

ZWAGERMAN Joost
La Chambre sous-marine